KV-445-657

ARMADA

TANA
FRENCH

CĂUTĂTORUL

Traducere din limba engleză
IULIA DROMERESCHI

ARMADA

Prelucrarea copertei, caligrafia titlului și prepress copertă: Alexandru CSUKOR
Ilustrațiile copertei: © Getty Images și © Plainpicture/Harald Braun
Redactor: Nicoleta TUDOR
Tehnoredactor: Loredana DOBOȘ
Prepress: Antonela IVAN
Corector: Rodica CREȚU

Descrierea CIP a Bibliotecii Naționale a României
FRENCH, TANA
Căutătorul / Tana French ; trad. din lb. engleză: Iulia Dromereschi. - București: Armada, 2023
ISBN 978-606-43-1665-3

I. Dromereschi, Iulia (trad.)

821.111

Tana French
THE SEARCHER

ARMADA este un imprint al Grupului editorial **NEMIRA**.

Tiparul a fost executat de ArtPrint S.A.

ISBN 978-606-43-1665-3

1

Când Cal iese din casă, ciorile prinseseră deja ceva. Vreo șase s-au adunat pe peluza din spate, prin iarba lungă și udă și printre buruienile cu flori galbene. Țopăie și lovesc cu ciocurile. E ceva mic și încă mai mișcă.

Cal lasă jos sacul de gunoi, plin cu tapet. Și-ar lua cuțitul de vânătoare ca să curme suferința creaturii, dar ciorile sunt aici de mai multă vreme. Ar fi o nesimțire din partea lui să apară așa cu nonșalanță și să se amestece în treburile lor. Se așază, în schimb, pe treapta acoperită de mușchi, lângă sacul de gunoi.

Îi plac ciorile. A citit undeva că sunt foarte deștepte. Că ajung să te cunoască, că îți aduc chiar și cadouri. De trei luni încearcă să le momească folosind resturi lăsate pe buturuga mare dinspre fundul grădinii. Îl privesc în timp ce se deplasează încet prin iarbă din stejarul cotropit de iederă unde-și au teritoriul și, de îndată ce e suficient de departe de ele, coboară să se certe gălăgioase pentru resturi. Dar urmăresc cu atenție mișcările lui Cal, iar dacă încearcă să se apropie, dispar în zbor înapoi în stejar și-l batjocoresc aruncându-i crengi în cap. Ieri după-amiază era în living, descojind tapetul mucegăit, când o cioară de dimensiune medie a aterizat pe pervazul unui geam deschis, a țipat ca și cum ar fi aruncat cu înjurături, pentru ca mai apoi să plece scoțând un cârâit care semăna cu un hohot de râs.

Creatura doborâtă se zvârcolește în toate direcțiile, culcând la pământ firele lungi de iarbă. O cioară mai mare se apropie, o lovește puternic cu ciocul și creatura încremenește.

Un iepure, poate. Cal i-a văzut în zori, ronțăind una, alta, țopăind prin rouă. Gropile lor sunt undeva pe câmpul din spatele lui, aproape de păduricea de aluni și scoruși. Și-a propus ca, după ce primește permisul de portarmă, să vadă dacă-și mai amintește ce a învățat de la bunicul lui despre jupuirea vânatului și dacă internetul, încăpățânat ca un catâr, va catadicsi să-i livreze o rețetă de tocană. Ciorile se înghesuie, ciugulind cu putere și proptindu-se în picioare ca să smulgă bucăți de carne, și tot mai multe aterizează din copac ca să se alăture festinului.

Cal le privește o vreme, întinzându-și picioarele și rotindu-și un umăr. Munca la casă necesită mușchi pe care uitase că-i are. În fiecare dimineață îl doare altceva, deși la asta contribuie, probabil, și salteaua ieftină pe care doarme direct pe podea. Cal e prea masiv și prea în vârstă pentru asta, dar n-are sens să aducă mobilă bună în praf, umezeală și mucegai. O va cumpăra după ce termină casa și după ce-și va da seama de unde; Donna se ocupa de toate acestea. Dar nu-l deranjează durerea. Îl mulțumește. Ca și bătăturile și pielea aspră, durerile sunt dovezi solide, câștigate, ale întregului care este viața lui acum.

Se lasă seara lungă și rece de septembrie, dar e suficient de înnorat încât să nu vadă nici urmă de apus. Cerul, pătat în nuanțe subtile de cenușiu, se pierde în infinit. La fel și câmpurile, scrise în coduri misterioase de nuanțe de verde, în funcție de utilitatea lor, și separate de garduri vii întinse, pereți de piatră și drumul îngust și vechi. Spre nord, o linie de munți joși se desenează la orizont.

Ochii lui Cal încă se obișnuiesc să privească atât de departe, după atâția ani în peisajul urban. Știe că natura e unul dintre puținele lucruri a cărui realitate nu te dezamăgește. Pe internet, vestul Irlandei arăta minunat. Exact din mijlocul lui, arată chiar mai bine. Aerul e încărcat de arome ca un pandișpan, de parcă ar trebui nu doar să-l respiri, ci și să muști o gură mare, poate, sau să te freci pe față cu o bucată din el.

După o vreme, ciorile se mai liniștesc, căci festinul se cam încheie. Cal se ridică și ia din nou sacul de gunoi. Ciorile îl privesc iscoditor imediat și când pornește iar spre grădină își iau zborul ghiftuite înapoi în copac. Cal trage sacul de un colț lângă magazia de piatră acoperită de plante cățărătoare și pe jumătate dărâmată, și se oprește să vadă cina ciorilor. Iepure, într-adevăr, unul tânăr, deși abia mai puteai să-ți dai seama ce animal a fost.

Lasă sacul de gunoi cu ceilalți și se întoarce spre casă. Aproape c-a ajuns, când ciorile se ridică agitate lovind frunzele și țipând. Cal nu se întoarce și nici nu se oprește. Zice foarte încet, printre dinți, închizând ușa în urma lui:

— Fir-ai al naibii!

În ultima săptămână și jumătate, cineva l-a tot urmărit pe Cal. Probabil de mai multă vreme, dar era preocupat de treburile lui și, cum ar fi gândit oricine în mijlocul unui spațiu mare și gol, a presupus că era singur. Mintea își închisese toate sistemele de alarmă, așa cum el își dorise. Într-o seară însă, își pregătea cina. Frigea un hamburger pe singurul ochi funcțional al aragazului mâncat de rugină, cu Steve Earle dat tare în boxa iPodului și mima că lovește cu bețele în tobe, când a simțit niște furnicături pe ceafă.

Ceafa lui Cal era antrenată, după mai mult de douăzeci și cinci de ani în poliția din Chicago. O ia în serios. Așa că a traversat relaxat bucătăria, dând din cap în ritmul muzicii și examinând blaturile de parcă nu găsea ceva, și apoi a sărit brusc în dreptul ferestrei. Nu era nimeni afară. A închis aragazul și a pornit iute spre ușă, dar grădina era pustie. Străbătuse tot perimetrul, sub un cer cu un milion de stele sălbatice și o lună numai bună de urlat la ea, în timp ce câmpurile se desfășurau albe în jurul lui în icnete de bufnițe. Nimic.

O fi fost vreun animal, și-a spus Cal, vreun zgomot înecat în muzică, așa că numai subconștientul său îl auzise. Pe-aici, întunericul e aglomerat. A stat de câteva ori pe treaptă, târziu, după miezul nopții, bând câteva beri, și a prins ritmul întunericului. A văzut un arici foșnind în grădină, o vulpe agilă oprindu-se în drumul ei scrutându-l dintr-o privire. O dată, un bursuc mai mare și mai musculos decât s-ar fi așteptat Cal a parcurs ruta pe lângă gardul viu și apoi s-a făcut nevăzut în el. Un minut mai târziu, s-a auzit un țipăt ascuțit, apoi foșnetul produs de bursucul care se îndepărta. Orice s-ar fi putut întâmpla acolo.

Înainte să se ducă la culcare, și-a pus cele două căni și două farfurii pe pervazul geamului din dormitor și a târât un birou vechi în dreptul ușii. Dar și-a zis apoi că se comportă prostește și a pus lucrurile la locul lor.

Câteva dimineți mai târziu, desprindea tapetul, cu geamul deschis ca să iasă praful, când ciorile au zburat brusc din copac, țipând la ceva de sub ele. Foșnetele grăbite care se îndepărtau în spatele gardului erau prea puternice ca să fi fost cauzate de un arici sau vreo vulpe, prea puternice chiar și pentru un bursuc. Când a ajuns, era deja prea târziu.

Probabil doar niște copii plictisiți, care-l spionau pe nou-venit. Nu prea era mare lucru de făcut pe-acolo, cu un sat care încăpea în buzunar și cel mai apropiat orășel de Doamne-ajută la vreo treizeci de kilometri. Ce prost se simte doar pentru că s-a gândit la altceva! Mart, dragul lui vecin din capătul drumului, își încuie ușa doar noaptea. Când Cal a ridicat o sprânceană auzind asta, Mart a început să râdă șuierând, în timp ce fața cu pomeți înalți i se încrețise toată.

— La cum arată, a zis arătând spre casa lui Cal, ce să-ți fure? Și cine? O să mă strecor eu, în zori, să văd ce rufe ai pus la spălat și să caut ceva ca să-mi mai anim stilul vestimentar?

Cal a râs și el și i-a zis că n-are decât, iar Mart i-a răspuns că are suficiente haine, ținând cont că n-avea planuri să facă curte nimănui și a început să-i explice de ce nu.

Dar se întâmplase câte ceva. Nu cine știe ce, doar lucruri care gâdilă simțurile de copoi ale lui Cal. Motoare turate la trei dimineața, pe drumuri lăturalnice, mârâieli profunde. În unele seri, niște tipi în spatele cârciumii, prea tineri și îmbrăcați nepotrivit, vorbind prea tare și prea repede, cu un accent care nu se potrivea locului. Era ceva în felul în care întorceau capul spre ușă, când intra Cal, era ceva și în privirile lor, prea lungi parcă. A avut grijă să nu spună nimănui cu ce se ocupase înainte, dar era suficient și numai să fie un străin.

Prostule, își spune Cal, făcând flacăra mai mică sub tigaie și privind pe geamul din bucătărie către câmpurile verzi, tot mai neclare. Câinele lui Mart se agită pe lângă oile care se îndreaptă calme spre saivan. Și-a petrecut prea mulți ani în patrulă prin cartiere rău famate, de-aia acum fermierii i se par niște băiețași din bande.

Ar putea paria că sunt niște copii plictisiți. Dar Cal tot a dat muzica mai încet, ca să nu-i scape nimic, și se gândește să-și ia un sistem de alarmă, iar asta-l scoate din minți. Ani întregi Donna s-a repezit la butonul de volum: „Cal, copilul de-alături încearcă să doarmă! Cal, doamna Scapanski abia ce-a fost operată, crezi că vrea să-i faci urechile să explodeze? Cal, ce-o să creadă vecinii, că suntem niște sălbatici?" A vrut la țară și ca să poată asculta Steve Earle suficient de tare încât să cadă veverițele din copaci și a vrut să fie la mama naibii tocmai ca să nu trebuiască să monteze alte alarme. Simte că nici măcar să-și aranjeze ouăle nu poate fără să privească peste umăr și un bărbat ar trebui s-o poată face în propria bucătărie. Copii sau nu, trebuie să scape de gândurile astea.

Acasă, ar fi rezolvat problema cu niște camere bune și discrete, care încarcă direct în cloud. Aici, chiar dacă WiFi-ul ar suporta un astfel de transfer – deși se îndoiește –, ideea de a-și duce înregistrările la cea mai apropiată secție nu i se pare prea bună. Nu știe ce poate stârni: o dispută între vecini sau poate cel care-l urmărește e văr cu polițistul ori cine știe ce.

S-a gândit la capcane. Teoretic, sunt ilegale, dar Cal e convins că n-ar fi mare lucru: Mart s-a oferit deja de două ori să-i vândă o pușcă neînregistrată, care zace nefolosită; plus că toată lumea conduce acasă după ce-a băut la cârciumă. Doar că, din nou, nu știe ce ar putea declanșa.

Sau poate c-a făcut-o deja. Ascultându-l pe Mart, Cal a început să aibă idee cât de încurcate pot ajunge lucrurile pe-aici și cât de atent trebuie să fii pe unde calci. Noreen, care ține magazinul din ceea ce înseamnă o linie dublă de clădiri care-s considerate satul Ardnakelty, nu comandă prăjiturelele care-i plac lui Mart din cauza unei povești complicate, petrecută în anii 1980, care i-a implicat pe unchii ei, pe tatăl lui Mart și niște drepturi de pășune. Mart nu vorbește cu un fermier al cărui nume nici nu poate fi pronunțat, aflat de cealaltă parte a munților, fiindcă tipul a cumpărat un pui fătat de cățelușa lui Mart, deși n-ar fi trebuit. Mai sunt și alte povești ca aceea, deși Cal nu le știe pe toate. Mart vorbește mult și neinteligibil, iar Cal nu a deprins încă pe deplin accentul din partea locului. Îi place – e bogat precum aerul, croșetat fin, și-l face să se gândească la apa rece de râu sau la vântul de munte –, dar bucăți de conversație trec pe lângă el pentru că îl distrage ritmul și ratează mai mult. Dar înțelege suficient de mult cât să știe că poate s-a așezat pe locul cuiva la cârciumă sau a tăiat-o peste un teren nepotrivit, într-o plimbare, și asta ar putea însemna ceva.

Când a ajuns aici, era pregătit pentru rezistență contra străinului. Și era OK, câtă vreme nu-i dădea nimeni foc la casă. Nu căuta amici de golf și serate dansante. Dar n-a fost așa. Oamenii erau prietenoși. Când a ajuns și a început să care lucruri în și din casă, a apărut Mart, s-a sprijinit de poartă încercând să afle mai multe informații. A ajuns să-i aducă un frigider mic și să-i recomande un magazin de construcții bunicel. Noreen i-a explicat cam care erau relațiile de rudenie dintre vecini și cum să se înscrie în schema de alimentare cu apă, și – mai târziu, după ce a făcut-o să râdă de câteva ori –, a început să bată apropouri, doar pe jumătate în glumă, să-i facă lipeala cu sora ei văduvă. Bătrânii care sunt veșnic în cârciumă au trecut de la semne din cap la comentarii despre vreme și explicații pasionate despre un sport numit hurling, care lui Cal i se pare că are viteza, abilitatea și ferocitatea hocheiului pe gheață, doar că fără gheață și fără mare parte din echipamentul de protecție. Până săptămâna trecută simțise că era, dacă nu primit cu brațele deschise, cel puțin acceptat ca fenomen natural interesant, un soi de focă poate, care decisese să locuiască pe lângă râu. Firește că va fi mereu un străin, dar simțea că nu mai conta așa mult. Acum nu mai e atât de sigur.

Acum patru zile, Cal a condus până în orășel și a cumpărat un sac mare cu pământ de grădină. E conștient de ironie, când tocmai ce și-a cheltuit mare parte din economii cumpărând patru hectare de teren, dar pământul lui este dur și sfărâmicios, plin de rădăcini de iarbă și pietricele ascuțite. Pentru grădină avea nevoie de pământ fin și umed. A doua zi s-a trezit odată cu găinile și a împrăștiat un strat pe lângă peretele exterior al casei, sub fiecare geam. A trebuit să smulgă buruieni și plante cățărătoare și să netezească pietricele, pentru o suprafață decentă. Aerul era rece și-l simțea până în plămâni. Încetișor, câmpurile s-au luminat, iar ciorile s-au trezit și-au început să se ciondănească. Când s-a luminat bine și a auzit veșnicul șuierat al lui Mart către câinele său ciobănesc, Cal a mototolit punga de pământ pe care a aruncat-o în coșul de gunoi și s-a dus în casă, să-și pregătească micul-dejun.

A doua zi dimineață, nimic. Următoarea dimineață, nimic. Probabil că se apropiase prea mult, probabil că-l speriase. Își văzu deci de treabă și-și ținu ochii departe de geamuri și de garduri.

În dimineața asta a găsit urme în pământul de sub geamul de la living. Tenişi, după firele rămase, dar urmele se suprapuneau, așa că nu-și putea da seama cât de multe sau de mari erau.

Tigaia e încinsă. Cal aruncă în ea patru felii de bacon, mai bogat în carne și mai gustos decât ce știe el, și, după ce grăsimea începe să sfârâie, sparge și două ouă. Se apropie de iPod, care stă pe aceeași masă de lemn veche unde Cal mănâncă – toată mobila lui se reduce la masa aceea, un birou de lemn lovit, vechi, două scaune, tot vechi, și un fotoliu mare și verde, pe care vărul lui Mart plănuia să-l arunce – și pune Johnny Cash, nu foarte tare.

Dacă a făcut ceva care să enerveze pe cineva, atunci cumpărarea acestei case ar fi motivul principal. A ales-o de pe un site, pentru că avea și pământ, pentru că se putea pescui în apropiere, acoperișul părea solid și că voia să verifice documentele care ieșeau din biroul cel vechi. De multă vreme nu mai alergase Cal așa după un vis, și i se părea încă un motiv să o facă. Agenții imobiliari cereau 35.000. Cal le-a oferit 30.000, cash. Aproape că i-au smuls banii din mână.

Atunci nu se gândise că poate mai voia cineva locul. E o casă joasă, cenușie, deloc specială, construită cândva prin anii 1930, de vreo cincizeci de metri pătrați, cu acoperiș cu plăci și ferestre cu cercevele. Doar pietrele mari de temelie și căminul lat, de piatră, îi aduc o sclipire. După fotografiile de pe site, era abandonată de ani buni, poate chiar decenii. Vopseaua i se scorojea, camerele erau pline cu piese de mobilier răsturnate, iar draperiile cu flori, putrezite. Dăduseră niște vlăstari în fața ușii, iar plantele agățătoare se târau printr-un geam spart. Dar de atunci a aflat suficient de multe încât să-și dea seama că poate mai dorea cineva locul, chiar dacă nu existau motive evidente, și că oricine care simțea că l-ar putea revendica ar lua această posibilitate în serios.

Cal trântește mâncarea peste câteva felii groase de pâine, pune ketchup, scoate o bere din micuțul frigider și se duce la masă. Donna l-ar certa pentru ce mănâncă, fiindcă nu prea pune gura pe fibre sau legume proaspete, dar chiar și hrănindu-se dintr-o tigaie și cuptorul cu microunde tot a slăbit câteva kilograme sau poate chiar mai mult.

Simte asta, nu doar în talie, ci și în mișcări: face totul surprinzător mai ușor. A fost neliniștitor la început, de parcă gravitația nu mai intervenea atât de ușor, dar îi place tot mai mult.

Mișcarea e motivul. Aproape în fiecare zi, Cal se plimbă o oră sau două, fără vreo țintă anume, ci își urmează instinctul și obține informații despre terenul lui. Multe zile îl plouă, dar nu-l deranjează: are o geacă mare, impermeabilă, iar ploaia e diferită de ce știe el, e o ceață fină și blândă care pare să se agațe nemișcată în aer. De cele mai multe ori, nu-și pune gluga, ca să simtă ploaia pe față. Vede mai departe decât e obișnuit, dar și aude la depărtare: câte un behăit sau un muget ori poate strigătul unui fermier vine spre el parcă de la mulți kilometri, subțiat și îmblânzit de distanță. Uneori vede unul dintre fermieri în timp ce-și rezolvă treburile peste câmpuri sau pufăie pe un drumeag în tractor, astfel încât Cal trebuie să se vâre în gardul sălbatic și să-l lase să treacă, salutându-l cu mâna ridicată. A trecut pe lângă femei solide, care cărau lucruri grele prin curți de ferme aglomerate, copilași cu obraji roșii care-l privesc printre uluci cu gura lipită de vreo bară, în timp ce câini pricăjiți latră și se reped la el. Uneori, câte o pasăre scoate un strigăt ascuțit deasupra capului sau un fazan țâșnește de sub tufe, când Cal se apropie de el. Intră înapoi în casă simțind că a făcut ce trebuie când a renunțat la tot și a venit aici.

Când nu se plimbă sau când altceva nu-i suscită atenția, Cal lucrează la casă de dimineață până noaptea. Primul lucru făcut la sosire a fost să măture coconul gros de pânze de păianjen și praf și gâze moarte și cine-știe-ce, care se străduia, cu răbdare, să pună stăpânire pe casă. Apoi a schimbat geamurile, toaleta și cada – ambele ciobite zdravăn de cineva cu un ciocan pneumatic și o ură fără egal contra instalațiilor sanitare –, ca să nu-și mai facă nevoile într-o gaură din pământ și să nu se mai spele în găleată. Cal nu e instalator, dar a fost mereu îndemânatic și are clipuri despre cum se fac lucrurile astea pe

YouTube, când conexiunea de internet nu cade când îi e lumea mai dragă. Așa c-a ieșit binișor.

După aceea a petrecut o vreme cercetând lucrurile abandonate în camere, fără să se grăbească și acordând fiecăruia toată atenția. Cine locuise acolo fusese o persoană foarte religioasă: imagini cu Sfânta Bernadette, cu Fecioara Maria dezamăgită și cu un anume Padre Pio, toate cu ramă ieftină și lăsate să se îngălbenească pe la colțuri de moștenitori mai puțin devotați. Se pare că le plăcuse laptele condensat, de vreme ce erau cinci conserve în dulăpiorul din bucătărie, dar expirate de cincisprezece ani. Existau cești de porțelan cu imprimeu roz, cratițe ruginite, șervete de masă rulate, o figurină cu un copil într-o robă roșie și coroană, cu capul lipit, și o cutie cu o pereche de pantofi eleganți, bărbătești, uzați și lustruiți de încă te puteai oglindi în ei. Cal a fost surprins că n-a găsit nicio dovadă a vreunei prezențe adolescentine, nici doze goale de bere, nici mucuri de țigară ori prezervative folosite, nici măcar graffiti. Se gândise că locul era, probabil, prea îndepărtat. Atunci, păruse un lucru bun. Acum nu mai e atât de sigur. Mai nou, ar fi preferat ca adolescenții să mai treacă din când în când prin locul acela pe unde obișnuiseră să-și petreacă vremea.

Hârtiile din birou s-au dovedit a nu fi mare lucru: articole rupte din ziare și reviste, împăturite îngrijit. Cal a încercat să facă legătura între ele, dar n-a reușit: printre altele, erau informații despre istoria cercetașilor, despre cum să cultivi năut, melodii pentru fluierul de tinichea, informații despre forțele irlandeze de menținere a păcii din Liban și o rețetă galeză pentru pâine cu brânză. Cal le păstrase, pentru că, într-un fel, ele îl aduseseră acolo. Aruncase mare parte din celelalte lucruri, inclusiv perdelele, ceea ce acum regreta. S-a gândit dacă să le scoată din grămada de gunoi care tot crește în spatele magaziei, dar probabil că le-a ros deja un animal sau le-a umplut de urină.

A înlocuit țevi și scurgeri, s-a urcat pe acoperiș să elimine o recoltă solidă de buruieni din horn, a dat cu șmirghel și a lustruit vechile scânduri de podea din stejar, iar zilele astea lucrează la pereți. Ultimul locuitor ori avea gusturi surprinzător de neconvenționale, ori avusese la îndemână doar câteva găleți de vopsea ieftină. Dormitorul lui Cal avusese culoarea indigo accentuat, până ce umezeala îl presărase cu flori de mucegai și ieșiseră la iveală petice palide de rigips. Dormitorul mai mic era mai deschis la culoare, verde-mentă. Partea de living a camerei din față era o culoare mai ruginie, maro-roșcat, peste tapetul care se cojea. Nu era clar ce se petrecea în zona bucătăriei, unde cineva intenționase să pună gresie, dar se luase cu altceva, iar baia fusese lăsată de izbeliște: un cub mic în spatele casei, cu pereți de rigips și o urmă de covor verde, acoperind mai mult sau mai puțin podelele nerindeluite, de parc-ar fi fost făcut de extratereștri care auziseră c-ar exista o chestie numită „baie", dar nu primiseră și instrucțiunile. Cal are 1,93 metri și trebuie să se înghesuie în cadă, cu genunchii sub bărbie. După ce va pune gresie, va adăuga și un duș, însă mai poate aștepta. Vrea să termine de vopsit cât e încă suficient de frumos afară și poate lăsa geamurile deschise. Au fost deja zile, câteva doar, în care cerul s-a făcut de un cenușiu dens, iar frigul care se ridică din pământ și vântul care mătură sute de kilometri și casa lui, de parcă nici nu s-ar afla acolo îl avertizează cum va fi iarna. Nu seamănă nicicum cu bancurile de zăpadă și temperaturile sub zero din iernile din Chicago – asta știe de pe internet –, dar ceva de aici pune stăpânire cu hotărâre, ceva ce nu poate fi controlat, ceva plin de viclenie, oarecum.

Cal mănâncă și evaluează toată treaba pe care a făcut-o peste zi. Tapetul, vechi de ani, a mucegăit în unele locuri și asta îl încetinește, dar l-a dat jos din mai bine de jumătate de cameră. Peretele din jurul arcadei de piatră a șemineului este încă de un roșu-maroniu, cojit. Surprinzător, dar ceva din el preferă camera așa. Înseamnă ceva. Cal nu e artist, dar, dacă ar fi, ar vrea s-o lase așa o vreme și să picteze câteva tablouri.

A terminat jumătate din mâncare și încă se gândește, când simte că i se ridică părul pe ceafă. De data asta ceva îi și atrage atenția: ceva care-și pierde echilibrul mărunt, stângaci, și se oprește aproape imediat, de parc-ar fi cineva care s-a împiedicat în tufele de lângă geam și apoi s-a redresat.

Cal mai ia o gură generoasă din sandvici, o înghite cu o gură de bere și-și șterge mustața de spumă. Se strâmbă apoi și se apleacă să pună farfuria pe masă, în timp ce râgâie. Se ridică de pe scaun, își trosnește gâtul și se duce la toaletă, agitându-și catarama.

Fereastra băii se deschide ușor, silențios, de parcă ar fi fost dată cu ulei – de fapt, a fost. Cal a încercat să se cațăre pe cisternă și să iasă pe geam și reușește mult mai agil decât te-ai aștepta de la cineva de înălțimea lui. Însă asta nu schimbă faptul că un motiv pentru care a renunțat la patrulă fusese că se săturase să se cațăre peste tot, urmărind idioți care făceau lucruri inutile, și n-avea de gând s-o ia iar de la capăt. Aterizează în afara casei, cu inima alergând în ritmul familiar, de vânătoare, cu fundul zgâriat de pervaz și cu o furie tot mai pregnantă.

Găsește într-un tufiș o bucată de țeavă rămasă de la lucrările din baie. Fără pistol, dar cu țeava în mână, tot simte că e dezarmat. Rămâne un minut nemișcat, permițându-le ochilor să se obișnuiască și ascultă, dar noaptea este presărată cu zgomote mici și nu reușește să se agațe de unul mai important. S-a făcut întuneric. Luna e sus pe cer, o felie ascuțită alergată de nori zdrențuiți, aruncând doar o lumină slabă, înșelătoare, și prea multe umbre. Cal apucă mai bine țeava și, făcând un compromis îndelung exersat între viteză și tăcere, se îndreaptă către colțul casei.

Sub geamul livingului, nemișcat, stă cineva ghemuit, cu capul suficient ridicat cât să privească peste pervaz. Cal cercetează atent, dar în jur pare să nu mai fie nimeni – pare să fie doar tipul ăsta. În lumina revărsată dinspre geam vede o tunsoare periuță și o urmă de roșu.

Cal lasă țeavă și atacă. Vrea să-l placheze pe tip și să vadă apoi ce se întâmplă, dar se împiedică de o piatră. În clipa în care-și recapătă echilibrul, tipul sare speriat și fuge. Cal se aruncă în penumbră, îl apucă de un braț și trage cu putere.

Tipul se mișcă prea ușor, iar când îi apucă brațul observă cât de subțire îi este încheietura. E un puști. Cal slăbește puțin strânsoarea. Puștiul se întoarce ca o pisică sălbatică, respiră șuierat și își vâră dinții în mâna lui Cal.

Cal urlă. Puștiul se smulge și o ia la goană traversând grădina, ca o rachetă, într-o liniște deplină. Cal pornește după el, dar în câteva secunde puștiul dispare în întuneric. Cal se oprește, puștiul nu mai e. Își croiește drum prin gardul viu și privește în ambele direcții ale drumului, îngust cât o panglică abia vizibilă, din cauza umbrelor aruncate de lună. Nimic. Aruncă niște pietre în tufe, în diverse direcții, încercând să-l facă pe puști să iasă. Nimic.

Se îndoiește că mai era cineva cu el – ar fi strigat, fie după ajutor, fie să-i avertizeze –, dar dă un ocol grădinii, ca să fie sigur. Ciorile dorm netulburate. Alte urme în pământul de sub geamul livingului, același model ca înainte. Doar acolo. Cal se retrage la adăpostul magaziei și așteaptă îndelung, încercând să-și calmeze gâfâitul, dar nu aude niciun foșnet în tufiș și nici nu vede vreo umbră care să traverseze terenul. Doar aceea; doar un puști. Nu se va întoarce sau, cel puțin, nu la noapte.

Când intră în casă se uită la mână. Copilul i-a făcut-o: trei dinți i-au străpuns pielea și sângerează puțin. Cal a mai fost mușcat cândva și asta a generat o furtună de hârtii peste hârtii, interogatorii, analize de sânge, dispute juridice, pastile și înfățișări la tribunal, care au durat luni întregi, până când Cal s-a săturat să țină socoteala și își punea mâna sau semnătura la dispoziție ori de câte ori era nevoie. Găsește trusa de prim ajutor și dezinfectează rana câteva secunde, apoi aplică un plasture.

Mâncarea s-a răcit. O încălzește și se așază din nou la masă. Johnny Cash continuă să cânte, jelind-o pe Rose, jelindu-și băiatul pierdut, pe un ton profund, grav și tremurat, de stafie.

Cal nu se simte cum se aștepta. Puști care-l spionează pe tipul nou, la asta se așteptase. Asta spera să găsească, era cel mai bun scenariu. Se gândea că va striga amenințări vagi în urma lor, în timp ce se făceau nevăzuți, urlând și râzând și aruncând insulte peste umeri, iar el va clătina din cap și se va întoarce în casă, plângându-se de copiii din ziua de azi, ca un bătrân nesuferit. Și cam atât. Poate că puștii ar fi revenit, din când în când, dar Cal nu era preocupat de asta. Putea reveni la renovări și la muzica tare și la aranjarea ouălor când avea chef, cu nasul de copoi adormit, așa cum trebuia.

Doar că nu simte că asta a fost tot, iar nasul de copoi nu vrea să doarmă. Puștii care fac mișto de un străin trebuiau să vină în gașcă și să fie zgomotoși, excitați de propria îndrăzneală ca de cofeină. Se gândește la cât de încremenit stătea puștiul ăla sub geam, la tăcerea lui, când l-a apucat, la ferocitatea de șarpe a mușcăturii. Puștiul nu se amuza. Era acolo cu un scop. Se va întoarce.

Cal își termină cina și spală vasele. Bate în cuie un cearșaf în dreptul ferestrei de la baie și face o baie rapidă. Se întinde apoi pe saltea, în întuneric, cu mâinile sub cap, privind pe geam la stelele strecurate printre nori și ascultând vulpile care se bat undeva peste câmp.

2

Când iese și se uită mai bine la biroul distrus, își dă seama că e mai vechi decât crezuse și de calitate mai bună: din stejar, cu niște bucle delicate sculptate în față și de-a lungul liniei sertarelor și cu mai multe locașuri imbricate. Îl depozitase în dormitorul mai mic, fiindcă nu plănuia să se apuce de el, o vreme, dar azi pare să-i poată fi de folos. L-a cărat în spatele grădinii, la o distanță calculată atent departe de gard și de copacul ciorilor, lângă masa care îi va servi drept suprafață de lucru, luându-și trusa de scule, unul dintre puținele lucruri pe care le adusese cu el. Majoritatea sculelor i-au aparținut bunicului său. Sunt uzate, ciobite, stropite cu vopsea, dar tot funcționează mai bine decât rahaturile pe care le poți cumpăra în prezent de la magazinele „specializate".

Principala problemă a biroului este o adâncitură mare din care sar așchii, de parcă oricine s-o fi năpustit cu ciocanul asupra băii a decis să-l lovească, în drum spre ieșire. Cal lasă partea aceea pentru mai târziu, când își mai revine mâna. Va începe cu șinele de glisare ale sertarelor. Două dintre ele nu mai există, iar celelalte două sunt îndoite și despicate. Sertarele nu ies și nici nu intră fără efort. Scoate ambele sertare, lasă biroul pe spate și începe să deseneze contururi cu creionul în jurul șinelor rămase.

Vremea e de partea lui: e o zi însorită și călduță, vântul adie ușor, cu păsărele pe garduri și albine printre florile sălbatice, genul de zi în care cineva se poate bucura de munca în aer liber. E zi de școală și a trecut deja jumătate din dimineață, dar, judecând după cele întâmplate, Cal nu crede că își irosește timpul. Chiar dacă nu se întâmplă nimic imediat, are cu ce să-și ocupe timpul până ies copiii de la școală. Fluieră printre dinți cântecele vechi știute de la bunicul lui și mai fredonează versurile când și le amintește.

Continue să fluiere aplecat peste birou și când aude foșnetul de pași în iarbă. Dar, după un minut, aude zgomot prin gard și simte un nas umed sub cot: Kojak, câinele ciobănesc alb cu negru al lui Mart. Cal își îndreaptă spinarea și îi face cu mâna lui Mart.

— Cum îți merge? întreabă Mart, peste gard.

Kojak amușină mirosurile noi din gardul viu.

— Mă descurc, spune Cal. Tu ce faci?

— Bine, sănătos, mulțam de întrebare.

Mart e scund, cam 1,70 metri, vânjos și musculos. Are părul grizonant și ciufulit, un nas rupt o dată sau de două ori și multe pălării. Azi poartă o șapcă de tweed care pare să fi fost mestecată de un animal de la fermă.

— Ce faci cu ăl de colo?

— Vreau să-l repar, spune Cal.

Încearcă să scoată a doua șină de glisare, dar nu reușește. Biroul ăsta a fost făcut cu cap, indiferent când o fi fost făcut.

— Îți irosești timpul, îi spune Mart. Mai bine te uiți pe site-urile alea cu reclame. Găsești vreo șase la preț de nimic.

— Am nevoie doar de unul, răspunde Cal. Și am unul.

Mart dă să protesteze, dar renunță imediat, schimbând subiectul.

— Arăți bine, zice, privindu-l pe Cal din cap până-n picioare.

Mart a fost înclinat să-l accepte pe Cal de la început. Adoră discuțiile, iar în cei șaizeci și unu de ani ai săi a cam aflat totul de la cei care locuiesc pe-aici. Pentru Mart, Cal e un fel de Crăciun.

— Mulțam. Și tu.

— Vorbesc serios, omule. Ești foarte zvelt. Burta aia se topește văzând cu ochii.

Când Cal, care mișcă răbdător șina înainte și înapoi, nu răspunde, continuă:

— Cum faci?

— Uite-așa, zice Cal și face un semn din cap spre casă. În loc să stau în fund, la birou, toată ziua.

Mart scutură viguros din cap.

— Ba deloc. Îți zic eu ce-i. Îi carnea pe care-o mănci. Cârnații și șunca de le iei de la Noreen. Sunt din zonă. Proaspete, de spui c-o să salte din farfurie să guițe la tine. Îți fac mult bine.

— Îmi place mai mult de tine decât de fostul meu doctor.

— Ascultă-mă. Carnea aia americană de-o mâncai acas' colcăie de hormoni. Îi pompează în vite, să le îngrașe. Ce crezi că le fac oamenilor?

Așteaptă un răspuns.

— Nimic bun.

— Te umflă ca un balon și-ți fac țâțe mari ca alea de le are Dolly Parton. Nebuni. UE le-a interzis pe toate pe aici. Asta te-a îngrășat de la început. Acum, că mănci carne de calitate, irlandeză, o să se topească de pe tine. O s-arăți ca Gene Kelly cât ai zice „porc".

Mart s-a prins că lui Cal îi stă mintea la ceva și e hotărât să-l facă să vorbească, fie din sentimentul datoriei de vecin, fie fiindcă o consideră o provocare.

— Ar trebui să lansezi pe piață Dieta cu Bacon-Minune a lui Mart. Mănânci și slăbești.

Mart chicotește, mulțumit.

— Te-am văzut plecând la oraș ieri, zice într-o doară.

Se uită peste grădină la Kojak, care se ia la trântă cu un pâlc de tufe, chinuindu-se să se vâre cu totul în ele.

— Da, spune Cal și știe ce vrea Mart. Stai așa.

Intră și revine cu un pachet de prăjiturele.

— Nu le mânca pe toate odată.

— Ești un gentleman, spune bucuros Mart, acceptând prăjiturelele peste gard. Le-ai gustat?

Prăjiturelele lui Mart sunt niște forme din bezea roz și moale, cu gem și cocos, iar în ochii lui Cal par perfecte pentru a convinge o copilă de cinci ani, cu o fundă mare în păr, să nu mai facă scandal.

— Nu încă.

— Înmoaie-le, omule. În ceai. Bezeaua se face moale și gemul ți se topește pe limbă. Nimic nu-i ca ele.

Mart vâră prăjiturelele în buzunarul jachetei impermeabile verzi. Nu se oferă să plătească pentru ele. Prima dată, Mart a spus că prăjiturelele ar fi o favoare care i-ar însenina ziua unui fermier bătrân, iar Cal n-avea de gând să-i ceară un pumn de monede noului vecin. După aceea pentru Mart s-a transformat într-o tradiție veche. Întorcându-și privirea amuzat spre Cal când ia prăjiturelele, înseamnă că-l testează.

— Mie îmi place cafeaua. N-ar mai fi la fel.

— Să nu-i zici lui Noreen despre asta, îl previne Mart. Mi-ar lua și bucuria asta. Crede că e în avantaj.

— Că veni vorba despre Noreen, spune Cal. Dacă te îndrepți într-acolo, poți să iei niște șuncă pentru mine? Am uitat.

Mart fluieră prelung.

— Ai de gând să ți-o pui în cap pe Noreen? Proastă mișcare, cârlane. Uite unde m-a adus pe mine. Orice-ai fi făcut, treci pe-acolo cu flori și cere-ți scuze.

Cal ar prefera să rămână acasă azi.

— Nu, spune. Tot încearcă să-mi facă lipeala cu sora ei.

Mart ridică din sprâncene.

— Care soră?

— Cred că Helena.

— Bunule Doamne, atunci să-ți fie de bine! Credeam că zici de Fionnuala, dar cred că lui Noreen îi place de tine. Lena are capul pe umeri. Soțul ei era rigid ca un cur de rață și bea de stingea, fie iertat, așa că ea n-are figuri în cap. Nu se supără dacă intri cu cizmele murdare sau dacă te bășești în pat.

— Genul meu de femeie. Dacă m-ar interesa.

— E o văduvă împlinită, nu una dintre alea tinere și slabe, de le pierzi când se-ntorc pe-o parte. O femeie trebuie să aibă carne pe ea. Acum, zice, arătând spre Cal, care a început să râdă, să știi că mintea ta murdară vorbește. Nu la ce crezi tu mă refer, ai înțeles?

Cal clatină din cap, râzând în continuare.

— Ce zic eu – Mart își sprijină antebrațele de bara de sus a gardului, făcându-se comod, ca să detalieze –, ce zic eu aici este că, dacă vrei femeie în casă, vrei una care să umple spațiul. Nu te ajută o scândură de fată, numai pielea și osul, cu o voce amărâtă de șoarece, care să nu scoată un cuvânt decât din an în Paști. N-ar merita. Când intri în casă, vrei să-ți vezi și să-ți auzi femeia. Să știi că e acolo, altfel care-ar fi rostul?

— N-ar fi, spune Cal, rânjind. Deci Lena e zgomotoasă?

— Ai ști când e prezentă. Treci de-ți ia singur șunca și zi-i lui Noreen să vă facă lipeala. Spală-te bine, rade-ți tufa de pe față, pune-ți o cămașă bună. Du-o în oraș, la restaurant, nu la cârciumă ca să se holbeze toate scursurile la ea.

— Ar trebui s-o inviți tu în oraș.

Mart pufnește.

— Eu n-am fost niciodată însurat.

— Exact. N-ar fi corect să-mi depășesc norma de femei zgomotoase.

Mart scutură viguros din cap.

— Nu, nu, nu. Ai priceput pe dos, să știi. Câți ani ai, patrușcinci?

— Patruzeci și opt.

— Nu-i arăți. Cred că hormonii din carne te-au ținut tânăr.

— Mersi.

— Mă rog. Dar, când ajunge la patruzeci, bărbatul poate fi însurat. Femeile au idei, iar eu sunt obișnuit doar cu ale mele. Tu, nu.

Mart a extras aceste aspecte și alte informații vitale din prima întâlnire cu Cal, cu o abilitate abia perceptibilă, încât Cal s-a simțit un amator.

— Ai locuit cu fratele tău, zice el.

Mart oferă și el informații: Cal știe totul despre fratele lui, căruia îi plăceau prăjiturelele cu cremă de ou și lapte. Era un tâmpit, dar se descurca bine cu oile, i-a rupt nasul lui Mart lovindu-l cu o cheie de buloane când se certau pentru telecomandă și a murit în urma unui atac cerebral acum patru ani.

— N-avea nimic în cap, zice Mart, cu aerul cuiva care a înscris un gol. Prost ca o balegă. N-aș fi suportat să vină vreuna cu ideile ei în casa mea. Să vrea un candelabru sau un câine sau să fac cursuri de yoga.

— Ai fi putut găsi una proastă, zice Cal.

Mart pufnește.

— M-am săturat de prostiile lu' frate-miu. Dar îl știi pe Dumbo Gannon, de la ferma de colo?

Arată peste câmpuri, spre o clădire joasă, dar lungă, cu acoperiș roșu.

— Da, spune Cal, mai mult ghicind despre cine e vorba.

Unul dintre bătrânii de la cârciumă – e mic, îndesat și are niște urechi cât toartele. Ai putea să-l ridici dac-ai trage de ele.

— Dumbo e la a treia nevastă, continuă el. N-ai zice, ținând cont de ce cap de barabule are, dar îți zic. Una dintre ele a murit și cealaltă a fugit, dar de ambele dăți Dumbo a făcut rost de o alta în mai puțin de-un an. Așa cum mi-aș lua eu alt câine dacă mi-ar muri Kojak sau un teve nou dacă s-ar strica, Dumbo își ia nevastă nouă. Fiindcă el s-a obișnuit ca cineva să vină cu idei. Dacă n-are femeie, nu știe ce să mănânce la cină sau la ce să se uite la teve. Și, dacă n-ai femeie, nici tu nu știi în ce culori să vopsești camerele din casa ta.

— În alb, spune Cal.

— Și mai ce?

— Și alb.

— Vezi ce vreau să zic? spune Mart, triumfător. Până la urmă, nu le vei vopsi în alb. Tu ai obiceiul să-ți vină cineva cu idei. O să cauți.

— Aș putea aduce un tip care se ocupă de interioare, spuse Cal. Un hipster care va vopsi pereții în nuanțe de verde aprins și stacojiu.

— Și unde crezi c-ai să găsești unul d-ăsta?

— Îl aduc din Dublin. O să aibă nevoie de viză de muncă?

— O să faci cum face Dumbo, îl informează Mart. Că vrei sau nu vrei. Eu încerc doar să mă asigur c-o faci cum trebuie, înainte ca vreo slăbănoagă cu minte de câlți să-și vâre ghearele în tine și să-ți facă viața un iad.

Cal nu-și dă seama dacă Mart chiar asta crede sau dacă aruncă săgeți ca să caute sământă de ceartă. Lui Mart îi plac discuțiile în contradictoriu, cum îi plac prăjiturelele lui. Uneori, Cal îi ține isonul, ca un vecin de treabă, însă azi are câteva întrebări precise, apoi vrea ca Mart să-l lase în pace.

— Poate în câteva luni, zice. Nu am de gând să încep nimic cu o femeie acum. Nu până ce locul ăsta nu-i suficient aranjat încât s-o las să-l vadă.

Mart mijește ochii spre casă și încuviințează, recunoscând că are dreptate.

— Nu lăsa să treacă multă vreme. Lena are de unde alege.

— E în paragină de mult. O să-mi ia o vreme să o refac. Ai idee de cât timp nu e locuită?

— De cincisprezece ani. Poate douăzeci.

— Par mai mulți, face el. Cine a locuit aici?

— Marie O'Shea, spune Mart. Nu și-a luat alt bărbat după ce a murit Paudge, dar femeile-s diferite. Se obișnuiesc cu căsătoria, așa ca bărbații, dar le place să mai ia și o pauză. Marie era văduvă doar de un an când a murit și ea. N-a avut norocul să-și tragă sufletul. Dacă Paudge s-ar fi dus cu zece ani mai devreme...

— Copiii n-au vrut casa?

— Sunt plecați de mult. Doi în Australia, unul în Canada. Nu că vreau să zic ceva urât despre casa ta, însă nu-i chiar genul care ademenește copiii acasă.

Kojak renunță la tufe și se îndreaptă spre Cal, dând din coadă. Cal îl scarpină după ureche.

— Cum de-au vândut abia acum? S-au certat ce să facă în privința ei?

— Din câte știu, la început au păstrat-o fiindcă prețurile creșteau. Pământ bun care se irosea, fiindcă proștii credeau c-o să-i facă milionari. Apoi – chipul lui Martin se despică de un rânjet necurat – a venit criza și au rămas cu casa, că nu le dădea nimeni doi bani pe ea.

— Hm...

Asta ar putea genera nemulțumiri, într-un fel sau altul.

— A mai vrut careva s-o cumpere?

— Frate-meu, zice Mart prompt. Idiotu'. Aveam destule pe cap. S-a uitat prea mult la *Dallas*, săracul. S-a crezut baron peste vite.

— Credeam c-ai zis că nu avea idei.

— N-a fost o idee, ci o tâmpenie. I-am tăiat-o scurt. Când au femeile idei, nicio șansă. Dacă le-o tai într-un loc, crește-n altul. N-ai de unde ști cum apare.

Kojak se sprijină de piciorul lui Cal, cu ochii pe jumătate închiși, de plăcere, împingându-se în palma lui ca să-l mângâie. Cal se gândește să-și ia un câine. Voia să aștepte până ce era casa aranjată, dar acum se gândește că n-ar fi rău să se grăbească.

— Sunt rude de-ale familiei O'Shea pe aici? Am găsit lucruri pe care poate le vor.

— Dacă le voiau, spune Mart, rațional, au avut douăzeci de ani să le ia singuri. Ce fel de lucruri?

— Hârtii, zice vag Mart. Poze. Mă gândeam să verific, înainte să le arunc.

Mart rânjește.

— E nepoata lui Paudge, Annie, la câțiva kilometri mai în deal, pe drum, dincolo de Moneyscully. Dacă vrei să-i duci lucrurile, te duc eu, numa' ca să-i văd fața. Maică-sa și Paudge nu se suportau.

— Cred c-o să zic pas, spune Cal. Are copii care-și pot dori amintiri de la străunchi?

— Au plecat cu toții, ori la Dublin, ori în Anglia. Aruncă hârtiile în foc. Sau vinde-le pe internet altui yankeu care vrea ceva tâmpenii de patrimoniu.

Cal nu e sigur dacă e sau nu o ironie. Cu Mart, nu-ți dai mereu seama și știe că tocmai asta e amuzant la el.

— Poate, zice el. În fond, nu mă privește. Familia mea nu-i irlandeză, din câte știu.

— Toți aveți o picătură de sânge irlandez, spune Mart, cu încredere absolută. Într-un fel sau altul.

— Cred c-o să păstrez lucrurile, atunci, zise Cal, mângâindu-l ultima dată pe Kojak și întorcându-se la cutia lui cu scule.

Annie nu pare genul care să-și trimită copiii să investigheze casa bătrânească. Lui Cal i-ar plăcea să știe cine ar putea fi puștiul ăla – credea că ar putea fi din vecini, dar nu știe nimic despre niciun copil –, iar un străin de vârstă mijlocie care pune întrebări despre băieții din zonă pare o rută sigură spre cărămizi care-i sparg geamurile și deja are suficiente probleme pe cap. Scotocește prin cutie după daltă.

— Succes cu treaba aia, zice Mart, ridicându-se cu o grimasă de pe gard.

O viață de muncă la fermă i-a măcinat încheieturile. Îl supără genunchiul, umărul și aproape tot restul corpului.

— Când termini, te scap eu de lemnele de foc.

— Șunca, îi amintește Cal.

— Va trebui să o înfrunți pe Noreen. Nu poți să te ascunzi aici și să speri c-o să uite. Așa cum ți-am zis, tinere: când unei femei îi intră o idee-n cap, n-ai ce face.

— Poți să-mi fii cavaler de onoare, spune Cal, vârând dalta sub șina de glisare.

— Feliile de șuncă îs 2,50, îl anunță Mart.

— Ca să vezi, atâta costă și prăjiturelele.

Mart râde și scoate un șuierat, apoi lovește gardul, făcându-l să se clatine alarmant. Apoi îl fluieră pe Kojak și pleacă amândoi.

Cal se întoarce la biroul pe care-l repara, scuturând din cap și rânjind. Uneori bănuiește că Mart joacă rolul țăranului cu darul vorbirii doar ca să-l facă mai dispus să-i aducă prăjiturele și cine știe ce-o mai fi având în minte. „Să știi că da", ar fi zis Donna, când le plăcea să inventeze lucruri care-l făceau pe celălalt să râdă. „Să știi că, dacă nu ești pe-aproape, poartă frac și vorbește precum Regina. Sau poartă adidași de firmă și se mișcă-n stil Kanye." Cal nu se gândește mereu la Donna, ca la început. A fost nevoie de luni de muncă fără pauză, de muzică dată la maximum sau de recitat componența echipelor de fotbal, cu voce tare, ca un nebun, ori de câte ori îi venea în minte, dar a reușit, în cele din urmă. I se mai strecoară în minte, câteodată, mai ales când dă peste ceva care ar face-o să zâmbească. I-a plăcut mereu zâmbetul Donnei, prompt și larg. Râdea cu toată fața.

După ce-și văzuse amicii trecând prin aceeași situație, se așteptase să-și facă curaj s-o sune când se îmbăta, așa că a evitat băutura o vreme, însă n-a fost la fel. După câteva beri, Donna i se pare la un milion de kilometri distanță, într-o altă dimensiune, unde n-o poate ajunge niciun apel. Se înmoaie doar când ea îl ia prin surprindere, într-o dimineață senină de toamnă, când îi înflorește în minte, atât de vie și de proaspătă, încât aproape că-i simte mirosul. Nu-și amintește de ce n-ar trebui să-și scoată telefonul, să-i spună „Hei, iubito, ascultă-mă". Probabil ar trebui să-i șteargă numărul, dar poate că va fi nevoie să discute despre Alyssa, cândva, și oricum l-a învățat pe de rost.

Șina sertarului iese, în sfârșit, din locaș și Cal scoate cuiele ruginite cu un clește. Măsoară șina și notează. Când s-a dus prima dată la magazinul de construcții, a luat câteva bucăți de cherestea de diverse mărimi, fiindcă avea cutia cu scule și pentru că nu se știe niciodată când ai nevoie de ele. O bucată lungă de pin e cam de lățimea potrivită pentru șinele de glisare noi, dar un pic prea groasă. Cal o trântește pe masă și începe să o netezească.

Acasă, planul lui ar fi fost ca data viitoare să pună mâna pe puști și să-l strângă mai bine, apoi să-i țină o predică despre încălcarea proprietății, despre atac și despre vătămare corporală, despre penitenciarul pentru minori și ce li se întâmplă puștilor care-și pun mintea cu polițiștii. Și poate ar fi încheiat cu una peste ceafă și l-ar fi îmbrâncit de pe proprietatea lui. Aici, unde nu e polițist și senzația că nu știe ce ar putea declanșa se accentuează, nu-i cea mai bună variantă. Orice ar face trebuie să fie isteț și atent, să umble cu mănuși.

Când lemnul ajunge la grosimea potrivită, trage două linii pe el și taie de-a lungul lor cu fierăstrăul, la o adâncime de șaizeci și cinci de milimetri. O parte din el s-a întrebat dacă va ști ce să facă mai departe cu sculele, dar mâinile lui își amintesc: se potrivesc de parc-ar fi calde încă de când le-a folosit ultima dată și modelează ușor bucata de lemn. Îi dă o senzație plăcută. Fluieră iar, fără să se obosească să caute o melodie. Doar triluri amicale, către păsări.

Vremea se încălzește, iar Cal trebuie să se oprească și să-și scoată bluza de trening. Începe să scobească fâșia de lemn dintre cele două linii tăiate. Nu se grăbește. Puștiul, oricine-ar fi, vrea ceva. Cal îi dă ocazia să vină și să ia.

Aude mai întâi un zgomot, dincolo de gard. Se pierde printre fluierături și zgomotele de daltă și nu e sigur. Nu ridică privirea. Găsește ruleta și verifică dacă e potrivită canelura. E suficient de lungă. Când înconjoară masa ca să ia fierăstrăul aude iar: un foșnet de rămurele, ca și cum cineva s-ar ascunde sau s-ar feri.

Cal se apleacă după fierăstrău și privește peste gard.

— Dacă vrei să te uiți, zice, apropie-te ca să vezi mai bine. Vino aici să mă ajuți.

Dincolo de gard e liniște profundă. Cal o simte pulsând.

Taie cu fierăstrăul, suflă praful și măsoară din nou șina. Apoi o aruncă spre gard împreună cu șmirghelul.

— Na, dă cu șmirghelul, strigă Cal spre gard.

Ia dalta și ciocanul și se apucă iar de modelat canelura. Tăcerea se prelungește cât să creadă că totul i s-a părut. Apoi aude foșnetul făcut de cineva care se apropie de gard, încet și precaut.

Cal continuă să lucreze. Cu coada ochiului, vede o licărire roșie. După multă vreme, aude șmirghelul, mânuit stângaci fără prea multă abilitate, cu pauze între mișcări.

— Nu e nevoie să fie operă de artă. Va fi în interiorul biroului, deci nu o vede nimeni. Doar scapă de așchii. Urmărește granulația lemnului, nu te duce de-a curmezișul.

Pauză. Șmirghel.

— Astea sunt șine de glisare pentru un sertar. Știi cum arată?

Ridică privirea. E puștiul de aseară, într-adevăr. Stă cam la cinci metri distanță și-l privește pe Cal, încordat și pregătit de fugă, dacă e nevoie. Tunsoare periuță, hanorac prea mare, roșu decolorat, blugi jerpeliți. Are vreo doisprezece ani.

Clatină din cap repede.

— E partea care susține sertarul. Îl face să intre și să iasă fără probleme. Pe șina aia va aluneca sertarul.

Cal se apleacă încet spre birou ca să-i arate. Puștiul îi urmărește fiecare mișcare.

— Cele vechi se făcuseră praf.

Se întoarce la dăltuit.

— Cel mai ușor ar fi să folosesc un flex, continuă Cal, însă n-am unul la îndemână. Din fericire pentru mine, bunicului îi plăcea tâmplăria. Mi-a arătat cum să fac asta manual, când eram cam de vârsta ta. Ai făcut vreodată tâmplărie?

Se mai uită o dată la el. Copilul clatină din cap. E cam slăbănog, genul care e la fel de rapid precum pare și puternic, iar Cal știe asta deja, de seara trecută. Are un chip comun: cu un aer de copil mic, nu are trăsături puternic conturate, nici fine, nu e nici arătos, dar nici urât. Îi ies în evidență numai bărbia ascuțită și o pereche de ochi cenușii care-l fixează pe Cal, de parcă l-ar trece printr-o verificare computerizată de nivel CIA.

— Iată, continuă Cal. Sertarele din ziua de azi au șine metalice, dar ăsta e un birou vechi. Nu-ți pot spune cât de vechi, că nu mă pricep. Mi-ar plăcea să cred că avem ceva bun pentru emisiunile alea despre antichități, dar mai mult ca sigur e doar o piesă de mobilier veche. Dar eu m-am atașat de el. Vreau să văd dacă-l pot face funcțional.

Vorbește de parcă s-ar adresa unui câine de pripas, cu voce joasă și egală, fără să-și aleagă cuvintele. Puștiul dă cu șmirghelul mai repede, mai cu încredere când începe să prindă ideea.

Cal măsoară canelura și taie următoarea șină.

— Ar trebui să fie suficient, zice. Să vedem.

— Dacă-i pentru un sertar, zice puștiul, ar trebui să fie foarte netedă. Altfel se agață.

Are o voce clară și directă. Încă nu e spartă, iar accentul e aproape la fel de pronunțat ca al lui Mart. Iar copilul nu e prost.

— Așa e, spune Cal. Nu te grăbi.

Se întoarce cât să-l poată studia pe puşti cu coada ochiului, în timp ce dă cu dalta. Puştiul ia totul în serios, verificând fiecare suprafaţă şi muchie cu degetul, trecând peste ele iar şi iar, până e mulţumit. În sfârşit, ridică privirea şi-i aruncă şina lui Cal.

Cal o prinde.

— Bună treabă, zice, testând-o cu degetul mare. Uite.

O potriveşte peste inserţia din lateral şi o face să gliseze. Copilul se uită, dar nu se apropie.

— Ca unsă, zice Cal. O ceruim mai încolo, ca să alunece şi mai bine, dar nu prea are nevoie. Uite încă una.

Când se întinde după a doua şină, puştiul se uită la plasturele de pe mâna lui.

— Aha, spune Cal, ridicând mâna s-o vadă mai bine. Dacă se infectează, o să mă supăr foarte tare pe tine.

Puştiul se holbează în timp ce se încordează. E pe punctul să fugă. Abia dacă mai atinge iarba cu vârful încălţărilor.

— Mă urmăreşti, spune Cal. Ai vreun motiv?

Puştiul aşteaptă o clipă, apoi clatină din cap. Încă e pregătit să fugă şi-l urmăreşte pe Cal pentru a-i surprinde orice gest prin care ar vrea să-l prindă.

— Vrei să mă întrebi ceva? Ar fi un moment bun să mă întrebi acum, ca între bărbaţi.

Copilul clatină iar din cap.

— Ai vreo problemă cu mine?

Puştiul scutură violent din cap.

— Ai de gând să mă jefuieşti? Ar fi o idee proastă. În plus, dacă biroul ăsta nu se dovedeşte cumva vreo antichitate, nici nu prea ai ce să furi.

Iar negare.

— Te-a trimis cineva?

Copilul se strâmbă uimit de parc-ar fi zis ceva ciudat.

— Nu.

— Faci asta de obicei? Urmărești oameni?

— Nu.

— Atunci?

Copilul ridică din umeri. Cal așteaptă, dar nu primește alte informații.

— OK, spune, în cele din urmă. Nu-mi prea pasă de ce ai făcut-o. Dar prostia asta încetează chiar acum. De acum înainte, dacă vrei să mă mai urmărești, o faci așa ca acum, direct. Față în față. E singurul avertisment pe care ți-l voi da. Ne-am înțeles?

— Da, admite puștiul.

— Bine. Ai un nume?

Copilul s-a mai relaxat puțin, acum, că știe că nu-i nevoie să fugă.

— Trey.

— Trey, repetă Cal. Eu sunt Cal.

Puștiul încuviințează, de parcă știa deja.

— Mereu ești așa vorbăreț?

Trey ridică din umeri.

— Mă duc să-mi torn niște cafea pe gât, zice Cal. Parcă ar merge și-o prăjiturică. Vrei?

Dacă puștiul a fost pregătit să se ferească de potențialele pericole venite din partea străinilor, e o mișcare proastă, dar Cal nu simte c-ar fi fost pregătit pentru ceva. Puștiul încuviințează.

— O meriți. Mă întorc într-un minut. Tu dă cu șmirghelul, între timp.

Îi aruncă lui Trey a doua șină și traversează grădina, fără să întoarcă măcar capul.

Cal își face o cană mare de cafea instant și găsește un pachet de prăjiturele cu ciocolată. Poate c-o să-l facă să vorbească pe Trey, deși Cal se îndoiește. Nu-l înțelege pe copil. Poate c-a mințit. Sau poate că nu. Tot ce simte Cal e o intensitate care pare să tulbure aerul din jurul lui, precum aburii de căldură care se ridică de pe un drum încins.

Când iese, îl vede pe Kojak amușinând tufele de lângă magazie. Mart se sprijină de gard, cu o pungă cu felii de șuncă agățată de mână.

— Na, ca să vezi, spune, inspectând biroul. Încă îi în picioare. S-a zis cu lemnul meu de foc.

Șina pe jumătate șlefuită și șmirghelul sunt în iarbă, iar puștiul pe nume Trey a dispărut fără urmă.

3

Trey n-a mai dat niciun semn în următoarele zile. Cal nu crede că s-a terminat aici. Puștiul i s-a părut sălbatic, mai sălbatic decât mulți alți copii, iar creaturilor sălbatice le trebuie timp să proceseze o întâlnire neașteptată, înainte de a hotărî care le va fi pasul următor.

Plouă zi și noapte, moderat, dar fără oprire, așa că duce biroul în casă și revine la eliminarea tapetului. Îi place ploaia asta. Nu e agresivă. Ritmul ei calm și mirosurile pe care le aduce prin ferestre îmblânzesc vulnerabilitatea casei și-i dau impresia de cămin. A învățat să observe cum se schimbă peisajul, cum devin mai bogate nuanțele de verde și cum răsar florile sălbatice. O simte ca pe o aliată și nu-l irită, așa cum se întâmpla la oraș.

Cal este destul de sigur că puștiul nu își va face de lucru în casa lui cât e plecat. Atât de sigur, că sâmbătă seara, când se oprește în sfârșit ploaia, se duce la cârciumă. E un drum de cinci kilometri pe jos, suficient să-l țină acasă dacă vremea e rea. Mart și bătrânii de la cârciumă consideră hilară insistența lui de a parcurge distanța pe jos și uneori conduc mașina pe lângă el, încurajându-l zgomotos sau strigând la el așa cum o fac când mână vitele. Cal simte că mașina lui, un Mitsubishi Pajero zgomotos, greoi și antic, iese destul de mult în evidență cât să atragă atenția oricărui polițist plictisit care-și face de lucru în zonă. Și ar fi o idee proastă să fie arestat fiindcă a condus sub influența alcoolului cât își așteaptă încă permisul de portarmă, care-i poate fi refuzat din cauza asta.

— N-ar trebui să-ți dea nicio armă, i-a zis Barty, barmanul, când a menționat asta.

— De ce?

— Fiindcă ești american. Voi sunteți nebuni cu armele. Trageți fără întrebări. Împușcați pe oareșcare fiindcă a cumpărat ultimul pachet de prăjiturele Twinkies. N-am fi în siguranță.

— Ce știi tu despre Twinkies? a întrebat atunci Mart, din colțul în care se ascunsese cu doi prieteni și cu halbele.

În calitate de vecin, Mart simte că e răspunzător să-l apere pe Cal împotriva unora dintre ironiile încasate.

— Doară n-ai fost înțărcat cu ele.

— N-am stat eu doi ani pe macara, la New York? Știu io ce-s Twinkies. Rahaturi.

— Te-a împușcat cineva?

— Nu. Au avut mai multă minte.

— Ar fi trebuit s-o facă, a zis atunci unul dintre prietenii lui Mart. Am putea avea și noi un barman care să știe a pune un guler la halbă.

— Ai interdicție, i-a zis Barty. Și să-i văd eu încercând numa'.

— Na, poftim, a zis Mart triumfător. Noreen n-are Twinkies, oricum. Așa că lasă-l pe om să aibă pușcă și dă-i o bere.

Cârciuma, pe numele ei Seán Óg, scris cu litere celtice strâmbe deasupra ușii, are aceeași nuanță crem ca magazinul. Ziua, oamenii se duc când colo, când dincolo, fie ca să-și ia țigări pentru cârciumă, fie cu berile după ei ca să mai schimbe o vorbă cu Noreen. Ușa dintre ele e încuiată noaptea, doar dacă Barty n-are nevoie de pâine și șuncă ca să facă un sandvici pentru careva. Cârciuma e mică, cu tavanul jos, linoleum roșu pe jos și câte o carpetă jerpelită pusă aparent la întâmplare. Scaunele de la bar sunt într-un stil cumva eclectic, banchete din PVC verde crapă în jurul unor mese de lemn butucănoase și mai sunt multe fanioane cu bere, o placă pe care-i montat un pește de cauciuc care cântă „I Will Survive“, iar o plasă de pescuit care strânge pânze de păianjen e atârnată de tavan. Cine a pus-o acolo a pus și câteva bile de sticlă în ea, așa, ca un act artistic finalizat. Peste ani, mușteriii au adăugat nenumărate suporturi de pahare, o cizmă de cauciuc și o figurină Superman fără un braț.

Cârciuma e plină în seara aceea. Mart și câțiva amici stau în colțul obișnuit și joacă cărți cu doi tipi tineri, în trening, pe care i-au momit cumva. Prima dată când Cal i-a văzut pe Mart și pe amicii lui scoțând cărțile, s-a gândit că vor juca poker, dar ei joacă ceva ce se numește „Cincizeci și cinci“, cu o viteză și o poftă invers proporționale cu grămăjoarele de monede de pe masă. Se pare că jocul curge cel mai bine în patru sau cinci inși, iar dacă nu sunt suficienți, încearcă să-l momească pe Cal, care, știindu-se depășit, se ține departe. Tinereii ăia își vor pierde lefurile, dacă au așa ceva, ceea ce lui Cal i se pare puțin probabil.

Alți tipi stau la bar și se ceartă. Al treilea grup e în alt colț, ascultând cum cântă unul la fluierul de cositor o melodie care crește în ritm și-i face pe ceilalți să bată cu palmele pe genunchi. O femeie pe nume Deirdre șade pe o banchetă, singură, cu un pahar mic în mâini și privește în gol. Cal nu e sigur ce-i cu ea, deși și-a cam făcut o idee, în mare. Are cam patruzeci de ani și e o femeie durdulie, cu rochii deprimante și o privire vagă, tulburătoare, în ochii ei mari și obosiți. Câteodată, unul dintre bătrâni îi cumpără un whisky dublu și șed împreună și beau, fără să-și spună nimic, apoi pleacă împreună, în tăcere. Cal nu vrea să pună întrebări.

Se așază la bar, comandă o halbă de bere de la Barty și o vreme se lasă acaparat de muzică. Nu știe încă toate numele, deși a reținut mai toate fețele și ceea ce îi caracterizează pe fiecare în parte. Lucru care îi poate fi iertat, ținând cont că la Seán Óg se perindă tipi albi cam de patruzeci de ani, proaspăt bărbieriți, care poartă, mai mult sau mai puțin, aceiași pantaloni rezistenți, aceleași veste căptușite și pulovere vechi, iar toți par veri între ei. Dar adevărul e că, după douăzeci și cinci de ani în care a ținut în alertă baza de date în minte cu toți cei pe care i-a întâlnit datorită muncii sale, lui Cal îi place să-l doară în cot dacă Sonny e cel care hohotește zgomotos sau cel cu urechea umflată. Știe pe cine să evite și pe cine să caute, în funcție de cheful de vorbă pe care-l are, și crede că-i ajunge, pe moment.

În seara asta vrea să asculte muzica. Înainte să se mute aici n-a mai văzut fluier de cositor. Nu crede că i-ar plăcea cum sună la un concert al școlii sau într-un bar de polițai din centrul orașului Chicago, dar aici pare să se potrivească chiar și cu haosul cald și necompromis al cârciumii și-l face să conștientizeze întinderea tăcută din afara pereților. Când muzicianul în vârstă, slab ca un țipar, cântă la el de câteva ori pe lună, Cal ia distanță de vorbăreți și ascultă.

Asta înseamnă că a ajuns la jumătatea celei de-a doua halbe, înainte să fie atent la cearta de la bar. Trage cu urechea, fiindcă pare neobișnuită. Pe-aici, cele mai multe dispute sunt obișnuite, de genul celor care se întind ani sau zeci de ani și reapar când nu mai e nimic nou de discutat. Implică subiecte legate de chestiuni care țin de fermă, de inutilitatea relativă a diverșilor politicieni locali și naționali, de zidul din partea de vest a drumului spre Strokestown care ar trebui sau nu înlocuit cu un gard și sera pretențioasă a lui Tommy Moynihan, care poate fi un exemplu de eleganță modernă sau de fantezie exagerată. Toată lumea cunoaște deja care este părerea celorlalți asupra fiecărui subiect, cu excepția opiniei lui Mart, care trece mereu dintr-o tabără în alta, ca să facă pe interesantul. Însă toți vor să știe care-i opinia lui Cal, ca să mai afle și lucruri noi.

Cearta asta sună diferit. E mai zgomotoasă, mai haotică, de parcă n-ar fi una veche.

— Nu-i câine să poată face asta, spune cu încăpățânare tipul de la capătul barului.

E scund și rotofei și are capul mic și rotund ca o minge și are toate șansele să ajungă subiect de glumă. În general, nu pare să-i pese, dar de data asta s-a înroșit și e furios.

— V-ați uitat măcar la tăieturi? N-au fost făcute de dinți.

— Atunci, ce le-a făcut? întreabă un tip înalt și chel, de lângă Cal. Zânele?

— Du-te dracu'! Zic doar că n-a fost animal.

— Nu începe iar cu rahaturile tale despre extratereștri, spune al treilea, ridicând ochii din halbă.

E o prăjină de om și stă cu șapca trasă până pe nas. De când vine aici, Cal l-a auzit vorbind doar de vreo cinci ori.

— Nu mă lua peste picior, zice micuțul. Spui asta fiindcă nu ești informat. Dacă ai fi atent ce se petrece deasupra capului tău sec...

— Mi s-ar căca o cioară în ochi.

— Să-l întrebăm pe el, spune tipul cel înalt, arătând spre Cal. E neutru.

— Sigur, da' ce știe el despre asta?

Tipul înalt – Cal e sigur că îl cheamă Senan și că de obicei are ultimul cuvânt – ignoră comentariul.

— Vino încoace, zice, întorcându-se spre Cal. Ascultă aici. Acu' două nopți, ceva a franjurat o oaie a lu' Bobby. I-a scos gâtul, limba, ochii și curul. A lăsat restul.

— A *feliat*-o, zice Bobby.

Senan îl ignoră.

— Ce crezi c-a fost?

— Nu mă pricep, răspunde Cal.

— Nu-ți cer părerea de cercetător. E o chestie de bun-simț: ce a fost?

— Dacă aș pune pariu, spune Cal, aș merge pe un animal.

— Dar ce animal? întreabă Bobby. Aici n-avem coioți sau pume. O vulpe nu se atinge de-o oaie adultă. Un câine vagabond ar fi făcut-o bucăți.

Cal ridică din umeri.

— Poate că un câine i-a luat gâtul, apoi s-a speriat și de restul s-au ocupat păsările.

După o pauză de o clipă, Senan ridică o sprânceană. L-au considerat băiat de oraș, dar e doar pe jumătate adevărat. Acum îl reevaluează.

— Na, îi spune Senan lui Bobby. Tu și extratereștrii tăi. Acuma o să meargă în America și-o să spună asta și ăia o să creadă că suntem niște sălbatici care cred orice.

— Au extratereștri și-n America, spune Bobby. Mai mulți decât oriunde.

— *Nimeni* n-are extratereștri.

— Vreo șase oameni le-au văzut luminile primăvara trecută. Ce crezi c-a fost? Tot zâne?

— Din cauza *poitin*-ului[1] făcut de Malachy Dwyer. Câteva duști-s suficiente ca să vezi lumini. Într-o seară, când mă întorceam de la Malachy, am văzut un cal alb, cu melon pe cap, tăindu-mi calea.

— Ți-a ucis oile?

— Aproape m-a terminat pe mine. Am sărit în sus și-am căzut în șanț.

Cal se așază mai comod pe scaun, își bea berea și analizează. Tipii ăștia îi amintesc de bunicul lui și de amicii cu care stătea pe verandă. La fel se bucurau și ei de companie, bătându-și joc unii de alții. Sau de secția de poliție, înainte ca răutatea să se strecoare ca un nisip mișcător perfid sau poate chiar înainte s-o remarce el.

— Bunicul meu și trei amici de-ai lui au văzut un OZN, zice el, ca să pună paie pe foc. Ieșiseră să vâneze, într-o seară, când a apărut un triunghi mare și negru, cu lumini verzi la colțuri, care plutea

---

[1] În original, *poteen*, băutură irlandeză care se prepară de la începutul secolului al XVII-lea. Cunoscută și ca *poitin*, înseamnă „oală mică", de la vasul în care se distilează, în casă, din cartofi sau cereale (n. tr.).

deasupra capetelor lor. N-a scos un sunet. Se cam căcaseră pe ei, mi-a povestit bunicul.

— Doamne, se aude Senan, scârbit. Acum începi și tu. Nu-i nimeni aici cu o urmă de glagorie?

— Na, face Bobby, triumfător. Ai auzit? Și tu mai spumegai de ce-o să creadă yankeu' despre noi.

— Hai, mai taci. Îți cântă-n strună.

— Bunicul a jurat, zice Cal rânjind.

— Bunicul tău cunoștea oameni care făceau spirtoase de casă?

— Destui.

— Așa zic și eu. Gândește-te, zice Senan, întorcându-se iar spre Bobby și arătând în direcția lui cu paharul.

Cearta e pe cale să se adauge repertoriului permanent.

— Să zicem că există extratereștri. Să zicem că au investit timp și tehnologie încât să străbată toți anii-lumină de pe Marte, sau de unde poftești, până la noi. Și-ar putea găsi o turmă de zebre pe care să facă experimente sau niște rinoceri faini ori ar merge în Australia, să aleagă koala și canguri cu duiumul, sau ce vrei tu. Dar, ce să vezi – ridică el glasul peste al lui Bobby, care obiectează –, în schimb, vin până aici și decid să se lege de una dintre oile tale. Oare-s cu toții așa duși acolo pe Marte? N-au toate țiglele pe casă?

Bobby se înfoaie iar.

— Oile mele n-au nimic. Sunt mai bune decât nenorociții de *koala*. Mai bune decât...

Cal nu mai e atent. Tonul discuției de la masa lui Mart s-a schimbat.

— Am pariat douăzeci, spune unul dintre tineri, pe un ton cunoscut.

E tonul supărat al cuiva care va insista, până ce va ajunge să strice seara tuturor, că n-are idee ce s-a întâmplat.

— Du-te de-aici, zice unul dintre amicii lui Mart. Ai zis douăzeci și cinci.

— Spui că trișez?

Tipul are în jur de douăzeci și cinci de ani, e prea moale și prea palid ca să fie fermier; e și scund, cu un breton scurt și slinos, iar deasupra buzelor pare să aibă ceva cu ambiții de mustață. Cal l-a mai văzut de câteva ori în colțul din spate, alături de alți tineri care întârzie cu privirea asupra ta. Fără să-i fi vorbit vreodată, ar putea enumera câteva lucruri despre el, fără efort.

— Nu zic nimic, dacă pui miza la loc, spune amicul lui Mart.

— Am câștigat-o, la dracu'! Cinstit.

În spatele lui Cal, cearta s-a sfârșit. Nu se mai aude nici fluierul de cositor. Cal își dă seama că e neînarmat și asta-l umple cu ceva adrenalină. Tipul pare genul care ar purta un pistol Glock, care să-l facă să se simtă ca un gangster dat naibii, dar pe care n-ar avea nicio idee cum să-l folosească. Îi ia o clipă să-și amintească unde se află.

— M-ai auzit spunând „douăzeci", se adresează rotofeiul amicului său. Spune-le.

Amicul e lungan și are picioare mari, dar și dinți de cal, care-i fac maxilarul să cadă. Are aerul unuia care se prinde ultimul de ce se întâmplă.

— Nu am fost atent, zice el, clipind. Da-s numa' câteva lire, Donie.

— Pe mine nu mă face nimeni trișor, spune Donie.

Pe chip îi apare o încruntătură care nu-i place lui Cal.

— Te fac eu, sare Mart. Ești un trișor și ce-i mai rău e că nici nu te pricepi să trișezi. Și un bebeluș s-ar descurca mai bine.

Donie își împinge scaunul în spate și-și desface brațele.

— Haide. Să te vedem.

Deirdre scoate un icnet moale. Cal n-are idee ce să facă și asta îl derutează. Dacă era acasă, acum ar fi intervenit, iar Donie ori s-ar fi calmat, ori ar fi plecat. În cazul acesta nu pare o opțiune. Nu fiindcă-i lipsesc pistolul și insigna, ci fiindcă nu știe cum se procedează prin partea locului sau dacă are vreun drept să intervină în vreun fel. Senzația de amețeală îl cuprinde iar, de parcă ar sta agățat de marginea scaunului ca o pasăre. Vrea ca Donie să-l atace pe Mart, ca să știe ce să facă și el.

— Donie, zice Barty din spatele barului, arătând spre tânăr cu o cârpă. Ieși.

— N-am făcut nimic. Idiotu' ăsta mi-a zis...

— Ieși.

Donie își încrucișează brațele la piept și se lasă pe scaun, cu buza inferioară în afară, privind încăpățânat în gol.

— Ah, futu-i, zice Barty, scârbit.

Azvârle cârpa și iese de după bar.

— Ajută-ne, îi zice lui Cal, în drum.

Barty e cu câțiva ani mai tânăr decât Cal și nu cu mult mai scund. Îl apucă pe Donie pe sub brațe și-l târăsc prin cârciumă, fentând scaunele și mesele în drum spre ușă. Mușteriii casei rânjesc. Deirdre a rămas cu gura căscată, iar Donie se lasă moale și picioarele îi scârțâie pe linoleum.

— Ridică-te și fii bărbat, îi zice Barty, luptându-se cu ușa.

— Am o halbă plină pe masă, spune Donie, supărat. Au! strigă când Barty îl lovește cu umărul de cadrul ușii, nu chiar neintenționat.

În stradă, Barty îl trage pe Donie în spate, apoi îl împinge hotărât în față, dându-i drumul. Donie se împleticește în timp ce-și flutură mâinile. Pantalonii de trening îi cad, iar el se împiedică și cade peste ei.

Barty și Cal privesc, trăgându-și sufletul. Donie se ridică și-și trage pantalonii. Poartă chiloți strâmți, albi.

— Data viitoare, să-i zici maică-tii să-ți cumpere chiloți de băiat mare, strigă Barty.

— Îți dau foc pentru asta, urlă Donie, neconvingător.

— Du-te acasă și freac-o, îi sugerează Barty. Atâta știi să faci.

Donie se uită în jur și vede aruncat un pachet de țigări și-l azvârle spre Barty. Ratează cu doi metri. Scuipă în direcția lui Barty și o ia la pas pe drum.

Nu există iluminat stradal și doar câteva case au ferestrele luminate. Jumătate sunt nelocuite. Donie devine invizibil în câteva secunde, iar pașii lui încă se aud, cu ecou, în beznă.

— Mulțam, zice Barty. Mi-aș fi distrus spatele, singur. Ticălos mic și gras.

Lunganul iese din cârciumă și rămâne în prag, silueta profilându-i-se în lumina gălbuie. Se scarpină în dos.

— Unde-i Donie?

— S-a dus acasă, răspunde Barty. Du-te și tu, P. J. V-a ajuns pe seara asta.

P. J. se gândește.

— Geaca lui e la mine.

— Atunci, du-i-o. Haide!

P. J. se pierde în beznă, ascultător.

— Tipul face des probleme?

— Donie McGrath, zice Barty și scuipă pe trotuar. Un hârbar.

Cal n-are idee ce înseamnă cuvântul ăsta, deși din ton ar putea să însemne un „ratat".

— L-am mai văzut aici.

— Când și când. Tinerii se duc în oraș, dar, dacă n-au bani, vin aici. O să stea o vreme departe. Apoi o să-și facă iar drum cu ai lui, de parcă nu s-ar fi întâmplat nimic.

— Va încerca să dea foc la local?

Barty pufnește.

— Iisuse, nu! Donie n-are atâta curaj. Plus că ar fi un efort prea mare pentru el.

— Crezi că-i inofensiv?

— E un nemernic complet inutil, spune Barty hotărât.

În spatele lui se reaude fluierul de cositor, clar și vesel. Se șterge pe mâini ca și cum ar vrea să scape de urmele lui Donie și intră iar în cârciumă.

Nimeni nu pare tulburat de incident. Mart și amicii au amestecat iar cărțile și au pornit o nouă rundă de „Cincizeci și cinci". Cearta de la bar s-a transformat într-o discuție despre meritele echipei de hurling de anul acesta. Barty îi dă lui Cal o halbă cu bere din partea casei. Deirdre își termină băutura, se uită lipsită de speranță prin cârciumă și iese, după ce nimeni nu-i întâlnește privirea.

Cal continuă să soarbă din bere, până ce Mart și amicii lui termină jocul și încep să-și strângă lucrurile. Mart l-a făcut pe Donie „trișor". Când se oferă să-l ducă acasă pe Cal – la fel cum face mereu, numai de dragul de a-l lua peste picior când îl refuză –, acesta acceptă.

Mart n-a băut prea mult, dar suficient cât să-și scape cheile sub bord și să fie nevoit să bâjbâie după ele.

— Nu-ți face griji, zice rânjind, citindu-i gândurile lui Cal.

Lovește mașina, o Skoda albastră, veche, stropită cu noroi și mirosind puternic a câine ud.

— Asta mică știe drumul de la cârciumă acasă și dacă adorm la volan. A mai trecut prin asta.

— Minunat, zice Cal, găsind cheile și întinzându-i-le. Acum mă simt mai bine.

— Ce-ai pățit la mână? întreabă Mart, chinuindu-se să se urce înapoi în mașină.

Mâna lui Cal se vindecă repede, însă tot își pune plasturi ca să nu se vadă urmele de dinți.

— Mi-am ciupit-o cu fierăstrăul, minte.

— Așa-ți trebuie, spune Mart. Data viitoare să mă asculți, când îți zic să apelezi la internet.

Pornește mașina, care tușește, se îneacă și apoi o ia la goană alarmant de repede.

— Ce-a vrut lunganul de Senan? Despre oaia lui Bobby vorbea?

— Da. Bobby crede c-au fost extratereștrii. Senan nu e de acord.

Mart râde și scoate un șuier.

— Cred că-l vezi pe Bobby ca pe un nebun de legat.

— Deloc. I-am povestit când a văzut bunicul un OZN.

— Atunci, e fericit, zice Mart, cotind de pe drumul principal în timp ce schimbă vitezele cu un scrâșnet urât. Bobby nu e nebun. Doar că muncește prea mult la fermă. E muncă grea, dar, dacă un om nu-i complet tâmpit, mintea lui croșetează. Mai toți avem ceva la care să ne gândim, în afară de muncă: familie, cărți de joc, băutură, ce știu eu. Dar Bobby e holtei, nu-i stă mintea la băutură și nici nu se pricepe deloc la cărți, de aia nici nu-l primim la joc. Când mintea lui croșetează, n-are altă idee decât să vâneze OZN-uri pe dealuri. Băieții vor să-i cumpere un acordeon, ca să aibă o ocupație, dar eu aș prefera să-l ascult bătând câmpii despre extratereștri.

Cal se gândește. Lui i se pare că extratereștrii sunt, probabil, un antidot mai sănătos pentru neliniștea minții decât cele de pe lista lui Mart. Felul în care conduce Mart susține această teorie.

— Nu crezi c-au fost extratereștrii? întreabă, doar ca să-l întărâte.

— Ah, dar mai du-te dracului!

— Spune că n-are ce animal s-o fi făcut.

— Bobby nu cunoaște tot ce umblă pe aici.

Cal așteaptă, dar Mart nu detaliază. Mașina se hurducăie prin gropi, iar farurile luminează o fâșie îngustă de drum și crengi care se leagănă de ambele părți. O pereche de ochi strălucitori apar brusc la nivelul pământului și apoi dispar.

— Iacătă, spune Mart, oprindu-se brusc în fața porții lui Cal. În siguranță, așa cum ți-am promis.

— Mă poți lăsa la tine, spune Cal. În caz că ai comitet de primire.

Mart îl privește o clipă, apoi izbucnește într-un hohot de râs atât de tare, încât se ține cu mâinile de burtă, în timp ce se îneacă, și apoi lovește volanul cu mâinile.

— Ca să vezi, spune când își mai revine. Am propriul cavaler în armură sclipitoare, care mă escortează acasă. Sigur nu-ți faci griji de târâtura aia de Donie McGrath? Tu, care vii din orașul ăla mare și rău.

— Să știi c-avem tipi ca el și la oraș, spune Cal. Nici acolo nu-mi plac.

— Donie nu s-ar apropia de mine, zice Mart. Știe bine asta.

Încă i se mai citește amuzamentul pe chip, dar vocea lui seacă îl face pe Cal să tresară.

— Fă-mi pe plac.

Mart chicotește, clatină din cap și pornește iar motorul.

— Fie, zice. Dar să nu te aștepți la un sărut de noapte bună.

— În visele tale, spune Cal.

— Păstrează-le pentru Lena, îi spune Mart și continuă să râdă tot drumul.

Acasă la Mart – o casă lungă, albă, cu geamuri mici, departe de drum, în mijlocul pâlcurilor neglijate de iarbă –, lumina de pe verandă e aprinsă, iar Kojak îl întâmpină când deschide portiera. Cal ridică mâna și așteaptă, în timp ce Mart își atinge șapca de tweed, în prag, iar luminile dinăuntru se aprind. Nu se întâmplă nimic altceva, așa că pleacă spre casă. Chiar dacă Donie McGrath și-ar face curaj în mod necaracteristic, Kojak e o soluție foarte bună. Dar ceva din imaginea lui Mart, în prag, în mijlocul câmpurilor bătute de vânt în întuneric, cu Kojak dând din coadă lângă el, l-a făcut pe Cal să se simtă ridicol, deși nu într-un sens rău.

Poarta lui e cam la jumătate de kilometru de a lui Mart. Cerul e senin, iar luna, suficient de mare ca să-l ghideze fără lanternă, deși o dată sau de două ori, când umbrele copacilor se înghesuie unele într-altele, se zăpăcește și simte că i se afundă câte un picior în iarba înaltă de pe margine. Este atent în jur la ce o fi traversat mai devreme prin fața mașinii, dar ori a plecat, ori a devenit precaut. Munții din zare arată de parc-ar fi luat cineva un briceag și ar fi crestat curbe netede pe cerul plin de stele, lăsând un întuneric gol. Se zăresc ici-colo dreptunghiurile galbene ale ferestrelor, mititele și îndrăznețe.

Lui Cal îi plac nopțile aici. Cele din Chicago erau aglomerate, capricioase, mereu cu câte o petrecere zgomotoasă undeva, cu o ceartă care escalada în altă parte și cu un copil care urla încontinuu. Și știa prea mult despre ce se petrecea în colțurile ascunse și se putea dezvălui din clipă în clipă, cerându-i atenție. Aici, știe prea bine că lucrurile care se petrec noaptea nu sunt problema lui. Majoritatea sunt independente: lupte și împerecheri mărunte, sălbatice, care nu solicită oamenii la nimic, decât să stea departe de ele. Chiar dacă sub răzmerița stelelor se întâmplă ceva care ar implica intervenția unui polițist, Cal nu este important. Cazul aparține polițiștilor locali, din orășelul cât un bob de mazăre, care și ei ar prefera ca el să stea deoparte. Cal poate face asta. De fapt, savurează ocazia. Puștiul numit Trey, după ce a adus noaptea într-un punct care necesita vigilență și acțiune, i-a amintit cât de puțin îi lipsiseră astfel de nopți. Și-a dat seama că poate foarte bine să lase lucrurile să treacă pe lângă el.

Casa lui e netulburată, la fel ca a lui Mart. Deschide o bere și se așază pe pragul din spate, sorbind din ea. La un moment dat, o să-și construiască o verandă în spate și o să-și ia un scaun imens, însă acum se mulțumește și cu pragul. Nu-și dă jos geaca, pentru că aerul mușcă ușor, anunțând că s-a instalat toamna. Gata cu vara.

Dincolo de terenul lui Mart se aude un strigăt de bufniță. Cal privește atent o vreme și surprinde o mișcare, o frântură de umbră mai intensă care plutește alene printre copaci. Se întreabă dacă nu cumva, dacă lucrurile s-ar fi petrecut altfel, ar fi fost dintotdeauna un tip care repară lucruri și șade pe verandă cu o bere în mână, privind bufnițe și lăsându-i pe ceilalți să aibă grijă de ei. Nu știe ce să creadă despre asta. Îl face să se simtă incomod, în moduri pe care nu prea le înțelege.

Ca să scape de agitația care-l învăluie brusc ca un nor de țânțari, Cal își scoate telefonul din buzunar și o sună pe Alyssa. O sună în fiecare weekend, iar ea îi răspunde de cele mai multe ori. Când nu răspunde, Alyssa îi trimite mai târziu un mesaj pe WhatsApp, de obicei la trei sau patru dimineața, ora lui: „Scuze că te-am ratat, eram prinsă! Vorbim mai încolo!“

De data asta răspunde.

— Bună, tată! Ce faci?

Vocea ei e voioasă și cumva spartă, de parc-ar ține telefonul sub bărbie, în timp ce face altceva.

— Salut. Ești ocupată?

— Nu, făceam curățenie.

Ascultă, încercând să-și dea seama ce face, dar prinde numai foșnete și bufnituri din când în când. Încearcă să și-o imagineze: înaltă, atletică, cu trăsături mixte de la el și Donna – ochii albaștri și sprâncenele egale ale lui Cal, pomeții înalți ai Donnei – care îl uimesc. Problema e că încă o vede alergând în blugi tăiați și o bluză largă de trening, cu părul șaten prins într-o coadă lucioasă, și nu știe dacă imaginea lui corespunde realității. A văzut-o de Crăciun, ultima dată. Poate că și-a tăiat părul scurt și l-a vopsit blond, și-a cumpărat costume, s-a îngrășat zece kilograme și a început să se machieze strident.

— Ce faci? întreabă. Ai scăpat de gripă?

— A fost doar o răceală. A trecut.

— Cum merge la muncă?

Alyssa lucrează pentru o organizație nonprofit din Seattle care se ocupă de adolescenți în situații de risc. Cal ratase detaliile, când ea îi povestise prima dată că încearcă să obțină jobul – candida în mai multe locuri, iar munca și Donna îi cam ocupau mintea pe atunci –, așa că acum era prea târziu ca să mai întrebe.

— E bine. Am primit un grant și acum ne-am mai liniștit! Așa că ar trebui să mai rezistăm o vreme.

— Și puștiul pentru care-ți făceai griji? Shawn, DeShawn?

— Shawn. Vine în continuare și asta contează. Cred că lucrurile nu decurg deloc bine la el acasă, dar, când încerc să aflu ceva, se blochează. Așa că...

Fata ezită o clipă. Cal ar vrea să vină cu idei utile, dar majoritatea tehnicilor sale de a face oamenii să vorbească au fost create pentru situații care nu au mare lucru în comun cu cea de-acum.

— Dă-i timp, spune. Te vei descurca.

— Da, spune Alyssa după o clipă.

Pare brusc obosită.

— Așa sper.

— Ce face Ben? întreabă Cal.

Ben e iubitul din facultate al Alyssei. Pare un tip OK, cam prea sincer și prea vorbăreț când vine vorba despre opiniile lui cu privire la societate și la lucrurile pe care-ar trebui să le facă oamenii ca să fie o lume mai bună. Dar Cal e sigur că, într-un fel sau altul, și el era un ghimpe-n coastă la douăzeci și cinci de ani.

— E bine. O ia razna la job, dar are un interviu săptămâna viitoare. Ține-i pumnii.

Ben lucrează la Starbucks sau ceva de genul ăsta.

— Zi-i că-i urez baftă, spune Cal.

A avut mereu sentimentul că Ben nu-l place. La început, nu-l interesa, dar acum i se pare c-ar trebui să facă ceva.

— Îi zic. Mersi.

— Mai știi ceva de maică-ta?

— Da, e bine. Tu cum ești? Cum merge cu casa?

— Merge.

Știe că Alyssa nu vrea să discute cu el despre Donna, dar nu se poate abține.

— Greu, dar am tot timpul din lume.

— Am primit pozele. Baia arată grozav.

— N-aș spune grozav, dar măcar nu mai arată de parcă m-am adăpostit aici ca să mă bat cu zombi.

Asta o face să râdă. Și când era mică avea un râset grozav, bogat și colorat. Îi taie respirația.

— Ar trebui să vii în vizită. E foarte frumos aici. Ți-ar plăcea.

— Da, sunt convinsă. Ar trebui. Doar să văd dacă pot scăpa de la muncă.

— Mda, spune Cal. Dar ar trebui să aștepți totuși până mai aranjez pe aici. Sau până am mobilă.

— Da.

Cal nu-și dă seama dacă doar își imaginează urma de ușurare din glasul ei.

— Mă anunți.

— Da, curând.

Departe, peste câmpuri, lumina dintr-o ferestruică se stinge. Bufnița încă mai țipă rece, nemiloasă. Cal vrea să spună altceva, s-o mai țină la telefon, dar nu-i vine nimic în minte.

— Ar trebui să dormi, spune Alyssa. Ce oră e la tine?

Când închide, Cal are aceeași senzație de gol pe care o trăiește ori de câte ori vorbește cu fiica lui în ultima vreme. Are sentimentul că, în ciuda faptului că au vorbit la telefon, n-au purtat o conversație. Că au vorbit aiureli, cum s-ar zice, nimic cu substanță. Când era mică, tropăia ținându-l de mână și-i spunea totul – bune, rele – din suflet direct printre buze. Nu-și amintește ce s-a schimbat.

Starea de agitație n-a dispărut. Cal își mai ia o bere și revine în prag. Își dorește ca Alyssa să-i trimită poze cu apartamentul ei. I le-a cerut cândva, ea a fost de acord, dar nu i le-a trimis. Speră că motivul e că n-a apucat, nu că trăiește într-o văgăună.

În gardul viu din fundul grădinii trosnește o rămurică.

— Puștiule, spune Cal obosit, ridicând glasul. Nu în seara asta. Du-te acasă.

După o pauză, o vulpe iese precaută din gardul viu și îl ațintește în beznă, cu ochi sclipitori, în timp ce din gură îi atârnă o vietate micuță, care pare lipsită de viață. Îl consideră neimportant, așa că pleacă mai departe, în treaba ei.

4

Două zile mai târziu, puștiul se întoarce. Pentru că ziua s-a luminat după o dimineață ploioasă, Cal și biroul lui au revenit în grădină. Șinele le-a terminat data trecută, așa că acum s-a apucat de răftulețele *secretaire*-ului. Bucățile de lemn sunt delicate și formează un puzzle complicat, iar câteva dintre ele sunt sparte. Cal lasă biroul pe spate pe un cearșaf și îi face fotografii din toate unghiurile înainte de a desprinde cu grijă bucățile rupte și de a îndepărta cu un cuțitaș vechiul adeziv, apoi începe să le măsoare pentru a le înlocui.

O finisează pe prima astfel încât să se îmbine cu alta, când aude trosnet de rămurele. De data asta nu mai e nevoie de vreun joc de-a șoarecele și pisica. Puștiul trece prin gard și rămâne pe loc, privindu-l, ținându-și mâinile în buzunarele hanoracului.

— Neața, îl salută Cal.

Puștiul dă din cap.

— Uite, zice Cal, și îi întinde o bucată de lemn și șmirghelul.

Copilul se apropie și le ia din mâna lui fără să ezite. De când s-au văzut ultima oară, pare să-l fi reevaluat pe Cal, așa cum o face și un câine, din „necunoscut periculos“ în „cunoscut neamenințător“, pe baza unei judecăți misterioase, proprii. Are blugii uzi până la gambe, pentru că a mers prin iarba udă.

— Bucata asta se va vedea, explică el, așa că trebuie să fim mai atenți cu ea. Când ai terminat cu șmirghelul ăla, îți dau unul mai fin.

Trey examinează bucata de lemn pe care o ține în mână, apoi originalul rupt, de pe masă. Cal arată spre spațiul dintre caneluri.

— Aici intră.

— Nu se potrivește culoarea.

— O vom lăcui ca să se potrivească. Mai târziu.

Trey încuviințează. Se lasă pe vine în iarbă, la câțiva metri de cearșaf, și începe să lucreze.

Cal marchează cu creionul următoarea bucată de lemn, așezându-se astfel încât să poată arunca din când în când câte o privire spre puști. Sigur hanoracul e de căpătat, iar prin pantoful sport îi iese degetul mare. E sărac. Chiar mai mult însă. Cal a văzut o mulțime de copii mai săraci decât el, dar care erau bine îngrijiți. La puștiul ăsta nu s-a uitat nimeni dacă are urme de jeg pe gât și nimeni nu i-a pansat rănile din genunchi. Pare să fie hrănit, mai mult sau mai puțin, dar cam atât.

Picăturile de ploaie rămase pe gardul viu tremură. Păsări mici țopăie și ciugulesc în iarbă. Cal taie, măsoară, dăltuiește caneluri și-i dă lui Trey șmirghelul fin, când a terminat cu cel aspru. Simte privirea puștiului, dar și el îl analizează la rândul lui. Fluieră încet, ca pentru sine, când și când, dar nu vorbește. E rândul puștiului.

Pare să fi ales puștiul nepotrivit pentru asta: Trey n-are o problemă cu tăcerea. Termină raftul, i-l aduce lui Cal și i-l întinde.

— Bun. Uite încă unul. O să-l ceruiesc pe ăsta aici și aici, vezi? Apoi îl pun la locul lui.

Trey ezită un minut sau două, privindu-l pe Cal cum freacă suprafețele cu ceară, apoi se duce la locul lui și începe să folosească iar șmirghelul. O face într-un ritm mai rapid, mai puțin precis. Primul raft l-a făcut ca să-și dovedească faptul că poate. Acum, că a reușit, are altceva în minte și nu știe cum să-l exprime.

Cal îl ignoră. Se lasă în genunchi lângă birou, aliniază raftul și începe să-l lovească ușor cu ciocanul, în caneluri.

Din spatele lui, îl aude pe Trey:

— Am auzit că ești polițai.

Cal aproape că-și lovește degetul mare. A încercat să păstreze pentru sine acea informație, având în vedere experiența cu oamenii din zona în care locuia bunicul lui, în pădurile din Carolina de Nord, pentru care un polițist, și încă unul străin, n-ar fi fost un mare plus. Nu știe cum ar fi putut afla cineva.

— Cine-a zis?

Trey ridică din umeri în timp ce continuă să șlefuiască.

— Poate nu mai pleci urechea la tot felul de vorbe data viitoare.

— Ești?

— Arăt eu a polițai?

Trey îl urmărește mijind ochii ca să se apere de lumină. Cal îl privește. Știe că răspunsul e „nu“. A fost unul dintre motivele pentru care și-a lăsat barbă și părul mai lung: să nu mai arate a polițist, să nu se mai simtă polițist. „Semeni cu Bigfoot“, ar fi zis Donna, rânjind și răsucindu-i o șuviță pe deget.

— Nu prea, răspunde Trey.

— Na, vezi?

— Dar ești.

Cal s-a hotărât că n-are sens să se mai prefacă, dacă oamenii știu deja. Se gândește la un târg de tipul „spune-mi ce-ai auzit ca să-ți răspund la întrebări“, dar știe că nu ar ține. Copilul e curios, dar nu într-atât cât să-și toarne sursele. Înțelegerile mai au de așteptat.

— Am fost. Nu mai sunt.

— De ce?

— Am ieșit la pensie.

— Nu ești așa bătrân.

— Mersi.

Copilul nu zâmbește. Se pare că nu gustă sarcasmul.

— De ce ai ieșit la pensie?

Cal reia lucrul la birou.

— S-au cam umplut de căcat lucrurile. Sau, cel puțin, așa mi s-a părut.

Se întreabă prea târziu dacă ar trebui să aibă grijă la exprimare. Puștiul nu pare șocat, nici măcar speriat. Așteaptă.

— Oamenii au început să se înfurie. Toți, parcă.

— De ce?

Cal se gândește, lovind colțul raftului.

— Persoanele de culoare s-au înfuriat fiindcă sunt tratate ca naiba. Polițiștii răi s-au enervat, fiindcă li se fac reproșuri. Polițiștii buni s-au supărat, fiindcă sunt priviți ca ăia răi, când de fapt ei nu au făcut nimic.

— Tu ai fost un polițist bun sau unul rău?

— Am vrut să fiu bun. Dar asta ar spune oricine.

— Te-ai enervat și tu?

— Eu m-am săturat. Rău de tot.

Așa era. Fiecare dimineață era ca și cum s-ar fi trezit cu gripă, știind că trebuie să urce un munte pe jos.

— Deci ai ieșit la pensie.

— Da.

Copilul își trece degetul peste lemn, verificând, și revine la șmirghel.

— De ce ai venit aici?

— De ce nu?

— Nimeni nu se mută aici, zice Trey, de parcă i-ar explica un lucru evident unui tâmpit. Oricine s-ar duce cât mai departe.

Cal mișcă raftul ca să intre în locaș. Se potrivește la fix. Asta e bine.

— Mă săturasem de vremea rea. Voi n-aveți ninsori și nici arșiță. Cel puțin, nu așa cum le știm noi. Și mă săturasem de orașe. Aici se trăiește ieftin. Și se pescuiește bine.

Trey îl privește fără să clipească, sceptic.

— Am auzit că ai fost concediat fiindc-ai împușcat pe cineva. Gen, la muncă. Și urma să fii arestat. Așa c-ai fugit.

Cal nu se aștepta la asta.

— Cine-a zis?

Trey ridică din umeri. Cal se gândește.

— Nu am împușcat niciodată pe nimeni, zice, sincer.

— Niciodată?

— Niciodată. Te uiți prea mult la TV.

Trey nu-l slăbește din priviri și pare că clipește insuficient de des. Cal se îngrijorează cumva de ochii lui.

— Nu mă crezi? Caută-mă pe Google. Ai găsi așa ceva pe internet imediat.

— N-am calculator.

— Nici telefon?

Trey se strâmbă: n-are.

Cal își scoate telefonul din buzunar, îl deblochează și-l aruncă pe iarbă, în fața lui Trey.

— Caută Calvin John Hooper. Semnalul e foarte slab, dar te descurci tu.

Trey nu ia telefonul.

— Ce-i?

— Poate că nu e numele tău real.

— Iisuse, copile!

Se apleacă după telefon și-l pune înapoi în buzunar.

— Crezi ce vrei. Dai ăla cu șmirghel sau nu?

Trey se apucă iar de treabă, dar Cal își dă seama, după ritm, că n-a terminat. După un minut, întreabă:

— Erai un polițist bun?

— Da. Îmi făceam treaba.

— Ai fost detectiv?

— Da, în ultima parte.

— Ce fel?

— Mă ocupam de infracțiuni legate de proprietăți. În mare parte, jafuri.

Din privirea lui Trey își dă seama că e cam dezamăgit.

— Și am arestat fugari o vreme. Găseam oamenii care încercau să se ascundă de noi.

Asta-i atrage o privire rapidă. Se pare că a devenit din nou interesant.

— Cum?

— În mai multe feluri. Vorbeam cu rudele, amicii, iubitele, iubiții, ce-aveau. Le supravegheam casele, locurile unde pierdeau vremea. Verificam dacă-și folosiseră cardurile. Poate ascultam telefoane. Depinde.

Trey îl privește atent și nemișcat.

Cal se gândește că poate a găsit explicația pentru interesul puștiului.

— Vrei să fii detectiv?

Trey îi aruncă o privire disprețuitoare. Cal pricepe care-i treaba: e privirea pe care i-o arunci idiotului clasei, care tocmai ce-a mușcat încă o momeală.

— Eu?

— Nu, străbunică-ta. Da, normal că tu.

— Cât e ceasul?

Cal își privește ceasul.

— Aproape unu.

Copilul îl privește mai departe.

— Ți-e foame?

Trey încuviințează.

— Să văd ce am, zice Cal, punând jos ciocanul și ridicându-se.

Îi trosnesc genunchii. La patruzeci și opt de ani, corpul n-ar trebui să scoată zgomotele acelea.

— Ești alergic la ceva?

Puștiul îi aruncă o privire goală, de parcă i-ar fi vorbit în spaniolă, și ridică din umeri.

— Mănânci sandviciuri cu unt de arahide?

Trey încuviințează.

— Bine. Cam atât pot să-ți ofer. Până vin, poți continua să dai cu șmirghelul.

Când se întoarce cu mâncarea, se așteaptă ca puștiul să fi dispărut iar, dar e încă acolo. Ridică privirea și-i arată bucata de lemn lui Cal.

— Arată bine.

Îi dă puștiului o farfurie, scoate cutia cu suc de portocale de sub braț și cănile din buzunarele hanoracului. Ar trebui să-i ofere lapte unui copil în creștere, dar preferă cafeaua neagră, așa că nu are.

Se așază pe iarbă și mănâncă în tăcere. Cerul e de un albastru rece intens. Frunzele galbene încep să cadă din copaci. Deasupra fermei lui Dumbo Gannon un nor de păsări își schimbă repetitiv traiectoria.

Trey e flămând, mușcă cu o poftă care-l face pe Cal să se bucure că i-a pregătit două sandviciuri. Când termină, își dă sucul peste cap fără să respire.

— Mai vrei? întreabă Cal.

Trey clatină din cap.

— Trebuie să plec, spune.

Lasă jos paharul și se șterge la gură cu mâneca.

— Pot să vin și mâine?

— N-ar trebui să fii la școală?

— Nu.

— Ba da, ar trebui. Câți ani ai?

— Șaisprezece.

— N-ai cum.

Copilul se mai gândește.

— Treisprezece, zice.

— Atunci, da, ar trebui să fii la școală.

Trey ridică din umeri.

— În fine, spune Cal. Nu-i treaba mea. Dacă vrei să chiulești, n-ai decât.

Când se uită la el, Trey zâmbește în colțul gurii. E prima dată când îl vede Cal așa și e la fel de fermecător ca primul zâmbet al unui bebeluș.

— Ce? întreabă.

— Un polițist n-ar trebui să zică asta.

— Ți-am zis că nu mai sunt polițist. Nu mă plătește nimeni să-ți țin vreo predică.

— Dar... zice Trey, iar zâmbetul i-a dispărut. Pot să vin aici? Ajut. Dau și cu lac. Tot.

Cal îl privește. Nevoia aceea s-a întors în trupul lui, ascunsă prost. Îi aduce umerii în față și îi accentuează trăsăturile.

— De ce?

După o clipă, Trey spune:

— Fiindcă vreau să învăț cum.

— Dar nu te plătesc.

Copilului nu i-ar strica niște bani, dar, și dac-ar fi avut de dat, Cal nu dorește să fie străinul care împarte bani băieților.

— Nu-mi pasă.

Cal se gândește la ce ar putea urma. Crede că, dacă refuză, Trey va reveni la pândă. Cal preferă să-l știe în raza lui vizuală, cel puțin până-și dă seama ce vrea.

— De ce nu? spune Cal. Mi-ar prinde bine un ajutor.

Trey expiră și dă din cap.

— OK, spune, și se ridică. Ne vedem mâine.

Își scutură blugii și se îndreaptă spre drum, cu pas lung, de pădurar cu genunchi flexibili. Când trece pe lângă copacul cu ciorile, aruncă cu putere o piatră spre crengi, dintr-o mișcare scurtă, și-și lasă capul pe spate, privind cum ciorile țâșnesc în toate direcțiile țipând de mama focului.

Cal spală vasele și apoi se duce în sat. Noreen știe tot ce mișcă și are gura slobodă – Cal se întreabă dacă nu sunt cumva motivele pentru care nu se înțelege cu Mart, care vrea să fie numărul unu din punctul ăsta de vedere. Dacă va ști cum să pună problema, Noreen s-ar putea să-i dea o idee de unde a apărut Trey.

Pentru un spațiu atât de mic, magazinul lui Noreen are foarte multe lucruri. Rafturile din podea până-n tavan sunt pline de lucruri esențiale – pliculețe de ceai, ouă, batoane de ciocolată, cartele răzuibile, detergent de vase, fasole, baterii, gem, folie de aluminiu, ketchup, brichete, analgezice, sardine – și multe nimicuri, cum ar fi un sirop auriu și praf de copt, al căror sens Cal nu-l pricepe, dar își dorește să încerce să-și dea seama ce se face cu ele. Are un frigider micuț, pentru lapte și carne, un coș cu fructe cu aspect deprimant, și o scară, pentru ca Noreen, la un metru și jumătate cât are, să poată ajunge la rafturile de sus. Magazinul miroase a toate lucrurile alea amestecate plus un iz puternic de dezinfectant din anii 1950.

Când Cal deschide ușa, cu un sunet voios de clopoțel, Noreen e cocoțată pe scară și șterge borcane de praf în timp ce fredonează după un tânăr siropos care cântă la radio. Lui Noreen îi plac bluzele cu flori viu colorate și are părul scurt, șaten, aranjat în bucle atât de lipite de cap, că pare o cască.

— Șterge-te pe picioare, abia ce-am spălat pe jos, strigă pe un ton poruncitor.

Apoi îl vede pe Cal mai bine.

— Ah, tu erai! Speram să vii azi. Am brânza aia care-ți place. Am ținut un pachet pentru tine, că și lui Bobby Feeney îi place și ar cumpăra-o pe toată și nu ți-ar lăsa nimic. Ar fi în stare s-o mănânce ca pe un baton de ciocolată. Într-o zi o să facă infarct.

Cal se șterge pe picioare, ascultător. Noreen coboară de pe scară, destul de agilă pentru o femeie durdulie.

— Vino-ncoa', zice, fluturând cârpa spre Cal. Am o surpriză. Vreau să cunoști pe cineva.

Strigă prin ușa care dă în camera din spate:

— Lena! Hai încoa'!

După o clipă, o voce de femeie, răgușită și fermă, răspunde:

— Fac ceai.

— Lasă ceaiul și vino. Adu brânza aia din frigider, din pachetul negru. Vrei să vin să te iau cu forța?

Pauză, timp în care Cal crede că prinde un oftat exasperat. Apoi aude mișcare în camera din care iese o femeie cu un pachet de cheddar în mână.

— Așa, spune Noreen, triumfătoare. Ea e sora mea, Lena. Lena, el e Cal Hooper, care s-a mutat în casa O'Shea.

Lena nu e cum se aștepta Cal. La cum o descrisese Mart, își imagina o femeie la un metru optzeci, roșcată ca morcovul și corpolentă, cu o voce precum mugetul vacii și care agită amenințător o tigaie. Lena e înaltă, într-adevăr, și e destul de vânjoasă, dar într-un fel care-l face pe Cal să și-o închipuie plimbându-se pe dealuri, și nu lovind pe cineva în cap. E mai mică cu câțiva ani decât el, părul prins în coadă de cal e deschis la culoare și are pomeți accentuați și ochi albaștri. Poartă blugi vechi și un pulover albastru, larg.

— Mă bucur, spune Cal, întinzându-i mâna.

— Cal, iubitorul de cheddar, zice Lena.

Îi strânge mâna cu fermitate.

— Am auzit multe despre tine.

Îi zâmbește sec și-i întinde brânza. Cal îi răspunde:

— Și eu am auzit multe despre tine.

— Aș spune c-așa e. Sper că te simți bine la O'Shea. Îți cam dă bătăi de cap, nu?

— Mă descurc. Dar îmi dau seama de ce n-a vrut-o nimeni.

— Pe aici nu-s mulți care să cumpere case. Cei mai mulți tineri iau drumul orașului, de îndată ce pot. Rămân doar dacă lucrează la ferma familiei sau dacă le place la țară.

Noreen și-a încrucișat brațele la piept și-i privește cu o figură maternă, aprobatoare, care-l cam irită pe Cal. Lena, cu mâinile în buzunare și proptindu-se cu șoldul de tejghea, nu pare să dea doi bani pe asta. Emană o liniște deloc forțată și are o privire directă, pe care e greu s-o eviți. Aici, Mart a avut dreptate: ai ști când e prezentă.

— Tu ai rămas, nu? Te ocupi de agricultură?

Lena clatină din cap.

— Mă ocupam. Am vândut ferma când a murit soțul meu. Am păstrat doar casa, că mă săturasem.

— Deci îți place la țară.

— Da, îmi place. Orașul nu mi se potrivește. Să aud toată ziua și toată noaptea zgomotul făcut de alții...

— Cal a locuit în Chicago înainte, intervine Noreen.

— Da, știu, zice Lena, ridicând amuzată din sprânceană. Deci ce cauți aici?

Ceva îi zice lui Cal să-și plătească brânza și să plece, înainte ca Noreen să cheme preotul și să-i cunune pe loc. Pe de altă parte, a venit azi aici cu un scop și pe lângă asta are nevoie de mai multe lucruri. Mai complicat e că nu-și amintește când a fost ultima dată în aceeași încăpere cu o femeie cu care i-ar plăcea să stea de vorbă și nu știe dacă-i un semn ca să rămână sau ca să fugă mâncând pământul.

— Cred că și mie-mi place la țară, zice.

Lena încă-l privește amuzată.

— Mulți cred că le place, până ce stau aici tot timpul. O să te mai întreb după ce petreci o iarnă aici.

— Păi, nu-s tocmai sensibil. Am mai locuit în pădure, când eram copil. M-am gândit că mă voi duce înapoi, dar iată c-am petrecut mai mult timp decât credeam la oraș.

— Ce s-a întâmplat? N-ai destule de făcut? Sau n-ai destui oameni să faci lucrurile astea cu ei?

— Nu, spune el rânjind nițel încurcat. Nimic din toate astea. Dar recunosc că tresar noaptea, căci nu-i nimeni aproape să știe dacă am probleme.

Lena râde. Are un râs frumos, din gât. Noreen pufnește.

— Doamne, dragul de tine. Oi fi obișnuit cu jafurile armate și cu atacurile în masă.

Privirea ei îi confirmă lui Cal că știe cu ce se ocupa. Nici nu se îndoia de asta.

— N-avem așa ceva pe-aici.

— Nu mă gândeam că ați avea, spune el. Ce aveam în minte erau, mai degrabă, copii plictisiți, în căutare de distracție. Noi aveam câțiva care șicanau vecinii: propteam tomberoane pline de apă de ușa cuiva, băteam și fugeam; sau umpleam o pungă mare de chipsuri cu spumă de ras, strecuram capătul deschis pe sub ușă, apoi călcam pe cealaltă parte. Prostii din astea.

Lena râde iar.

— Am crezut că un străin va avea parte de același tratament. Dar cred că tinerii nu rămân în zonă, cum ai zis și tu. Se pare că-s singurul sub cincizeci de ani, pe o distanță de câțiva kilometri, cu excepția celor de față.

Noreen sare imediat.

— Auzi-l numai cum spune că ne caută moartea pe la case! Sigur că sunt tineri pe-aici. Am chiar eu patru, dar nu fac probleme, că știu că le-aș înroși fundurile dacă aflu. Senan și Angela au și ei patru, iar familia Moynihan are un băiat, familia O'Connor trei, însă-s cu toții minunați, nu te derajează...

— Sheila Reddy are șase, spune Lena. Cei mai mulți, încă acasă. Ți se pare suficienți?

— Dac-ai avut probleme, spune ea, de la ei ți se trag.

— Da?

Analizează rafturile și ia o conservă de porumb.

— Sunt obraznici?

— Sheila e săracă, spune Lena. Atât.

— Nu te costă nimic să înveți un copil să se poarte, intervine Noreen, sau să-l trimiți la școală. De fiecare dată când vin ăia pe-aici, lipsește ceva apoi. Sheila spune că nu pot s-o dovedesc, dar știu ce am în magazin și...

Își amintește de Cal, care analizează batoanele de ciocolată, liniștit, și se oprește.

— Sheila ar trebui să-și revină, comentează ea.

— Sheila se descurcă așa cum poate. Ca noi toți.

Lena continuă adresându-i-se lui Cal:

— Eram amice în școală. Niște sălbatice. Ieșeam pe geam noaptea să bem pe câmpuri, cu băieții. Mergeam cu „ia-mă nene" la discotecile din oraș.

— Se pare că voi erați adolescentele de care-mi fac eu griji.

Ea râde iar.

— Nu. N-am făcut niciodată rău altora, doar nouă.

— Sheila și-a făcut-o, într-adevăr, spune Noreen. Uite ce-a primit: pe Johnny Reddy și șase fix ca el.

— Johnny era în regulă pe-atunci, spune Lena, ridicând colțul gurii. Mi-am făcut și eu de cap cu el, câteodată.

— Măcar tu nu te-ai măritat cu el.

Cal decide să ia un baton de ciocolată și-l pune pe tejghea.

— Familia Reddy locuiește suficient de aproape de mine încât să trebuiască să fiu cu ochii-n patru?

— Depinde, spune Lena. Cât de tare te îngrijorezi?

— Depinde. Cât de aproape e necazul?

— Ești bine. Sunt la câțiva kilometri buni de tine, sus, în munți.

— Sună bine. Johnny e fermier sau...

— Cine știe? A plecat la Londra acum un an sau doi.

— A lăsat-o pe Sheila cu ochii-n soare, zice Noreen, cu un amestec de acuzare și satisfacție. Unul dintre amicii lui de-acolo avea o idee de afacere care cică urma să-i facă milionari, așa a zis. Nu contez pe asta și sper că nici Sheila.

— Johnny a fost mereu bun la idei. Mai greu era să le pună în practică. Relaxează-te. Un pachet de chipsuri plin cu spumă de ras ar fi mai mult decât le poate trece prin cap copiilor lui.

— Bine de știut.

Cal are senzația că măcar unul dintre copiii lui Johnny Reddy nu seamănă cu tatăl lui.

— Cal, spune Noreen brusc, de parcă i-ar fi venit o idee. Nu ziceai că vrei să-ți iei un câine? N-ar fi cel mai ușor să-ți liniștești mintea așa? Ascultă aici: cățeaua Lenei stă să fete și o să caute cămine pentru căței. Du-te cu ea să te uiți.

— Încă n-a fătat, spune Lena. N-o să-l ajute să se holbeze la burta ei.

— Poate vedea dacă-i place cum arată cățeaua. Haide!

— Nu, zice Lena, amabilă. Am nevoie de o ceașcă de ceai.

Înainte ca Noreen să deschidă iar gura, îi face un semn din cap lui Cal și spune:

— Mi-a făcut plăcere, și dispare în camera din spate.

— Stai să bei un ceai cu noi, îi spune hotărâtă Noreen.

— Apreciez, spune Cal, dar trebuie să mă duc acasă. N-am luat mașina și stă să plouă.

Noreen scoate un pufnet ofensată, dă radioul mai tare și continuă să șteargă praful, dar Cal își dă seama, după privirile pe care i le aruncă ea, că nu a renunțat atât de ușor. Ia cumpărăturile la repezeală, înainte să-i mai vină ei vreo idee. În ultima clipă, când Noreen deja îi face totalul folosind casa de marcat manuală, veche și zgomotoasă, adaugă și o cutie de lapte.

5

Trey vine și a doua zi, și în zilele următoare. Uneori apare pe la mijlocul dimineții. Alteori, după-amiaza, astfel încât Cal se mai calmează, crezând că se mai duce și la școală, deși e conștient că poate își face apariția așa în mod intenționat. Copilul rămâne o oră sau mai multe, în mare parte pentru mâncare. Apoi, ca reacție la un ceas interior, misterios, sau poate când se plictisește, zice „Tre' să plec" și pleacă, străbătând grădina în timp ce-și ține mâinile în buzunarele hanoracului, fără să privească în urmă.

În prima zi ploioasă, Cal nu se așteaptă să-l vadă. Cojește tapet și cântă la unison cu Otis Redding, când lumina directă e acoperită brusc. Privește în jur și-l vede pe Trey la geam cum îl privește: poartă o geacă lucioasă, cu câteva mărimi mai mică. Cal nu știe dacă să-l invite în casă, dar apa i se scurge de pe glugă și de pe vârful nasului, așa că nu prea are de ales. Așază geaca pe spătarul unui scaun, ca să se usuce, și-i dă lui Trey o racletă.

În zilele însorite lucrează la biroul cel vechi, dar sunt tot mai puține, fiindcă septembrie e pe sfârșite. Tot mai des, ploaia biciuiește casa, iar vântul adună frunzele umede pe lângă pereți și garduri. Veverițele își fac provizii cu frenezie. Mart zice că asta prezice o iarnă lungă și grea și povestește cu dramatism despre anii când satul a fost complet izolat de restul lumii cu săptămânile și oamenii au înghețat de frig în casele lor. Cal nu e prea impresionat.

— Sunt obișnuit cu Chicago, îi amintește. Noi nu spunem că-i frig până nu ne îngheață genele.

— E altfel de frig, îl informează Mart. Ăsta e viclean. Nu-l simți că vine până nu te-a prins.

Opinia lui Mart despre familia Reddy e similară cu a lui Noreen, doar că o înflorește mai mult. Sheila Brady fusese o fătucă frumușică, dintr-o familie decentă, cu niște picioare superbe. Plănuia să meargă la Galway și să studieze, ca să devină asistentă medicală, doar că n-a ajuns acolo, căci l-a cunoscut pe Johnny Reddy. El era în stare să vândă gheață eschimoșilor și nu reușise totuși niciodată să stea mai mult de trei luni la același loc de muncă, fiindcă nimic nu era suficient de bun pentru el. „Deloc muncitor", spune Mart, cu un dispreț profund, pe care Cal și echipa lui îl păstrau pentru tot felul de găinari. Sheila și Johnny aveau șase copii, trăiau din ajutorul social în casa dărăpănată a vreunei rude – Mart explică relația în detaliu, dar după trei sau patru grade Cal pierde firul –, iar acum Johnny e de negăsit. Neamurile lui Sheila au murit ori s-au mutat, iar familia a devenit varianta „fără adăpost" din zonă. Mart e de acord cu Noreen și cu Lena că puștii nu-s capabili de mai mult decât niște găinării, nu-i duce mintea pentru mai mult de-atât.

— Doamne, spune, amuzat, când Cal îi servește povestea despre orășeanul îngrijorat. Ai prea mult timp liber. Ia-ți o femeie, cum ți-am zis. Atunci o să pricepi ce e grija.

De fapt, Cal a eliminat posibilitatea ca puștiul să plănuiască un jaf asupra lui, ținând cont că ar face-o în cel mai prostesc mod, și, din ce-și dă seama Cal, pare departe de a fi prost. Acum, că știe câte ceva despre o eventuală familie a lui Trey, apar alte scenarii mai posibile: lumea se ia de puști, iar el are nevoie de protecție, e abuzat și vrea să spună cuiva, mama lui e alcoolică sau dependentă de droguri și e bătută de iubit, iar puștiul simte nevoia să se descarce ori poate copilul așteaptă de la Cal să-i găsească tatăl rătăcitor. E posibil și să încerce să-și construiască un alibi pentru ceva ce n-ar trebui să facă. Cal simte că localnicii, subiectivi din cauza felului de a fi al lui Johnny Reddy, ar putea subestima abilitățile progeniturii sale. Chiar dacă are toate motivele să creadă că un copil se poate ridica, câteodată, deasupra unei familii nereușite, știe prea bine și că de cele mai multe ori nu se întâmplă așa.

Se mai învârte puțin în jurul subiectului Johnny Reddy, oferindu-i lui Trey o portiță, dacă asta își dorește, însă copilul o blochează rapid.

— Da, putem să-l folosim, spune Cal, examinând prima încercare a băiatului de a dăltui o canelură. Ești priceput, puștiule. Îți ajuți tatăl cu chestii de genul ăsta?

— Nu, răspunde Trey.

Ia raftul și mai lovește de câteva ori un capăt al canelurii, în timp ce privește lemnul cu ochi mijiți. Îi plac lucrurile bine făcute. Lucruri care să-l mulțumească pe Cal. Trey clatină din cap și mai trece de două, trei ori cu mâna peste canelură, înainte să se declare mulțumit.

— Deci cum îți petreci timpul cu el?

— Nicicum. A plecat.

— Unde?

— La Londra. Ne mai sună uneori.

Asta confirmă ipoteza că Trey este un Reddy, doar dacă Londra nu e destinația comună a taților ratați.

— Tatăl meu pleca des, spune Cal.

Încearcă să stabilească o legătură, dar Trey nu pare impresionat.

— Ți-e dor de el?

Băiatul ridică din umeri. Cal începe să priceapă ridicările astea din umeri, multe și nuanțate. Asta înseamnă că subiectul e închis, din lipsă de interes.

Ceea ce-i lasă lui Cal două posibilități: fie Trey face ceva rău, fie i se face un lucru rău. N-a găsit încă o cale de abordare pentru niciuna. E conștient că, dacă o dă în bară, Trey va dispărea. Cal nu se supără dacă Trey este cel care creează probleme, dar noul lui talent de a lăsa lucrurile să treacă de la sine nu se aplică și în cazul unui copil abuzat. Așa că se poartă cu Trey ca la început: își vede de treabă și lasă puștiul să se apropie de el în ritmul lui.

Durează cam două săptămâni. E o dimineață ploioasă, răcoroasă, blândă, cu o adiere care rătăcește prin ferestrele deschise, aducând miros de pășune. Cal și Trey au terminat de dat cu șmirghelul pereții livingului, au aplicat grund pe margini și iau acum o pauză, înainte să se apuce de ceea ce e mai important. Stau la masă și mănâncă prăjiturele cu ciocolată aduse de Trey, care mai nou aduce astfel de deserturi, iar uneori chiar plăcintă cu mere. Cal știe sigur de unde le aduce și se simte vinovat că le mănâncă, dar se gândește că are mai multă liniște dacă nu pune întrebări.

Trey mănâncă din prăjituri atent și cu răbdare. Cal încearcă să-și maseze un junghi la gât cu care s-a ales din cauză că doarme pe saltea. Durerile lui musculare aproape au dispărut. Corpul lui s-a obișnuit cu munca, iar lui Cal îi place asta, așa cum i-au plăcut și junghiurile, când au început. Inițial, s-a întrebat dacă n-o fi prea în vârstă ca să se mai obișnuiască, însă corpul lui s-a acomodat. Se simte mai tânăr decât cu șase luni în urmă.

— Ia uite o veveriță, zice, arătând spre geamul care dă în grădină. Într-o zi, o să împușc câteva și o să fac o tocăniță să mâncăm.

Trey se gândește, privind veverița de sub gard.

— Ce gust are?

— Bunicel. De vânat. Mai intens decât puiul.

— O veveriță mi-a mușcat sora odată, spune Trey. De deget. Le-aș mânca.

— Când aveam vreo zece ani, spune Cal, stăteam cu tataie, iar eu și trei prieteni campam în pădurea din spatele casei. Prima dată când am făcut asta, bunicul ne-a zis că trebuie să avem grijă, fiindcă în pădure trăia ceva numit vevemâță. Ceva între o veveriță și o pisică, dar mai mare și mai sălbatică. Avea gheare și colți mari, blană portocalie și îți putea sfâșia gâtul, dacă ședeai, sau ouăle, dacă stăteai în picioare. Știai că se pregătește de atac dacă auzeai un zgomot ciudat, ca un mârâit amestecat cu un chițăit.

Face întocmai ca să demonstreze. Trey ascultă, în timp ce-l privește și râcâie cu dinții umplutura unei prăjiturele. Cal a început să-i spună tot ce-i trece prin minte, de dragul companiei, fără să-i pese prea mult dacă primește sau nu un răspuns.

— Am campat oricum, zice el, dar am strâns mai multe pietre în cort, pentru orice eventualitate. Târziu, în noapte, tocmai ce ne făceam comozi în sacii de dormit, când am auzit un zgomot afară.

Repetă țipătul de mai devreme.

— Ne-am căcat pe noi. Ne-am strecurat afară din saci, am luat fiecare câte o mână de pietre și am ieșit din cort aruncând. Auzeam cum unele lovesc ceva înainte să strige bunicul să ne oprim. Cineva îl nimerise drept în față și-i spărsese buza.

— El era, spune Trey. El făcea zgomotul.

— Desigur. Nu există vevemâțe.

— Ce a făcut, v-a bătut?

— Nu. A râs până n-a mai putut, s-a șters de sânge și ne-a adus o pungă mare cu bezele.

Trey asimilează informația.

— De ce a făcut asta? De ce s-a prefăcut?

— Cred c-a vrut să vadă cum reacționăm, spune Cal, dacă se împute treaba. Să vadă cum reacționăm când suntem singuri. A doua zi a început să mă învețe să trag cu pușca. A zis că, dacă o să mă lupt cu ceva care mă sperie, e mai bine s-o fac cum trebuie și ar trebui să știu sigur ce împușc, înainte să apăs trăgaciul.

Trey se gândește.

— Mă înveți?

— Încă n-am pușcă aici. Dacă îmi iau una, poate.

Trey pare să fie satisfăcut de răspuns, dă din cap și-și termină prăjiturica.

— Bobby Feeney zice c-a văzut extratereștri în munți, spune copilul, urmându-și firul gândurilor. Am auzit la școală.

— Vrei să împuști un extraterestru?

Trey îl privește pe Cal de parcă ar fi vreun idiot.

— Nu există extratereștrii.

— Crezi că Bobby a inventat, ca să râdă de oameni? Așa, ca bunicul?

— Nu.

Cal rânjește și bea din cafea.

— Atunci, ce a văzut?

Trey ridică din umeri, semn că nu vrea să discute.

— Nu crezi în extratereștri, zice el, privindu-l pe Cal.

— Probabil că nu, spune Cal. Îmi place să am mintea deschisă și cred că poate sunt undeva pe acolo, dar eu n-am văzut nimic care să mă facă să cred c-ar veni în vizită.

— Ai frați sau surori? întreabă Trey brusc.

Copilului nu-i prea place pălăvrăgeala. Fiecare întrebare are iz de interogatoriu.

— Trei, spune Cal. Două surori și un frate. Tu?

— Trei surori și doi frați.

— Mulți. Aveți o casă mare?

Trey șuieră în colțul gurii, batjocoritor.

— Nu.

— Ești cel mai mare? Cel mai mic?

— Al treilea. Tu?

— Cel mai mare.

— Ești apropiat de ceilalți?

E cea mai personală întrebare pe care i-a adresat-o Trey. Cal riscă să-i arunce o privire, dar își concentrează atenția asupra altei prăjiturele. E proaspăt tuns, dar pare s-o fi făcut chiar el: a ratat un petic spre ceafă.

— Destul, spune Cal.

Sunt frații lui vitregi și nu i-a întâlnit decât de două ori și poate că s-ar mai putea întâlni, dar informațiile astea nu par de folos acum.

— Tu?

— De unii dintre ei, spune Trey.

Își îndeasă prăjitura în gură, brusc, și se ridică. Se pare că pauza s-a sfârșit.

— Bea-ți laptele, spune Cal.

— Nu-mi place laptele.

— Dacă l-am cumpărat, îl bei.

Trey dă laptele peste cap, se strâmbă și trântește cana pe masă, de parc-ar fi dat un shot pe gât.

— OK, spune Cal, amuzat. Haide! Stai așa!

Se duce în dormitor și revine cu o cămașă veche, în carouri, pe care i-o aruncă lui Trey.

— Uite!

Trey o prinde și o privește nedumerit.

— Pentru?

— Dacă te duci acasă plin de vopsea, maică-ta n-o să fie bucuroasă.

— N-o să observe.

— Dacă observă, o să știe că n-ai fost la școală.

— N-o să-i pese.

— Cum crezi, spune Cal.

Folosindu-se de o șurubelniță, Cal încearcă să scoată capacul de pe cutia de grund.

Trey examinează cămașa, întorcând-o pe toate părțile. Apoi o îmbracă. Se întoarce spre Cal, ridicând mâinile și rânjind. Mânecile îi atârnă, cămașa îi ajunge mai jos de genunchi și e suficient de largă cât să încapă cam trei ca el.

— Arată bine, spune Cal, rânjind și el. Dă-mi alea.

Face semn spre niște tăvi și trafaleți dintr-un colț. A cumpărat două seturi. Au fost ieftine și s-a gândit că vor fi utile chiar dacă puștiul nu mai vine. Trey n-a mai văzut asemenea ustensile, cu siguranță. Le inspectează și îi aruncă lui Cal o privire întrebătoare.

— Uite, spune Cal.

Toarnă grund, vâră trafaletul în ea și scurge surplusul pe grilaj, apoi acoperă un petic de perete, rapid.

— Te-ai prins?

Trey încuviințează și îl imită întocmai, fiecare pas.

— Bun, spune Cal. Nu aplica prea multă vopsea acolo. Vom da câteva straturi și nu e nevoie să fie groase. Eu încep aici și fac jumătatea de sus, iar tu te ocupi de jumătatea de jos de acolo. Ne întâlnim la mijloc.

Lucrează cu ușurință împreună. Își cunosc reciproc ritmul și nu se zoresc. Ploaia s-a domolit. Țipetele gâștelor care se pregătesc de o călătorie lungă se aud din înaltul cerului. Jos, departe, în iarba de lângă geam, păsărelele țopăie și culeg viermi. Vopsesc de vreo douăzeci de minute, când Trey spune, dintr-odată:

— Fratele meu a dispărut.

Cal reușește să încremenească doar jumătate de secundă înainte să miște iar trafaletul. Ar fi știut, după ton, și dacă n-ar fi înțeles cuvintele că de aceea se află Trey aici.

— Da? Când?

— În martie.

Trey continuă să dea cu trafaletul, meticulos, fără să-l privească.

— Pe douășunu martie.

— OK, spune Cal. Câți ani are?

— Nouăsprezece. Brendan e numele lui.

Precaut, Cal încearcă să afle mai multe.

— Poliția ce zice?

— Nu le-am spus.

— De ce?

— Mama n-a vrut. A zis că s-a dus și că-i destul de mare ca să facă asta.

— Dar tu nu ești de aceeași părere.

Trey se oprește din treabă și se uită în sfârșit în ochii lui Cal. Pe chipul copilului e săpată o nefericire teribilă. Scutură din cap îndelung.

— Și ce crezi tu că s-a întâmplat?

— Cred că l-a luat cineva.

— L-a răpit?

Copilul încuviințează.

— Bine, spune atent Cal. Ai idee cine?

Fiecare celulă din corpul lui Trey se concentrează la Cal.

— Tu ai putea.

Se lasă o clipă de tăcere.

— Puștiule, spune Cal blând, cel mai probabil, maică-ta are dreptate. Din ce-mi zice lumea, oamenii o iau la picior de aici de îndată ce-s destul de mari.

— Mi-ar fi zis.

— Fratele tău e încă adolescent. Adolescenții fac tâmpenii de genul ăsta. Știu că doare, mai ales dacă sunteți apropiați, dar când mai crește își va da seama c-a fost o prostie. Și atunci te va căuta.

Trey își ridică bărbia încăpățânat.

— N-a plecat.

— De unde știi?

— *Știu*. N-a plecat.

— Dacă-ți faci griji pentru el, ar trebui să mergi la poliție. Știu că maică-ta nu vrea, dar poți s-o faci tu. Un minor poate raporta o dispariție. Nu-l pot convinge să vină acasă până ce nu e pregătit, dar pot să cerceteze, iar asta te va liniști.

Trey îl privește de parcă nu-i vine să creadă că o persoană atât de tâmpită încă mai respiră.

— Ce? face Cal.

— Cei din Gardaí[1] nu fac nimic.

— Ba sigur că fac. E meseria lor.

— Sunt inutili. Fă-o tu. Investighează. O să vezi că n-a plecat.

— Nu pot investiga, puștiule, spune Cal și mai blând. Nu mai sunt polițist.

— Fă-o, oricum, spune Trey cu vocea puțin ridicată. Fă ce-ai zis că faci ca să găsești oameni. Vorbește cu amicii lui. Supraveghează-le casele.

— Puteam să fac toate astea când aveam insigna. Acum nu mai am, așa că nu-mi va răspunde nimeni la întrebări. Dacă supraveghez casa cuiva, eu voi fi arestat.

Trey nici măcar nu-l ascultă. Ține trafaletul ridicat în pumnul strâns, ca pe o armă.

— Ascultă-le *telefoanele*. Verifică-i *cardul*.

— *Puștiule*, chiar și dacă eram polițai, lucrurile nu se pot face așa aici. N-am amici de la care să cer favoruri.

— Atunci, fă-o *tu*.

— Ți se pare că am pe-aici niște tehnologie de ultimă oră...

— Atunci, fă altceva. *Fă ceva*.

— Am ieșit la pensie, puștiule, spune Cal, cu blândețe, dar ferm. Nu-i dă speranțe deșarte.

— Nu pot să fac nimic, nici dacă aș vrea.

Trey aruncă trafaletul, smulge cămașa veche a lui Cal de pe el rupându-i nasturii și o vâră adânc în cutia cu grund. O ia, o răsucește și lovește biroul cât de tare poate. Biroul se răstoarnă, iar Trey fuge.

---

[1] Serviciul național de poliție din Irlanda. (n. red.).

Biroul e într-o stare groaznică. Cal îl ridică și folosește cămașa – inutilă, căci nicio spălătorie n-o s-o accepte – să șteargă bălțile mai mari de grund. Apoi udă o cârpă și curăță restul. Din fericire, e pe bază de apă, dar a intrat în mai multe dintre îmbinări și acolo nu ajunge nicio cârpă. Cal folosește o periuță de dinți, înjurându-l pe Trey printre dinți.

De fapt, nu-i prea vine să se înfurie de-a binelea. Mai întâi, tatăl puștiului, apoi fratele mai mare. Nu e de mirare că vrea un răspuns care să-l aducă acasă pe unul dintre ei și care să nu însemne că pleacă și el, fără să privească în urmă. Cal își dorește să-i fi spus mai devreme ce avea în minte, în loc să-și fi făcut speranțe atâta vreme.

Mai mult decât furios, Cal e neliniștit. Nu-i place senzația și nici că o recunoaște și o înțelege perfect. Îi e familiară, ca foamea sau ca setea. Cal n-a suportat niciodată să lase un caz nerezolvat. Cândva, era un lucru bun, pentru că însemna că muncea pe brânci, cu răbdare, și soluționa cazuri la mult timp după ce alții renunțaseră, dar, când și când, era o problemă: să insiști să găsești piesa lipsă și să nu reușești nu face decât să te obosească. Cal freacă lemnul biroului cu și mai multă putere și încearcă să nu se mai gândească dacă Trey chiulește sau nu de la școală. Își amintește că nu e cazul lui și că practic nu e un caz, aproape sigur. Senzația de neliniște nu cedează.

Parcă o aude pe Donna spunându-i, „Iisuse, Cal, nu din nou". De data asta ea nu râde. Chipul îi e obosit, iar ridurile accentuate, mai adânci.

O cioară tânără, slăbănoagă, s-a oprit pe pervaz și privește prin cameră, suspicioasă. Se uită când la pachetul de prăjiturele, când la cutia cu scule. Cal a făcut progrese cu ciorile: acum se așază pe buturugă și mănâncă resturi, în timp ce el le privește din prag, deși tot par să-l ocărască și să-i arunce înjurături. Dar acum nu are chef de ele.

— Dispari, îi spune.

Cioara scoate un zgomot care seamănă cu niște buze care se sărută și rămâne pe loc.

Cal lasă biroul și cioara în plata Domnului. Dintr-odată, simte nevoia să iasă din casă. Se gândește că dacă ar ieși să-și pescuiască cina s-ar mai liniști, dar nu are chef să șadă toată ziua pe malul râului, udându-și fundul doar ca să prindă un biban sau doi. Și nici nenorocitul de permis de portarmă încă nu i-a sosit. În general, ținând cont de niște oameni despre care știe că dețin arme și de faptul că Donie McGrath n-a ales să-și scoată pistolul la cârciumă, înțelege motivele restricțiilor locale, dar azi îl scot din minți. S-ar fi putut însura sau ar fi putut cumpăra o casă mai repede, ori ambele, dar, în opinia lui, acestea sunt niște angajamente mult mai riscante decât să deții o pușcă de vânătoare. Decide să meargă în oraș, să vadă dacă tipul de la secție îi poate da vreo veste despre permis. Poate trece și pe la spălătorie și poate cumpăra o periuță de dinți nouă, dar și un radiator, ca frigul viclean pomenit de Mart să nu-l ajungă. Iese din casă cu un sac de gunoi plin de haine și încuie ușa după el.

Ploaia s-a întețit iar și lovește parbrizul ca niște perdele lungi de apă. Cal începe să-l caute din priviri pe Trey. Câțiva kilometri mai sus, pe deal, a zis Lena, adică mult de mers pe jos, pe vremea asta. Dar drumul e pustiu, populat doar de câte o cireadă de vaci adăpostindu-se în spatele unor ziduri joase de piatră, iar oile răspândite pe câmp pasc netulburate. Crengile lăsate se lovesc de tabla mașinii. Munții sunt neclari și fantomatici, dincolo de vălul greu de ploaie.

Orășelul Kilcarrow e vechi și liniștit, cu șiruri de case în nuanțe crem răspândite în jurul unei piațete și o priveliște panoramică asupra câmpurilor și râului cotit. Aici locuiesc peste două mii de oameni și dacă se adaugă satele din jur se creează suficient vad pentru un magazin de feronerie și o spălătorie. Cal lasă hainele și se îndreaptă spre secția de poliție, cu capul plecat cât să se ferească de ploaie.

Arată ca o magazie mai mare, parcă făcută sandvici între două case și vopsită în alb, cu o dungă albastră dreaptă. E deschisă câteva ore, când și când. În camera din spate se aud câțiva oameni vorbind la radio unii peste alții despre gropi. La biroul din față, un tip în uniformă citește ziarul local de numai câteva pagini și se scarpină la subraț foarte preocupat.

— Bună ziua, spune Cal, ștergându-și barba de apă. Ce vreme!

— A, e o vreme minunată, spune tipul liniștit, punând leneș deoparte ziarul și lăsându-se pe spătar.

E cu câțiva ani mai tânăr decât Cal, cu fața rotundă, burta începe să i se contureze pe sub cămașă și pare că tocmai ce a scărpinat-o. Cineva i-a cusut o ruptură de la buzunarul cămășii, cu mare grijă.

— Cum te pot ajuta?

— Am trimis o solicitare pentru permis de portarmă, acum câteva luni. Am venit în oraș cu treabă și mi-am zis să verific dacă e vreo veste.

— Ar trebui să primești o scrisoare la trei luni de la trimiterea cererii, îi zice polițistul. Dacă n-ai primit, înseamnă că ai fost refuzat. Sigur că uneori mai întârzie. Chiar dacă nu se aude nimic, e posibil să fie totul bine. Eu aș mai aștepta o lună, înainte să mă îngrijorez. Două, chiar.

Cal a mai întâlnit tot felul de indivizi ca ăsta. E la naiba-n praznic nu fiindcă ar fi tâmpit sau pentru că creează probleme și nici fiindcă-i vreunul care aspiră să fie detectiv, cu ambițiile îngropate în frustrări, ci fiindcă aici e fericit. Îi place să aibă zile liniștite, fără surprize, să vadă fețe cunoscute și să aibă mintea liberă când se duce acasă, la soție și la copii. E un polițist cum și-ar fi dorit Cal să fie, în unele feluri. Sau în cele mai multe.

— Atunci, probabil că n-am motiv să mă plâng, spune Cal. Când eram polițist, hârțogăraia ajungea la fundul teancului și acolo rămânea. Doar n-o să pierzi vremea cu vreun permis, când ai chestii de rezolvat, chestii cu adevărat de polițist.

Tipul devine brusc atent.

— Ai fost polițist? întreabă, să se asigure că a înțeles. Activ?

— Douăj' cinci de ani. La poliția din Chicago.

Cal rânjește și întinde mâna.

— Cal Hooper. Încântat.

— *Garda* Dennis O'Malley, zice tipul, strângându-i mâna.

Cal a pariat că nu e genul care o să vadă în asta o întrecere de tipul „care are boașele mai mari". N-a greșit. O'Malley pare sincer bucuros.

— Chicago, ha? Aș spune c-ai văzut ceva acțiune.

— Ceva acțiune și grămezi de hârtii. Ca peste tot. Mi se pare un post bun, aici.

— N-aș renunța, zice O'Malley.

Cal își dă seama, după accent, că nu e de prin partea locului, dar nici de prea departe: ritmul acela tărăgănat, liniștit, nu vine de la oraș.

— Nu i s-ar potrivi oricui, însă mie, da.

— Ce se întâmplă pe-aici?

— Vehicule cu motor, explică O'Malley. Aci îs morți după viteză. Și conduc beți. Trei vlăjgani au intrat sâmbătă seara într-un șanț, pe drumul de la crâșmă acasă, dincolo de Gorteen. N-a ajuns niciunul viu la spital.

— Am auzit, spune Cal.

Soțul prietenei verișoarei lui Noreen a fost primul la locul accidentului.

— Păcat.

— Asta-i cel mai rău, acum. În rest, nu se întâmplă mare lucru. Se mai fură carburant, când și când.

Cal privește lung fără să priceapă, iar O'Malley continuă.

— Păcură, din rezervoare. Echipamente agricole. Avem și ceva droguri, că doar îs peste tot, mai nou. Dar nu se compară cu Chicago, zic.

Rânjește timid spre Cal.

— Aveam multe accidente cu victime, spune Cal, și droguri, da. Însă nu prea se furau echipamente agricole.

Apoi, înainte să-și dea seama ce spune, continuă:

— Am lucrat mai ales la Disparițiii. Nu cred c-aveți multe pe aici.

O'Malley râde.

— Iisuse, nu. Sunt aici de doisprezece ani și au dispărut doar doi oameni. Unu' a apărut pe râu, câteva zile mai târziu. Celălalt, o fătucă, de fapt, de s-a certat cu maică-sa și a fugit la o verișoară din Dublin.

— Îmi dau seama de ce n-ai renunța la locul ăsta, spune Cal. Deși am auzit c-a dispărut un tip în primăvară. Oare am înțeles eu prost?

O'Malley tresare.

— Cin' să fie?

— Brendan cumva. Reddy?

— Familia Reddy de sus, de lângă Ardnakelty?

— Da.

— Ah, ăia, spune O'Malley, relaxându-se iar. Care-i Brendan?

— Ăla de nouășpe ani.

— Nicio surpriză, atunci. Și, să fiu sincer, nicio pierdere.

— Fac probleme?

— Nu. Doar că-s niște pierde-vară. Au fost câteva certuri, dar tatăl s-a dus în Anglia acu' câțiva ani și au încetat. Din câte știu, copiii nu se duc la școală. Profesoara nu vrea să sune la protecția copilului, așa că mă sună pe mine. Mă duc acolo și vorbesc cu mama, bag frica de Dumnezeu în copii și le zic de casele pentru minori. Se duc la școală o lună sau două și apoi o iau de la capăt.

— Cunosc genul, spune Cal.

Nu trebuie să întrebe de ce nu sună profesoara la serviciile sociale, dacă nu-i vorba despre oase rupte sau de ce n-o face chiar O'Malley. Unele lucruri sunt la fel ca-n satul lui din pădure, în copilărie. Nimeni nu vrea ca guvernul să-și trimită băieții de la oraș, în costume, care să înrăutățească situația. Lucrurile sunt rezolvate cât mai în privat posibil.

— Maică-sa nu poate să-i convingă să se ducă sau nu vrea?

O'Malley ridică din umeri.

— Ea e un pic... știi tu. Nu e nebună, nimic de genu' ăsta, dar nu o duce capul.

— Ha! Deci Brendan nu e dispărut, zici?

— Doamne, nu, pufnește O'Malley. E tânăr. S-a plictisit de traiul pe dealuri, cu mă-sa, așa că s-a dus să doarmă pe podeaua unui amic, în Galway sau în Athlone, unde se poate duce la un club și poate cunoaște alți tineri. Firesc, de altfel. Cine-a zis c-a dispărut?

— Păi, spune Cal, scărpinându-se la ceafă gânditor, un tip de la cârciumă a zis c-a dispărut. Cred c-am înțeles eu greșit. Am stat prea mulți ani cu ochii după persoane dispărute și acum văd numai dispăruți peste tot.

— Nu și aici, spune O'Malley, voios. Brendan s-o întoarce când s-o sătura să-și spele singur hainele. Dacă nu-și găsește una tânără care să i le spele.

— Ne-ar prinde bine tuturor, rânjește Cal. Nu voiam să folosesc pușca pentru autoapărare, dar e bine de știut că n-am nevoie, pe-aici.

— Doamne, nu. Stai așa, spune O'Malley, ridicându-se leneș din scaun, că mă uit în sistem după permisul ăla. Ce pușcă vrei?

— Am pus un avans pentru o Henry 22. Îmi plac cele vechi.

— O frumusețe, e de acord polițistul. Am o Winchester. Nu mă pricep cine știe ce, dar am doborât un șobolan de grădină săptămâna trecută. Măricel, mă privea curajos drept în ochi. M-am simțit ca Rambo. Stai așa.

Se duce în camera din spate. Cal privește în jur, în mica încăpere, citind posterele jerpelite de pe pereți. CENTURILE SALVEAZĂ VIEȚI, PLIMBARE PENTRU PREVENIREA SINUCIDERII, ZECE SFATURI DESPRE SIGURANȚA LA FERMĂ. Îl ascultă pe O'Malley fredonând melodia unui anunț pentru pâine de la radio. Locul miroase a ceai și a chipsuri de cartofi.

— Așa, zice polițistul, triumfător, venind înapoi. E bifată în sistem ca aprobată – și normal, de ce n-ar fi? Ar trebui să primești scrisoarea curând. Poți s-o duci la poștă și să plătești taxa acolo.

— Mersi mult, spune Cal. Mi-a părut bine.

— Și mie. Mai treci pe-aici într-o zi, când închidem, bineînțeles. Te scoatem la o bere, să-ți urăm bun-venit în Vestul Sălbatic.

— Aș fi onorat.

Ploaia cade încă puternic. Își pune gluga și iese, înainte să-l invite O'Malley să rămână la ceai.

Cât așteaptă să i se spele hainele, Cal găsește o cârciumă și-și ia un sandvici cu brânză și șuncă prăjită și o halbă de bere. Cârciuma e complet diferită de Seán Óg: e mare, luminoasă, miroase a mâncare caldă, savuroasă, mobila lucește, iar la bar sunt disponibile multe mărci de bere la halbă. Câteva femei de vreo treizeci de ani iau prânzul într-un colț și sunt foarte vesele.

Sandviciul e bun. La fel e și berea. Dar lui Cal nu-i priesc cum ar trebui. Discuția cu O'Malley, care ar fi trebuit să-l liniștească, mai rău l-a agitat. Nu că ar crede vreo clipă că Brendan Reddy a fost răpit de necunoscuți. O'Malley a confirmat bănuiala inițială: Brendan avea toate motivele să plece și aproape niciunul să rămână.

Ce-l supără e că Trey a avut dreptate într-o privință: Gardaí sunt al naibii de inutili. Cel puțin pentru ce are el nevoie. Când O'Malley a auzit numele Reddy, atât i-a fost. La fel cred cu toții. Cal se gândește la dealurile pierdute în spatele perdelei de ploaie și la o mamă pe care nu prea o duce mintea. Un copil de vârsta aia n-ar trebui lăsat fără soluții.

Neliniștea e încă mușcătoare. Cal își termină halba mai repede decât intenționa și iese iar în ploaie.

Cumpără un radiator alimentat cu ulei și o altă cutie de grund, de la magazinul de bricolaj, și mai multe lucruri, printre care și o periuță de dinți, de la supermarket. Nu se mai obosește să ia lapte. E convins că puștiul nu se mai întoarce.

6

Dimineața următoare e croită din ceață moale, visătoare și inocentă, prefăcându-se că ieri nici n-a existat. De îndată ce-și termină micul-dejun, Cal își strânge echipamentul de pescuit și se îndreaptă spre râu, la cinci kilometri distanță. În cazul puțin probabil că Trey va reveni, casa pustie va fi o nouă lovitură pentru el, dar Cal se gândește că e un lucru bun. E mai bine să fie supărat acum, decât să-și facă din nou speranțe.

E a doua oară când Cal pescuiește în râul ăsta. S-a dus la culcare de multe ori gândindu-se că a doua zi va da la pește, dar casa l-a ținut mereu lângă ea: trebuia să dea ceva la o parte, să vadă cum ieșise altceva, peștii puteau aștepta. Dar azi legătura asta cu casa îl sâcâia. Vrea să fie departe de ea, să-i întoarcă spatele.

La început, i se pare că râul este tot ce avea nevoie. E suficient de îngust încât bătrânii copaci masivi să se unească deasupra lui și are suficiente pietre cât să facă apa să se învolbureze și să spumege. Malurile sunt presărate cu frunze căzute, ruginii și aurii. Cal își găsește o bucată de pământ netedă și un fag mare, plin de mușchi, și își alege momeala cu migală. Păsările se ceartă printre crengi, fără să-i dea atenție, iar parfumul puternic și dulce pe care-l simte i se lipește de piele.

După câteva ore însă, atmosfera idilică piere. Ultima dată când a fost aici, Cal a prins un biban pentru cină, într-o jumătate de oră. De data asta vede peștii cum înghit gâzele de la suprafața apei, dar niciunul n-are chef să muște momeala. Și începe să-și dea seama ce voia să zică Mart despre frigul viclean: ce păruse o zi plăcută, răcoroasă, i s-a strecurat deja în oase. Scoate câteva râme de sub straturile de frunze ude, de lângă el. Peștii le ignoră.

Ziua în care plănuise s-o învețe pe Alyssa să pescuiască fusese exact așa. Avea vreo nouă ani. Erau într-o vacanță mai lungă, la cabană, într-un loc găsit de Donna, al cărui nume nu și-l amintește acum. Ei doi au stat pe malul lacului trei ore și numai musculițele mai ciupiseră din momelile lor, dar Alyssa îi promisese mamei că va aduce acasă ceva pentru cină și nu voia să plece altfel. În cele din urmă, Cal o privea cum se înroșește la față, nefericită și încăpățânată, și îi spusese că are un plan. S-au oprit la magazin și au cumpărat o pungă de crochete de pește congelate, au prins-o în undița Alyssei și s-au întors la cabană urlând: „Am prins unul mare!" Donna s-a uitat la cutie și le-a zis că peștele e încă viu și-l va păstra ca animal de companie. Toți trei au râs prostește. Când Donna a pus punga într-un castron cu apă și a numit-o Bert, Alyssa a început să râdă în hohote până a căzut pe spate.

Cal simte că, dacă doar un singur pește nenorocit i-ar oferi o luptă corectă și apoi o cină consistentă, toate lucrurile care-i zăngănesc în cap s-ar reașeza la locurile lor. Peștii, deloc interesați de nevoile lui emoționale, continuă să se joace leapșa cu cârligul.

După o jumătate de zi fără niciun rezultat, Cal începe să creadă că reputația râului este doar o păcăleală pentru turiști, și că acel biban prins prima oară a fost doar o întâmplare. Își strânge lucrurile în tihnă și pleacă spre casă agale. Dacă mai apare Trey, va trebui să-i taie elanul.

La jumătatea drumului spre casă se întâlnește cu Lena, care merge în cealaltă direcție, în pas alert, și un câine în fața ei care amușină totul în cale.

— Bună, îl salută ea, chemând câinele cu un pocnet din degete.

Poartă o jachetă mare de lână și o căciuliță tricotată, albastră, trasă până peste sprâncene, așa că i se văd doar câteva șuvițe de păr.

— A mușcat?

— Cum să nu, răspunde Cal. Orice, numai momeala, nu.

Lena râde.

— Râul e temperamental. Mai încearcă mâine, vei prinde mai mult decât poți mânca.

— Poate. Asta-i cățelușa cu pui?

— Nu. Aia a fătat săptămâna trecută. E acasă, cu puii. Asta e sora ei.

Câinele este un beagle, în nuanțe de arămiu și negru, și pare destul de isteț. Tremură și pufnește agitat când începe să-i miroasă pantalonii lui Cal.

— Pot s-o salut?

— Bineînțeles. E iubitoare, nu luptătoare.

Cal întinde mâna, iar câinele îi adulmecă fiecare centimetru în timp ce dă energic din coadă.

— E o cățelușă bună, spune Cal, mângâind-o pe gât. Ce fac mama și puii?

— Bine. Cinci pui. Am crezut că unul n-o să supraviețuiască, dar acum e gras și îi dă pe toți la o parte să fie el primul la mâncare. Vrei să-i vezi, dacă tot întrebi de ei?

Lena observă că bărbatul ezită.

— Ah, las-o pe Noreen, spune amuzată. Poți să vii să vezi cățelușii fără să înțeleg că mă ceri de nevastă. Jur.

— Nu mă îndoiesc, spune jenat Cal. Mă întrebam doar dacă să las asta pentru o zi când nu car toate chestiile după mine. Nu știu cât de departe e.

— Cam la vreo trei kilometri într-acolo. Cum consideri.

Mai mult ca să-i șteargă amuzamentul de pe chip, Cal spune:

— Cred că mă descurc. Mersi de invitație.

Lena încuviințează și face cale întoarsă și urcă amândoi pe drumul îngust, cu garduri de grozamă cu flori galbene înclinându-se spre ei de ambele părți. Cal încetinește, înainte să-și dea seama că nu e nevoie totuși, pentru că Lena ține pasul cu el fără probleme. Are un mers de femeie de la țară, cu pași lungi și ușori, de parc-ar putea să meargă toată ziua.

— Cum merge cu casa? întreabă ea.

— Destul de bine. Am început să văruiesc. Vecinul meu, Mart, mă ia peste picior fiindcă prefer să las totul alb, dar nu pare cel mai potrivit să-și dea cu părerea.

Cumva se așteaptă ca Lena să-i propună niște culori (probabil că i-a intrat în cap toată trăncăneala lui Mart), dar ea zice:

— Mart Lavin, și se strâmbă ușor. Nu vrei să-l asculți pe ăla. Nellie, strigă deodată către câine, care târăște afară din șanț ceva negru, murat de ploaie. Lasă-l.

Cățelușa se conformează, deși nu-i convine deloc, dar pornește în alte căutări.

— Și pământul? Ce ai plănuit? întreabă Lena.

În mod ironic, Mart îi pune regulat aceeași întrebare, fără să ascundă faptul că încearcă să afle care-i sunt intențiile pe termen lung. Cal e nesigur. Acum nu-și poate imagina să facă mai mult decât să-și repare casa, să pescuiască biban și s-o asculte pe Noreen explicându-i istoria dinților lui Clodagh Moynihan. Poate să cutreiere nițel Europa, înainte să fie prea bătrân, și apoi să se întoarcă, după ce și-a mai domolit curiozitatea. N-are alt loc în care să se ducă.

— Păi, zice el, nu m-am hotărât. Am o bucată de pădure, pe care o s-o las cum e. E jumătate aluniș, iar eu aș mânca alune toată ziua. S-ar putea să mai plantez niște meri, să am ceva dulce în câțiva ani, să meargă cu alunele. Și mă gândeam să mai plantez niște legume.

— Doamne, face Lena. Doar nu ești unul dintre tipii ăia care vor să renunțe la viața modernă.

Cal rânjește.

— Nu. Doar că am stat prea mult la birou și simt că vreau să petrec timp afară.

— Ce bine!

— Aveți mulți tipi d-ăștia ca mine pe aici?

— Când și când. Mai vor să revină la origini și cred că e locul potrivit. Așa pare, cred eu.

Arată spre munții din față, cocoșați și arămii, cu câte-un șal de ceață zdrențuită pe alocuri.

— Cei mai mulți nu știu nici care-i capătul cazmalei. Rezistă cam șase luni.

— Mă mulțumesc să vânez și să culeg roadele mai ales din magazinul surorii tale, spune Cal. Trebuie să recunosc că Noreen mă sperie nițel, dar nu cât să mă facă să vreau să-mi cresc singur șunca.

— Noreen e în regulă, spune Lena. Ți-aș spune s-o ignori și că te va lăsa în pace, dar nu o va face. Noreen vrea să facă din orice ceva util. Trebuie doar să nu te lași afectat.

— Pariază pe calul greșit. Nu-s chiar atât de folositor nimănui.

— Nu-i nimic rău în asta. N-o lăsa pe Noreen să te convingă de contrariu.

Merg în tăcere, dar nu e o tăcere apăsătoare. Printre rămurelele de grozamă se văd și unele de mur. Câțiva ponei îndesați, mițoși, le pasc și din când în când Lena mai culege câte o mură și o mănâncă. La fel face și Cal. Sunt negre și mari, încă acrișoare.

— Într-o zi, o să le culeg și o să fac gem, decide Lena. Dacă am chef.

Cotește de pe drum spre o potecă de pământ. Pe ambele părți sunt pășuni cu iarbă înaltă și miroase a balegă. Un bărbat care examinează piciorul unei vaci ridică privirea când Lena îl strigă și face semn din mână, strigând ceva ce Cal nu-l pricepe.

— Ciaran Maloney, spune Lena. Mi-a cumpărat pământul.

Cal și-o imaginează pe câmpuri, în cizme de cauciuc, cu pantaloni stropiți de noroi, domolind cu pricepere un mânz obraznic.

Casa ei e un bungalou lung și alb, proaspăt vopsit, ghivece cu mușcate la geamuri. Nu îl invită pe Cal să intre, ci îl conduce pe lângă casă, spre o clădire joasă, din piatră aspră.

— Am încercat s-o conving să fete înăuntru, zice ea, dar n-a vrut. A preferat staulul. Mi-am zis, aia e. Pereții sunt destul de groși și, dacă i se face frig, știe unde să vină.

— Asta ați crescut tu și soțul tău? Vite?

— Da. De lapte. Nu le țineam aici. E vechiul staul, vechi de vreun secol, două. Îl foloseam pentru a depozita nutrețul.

Staulul e slab luminat, căci lumina pătrunde doar prin niște ferestruici în acoperiș, iar Lena a avut dreptate cu pereții: e mai cald aici decât credea Cal. Cățelușa e în ultima boxă. Se lasă amândoi pe vine, iar Nellie stă la distanță și toți se uită în aceeași direcție.

Cățelușa are nuanțe de arămiu cu alb și stă ghemuită într-o ladă mare, de lemn, înconjurată de cățeluși chițăitori care se cațără unii peste ceilalți ca să ajungă mai aproape de ea.

— Arată bine, zice Cal.

— Ăla e zăpăcitul despre care-ți ziceam, spune Lena, apucând un cățeluș mai gras și alb cu arămiu și negru. Uite cât e de mare.

Cal se întinde după cățeluș, dar mama se ridică pe jumătate, mârâind. Cățelușii, tulburați, încep să se agite.

— Las-o un minut, zice Lena. Nu e la fel de bine dresată ca Nellie. O am de câteva săptămâni și n-am avut timp s-o învăț bunele maniere. După ce o să vadă că sora ei te place, o să fie în regulă.

Cal se întoarce și se joacă puțin cu Nellie, care, extrem de bucuroasă, începe să-i lingă mâinile și să dea din coadă. Cealaltă cățelușă se culcă din nou la pământ, între căței, și, când Cal se întoarce, îl lasă să ia obrăznicătura de la Lena din mână, mârâind doar ușor.

Cățelușul are încă ochii închiși, iar capul îi cade moale pe spate. Roade vârfurile degetelor lui Cal cu gingiile în căutarea laptelui. Blănița de pe față e arămie și urechile sunt negre, iar pe nas se întinde o dungă albă. Peticul negru de pe spatele arămiu are forma unui steag zdrențuit. Cal îi mângâie urechile moi și pleoștite.

— A trecut ceva de când n-am mai făcut asta, spune Cal.

— Sunt simpatici, așa e, spune Lena. Nu mi-am dorit cățeluși, nici doi câini, că veni vorba. Am vrut un câine, așa că am luat-o pe Nellie de la un adăpost, după ce amândouă fuseseră lăsate pe marginea drumului. Cei care au luat-o pe Daisy nu s-au obosit s-o sterilizeze și când a rămas borțoasă au abandonat-o iar. M-au sunat de la adăpost. Întâi am refuzat, apoi mi-am zis, de ce nu?

Se întinde spre ladă, să gâdile fruntea unui cățeluș cu un deget. Cățelușul îi suge mâna.

— Accepți ce-ți iese în cale, cred.

— Se pare că nu prea ai de ales.

— Firește că-s un amestec nebunesc. Cine știe dac-o să-i vrea cineva.

Lui Cal îi place cum s-a poziționat față de el: nu s-a înclinat spre el, ca o femeie care-l dorește sau care vrea ca el s-o dorească, o femeie care nu stă bine pe picioare, de parcă ar trebui s-o prindă din clipă în clipă, ci este echilibrată, umăr la umăr, ca o parteneră. Staulul miroase a nutreț pentru vite, dulce, cu iz de nuci, iar pe jos e un covor auriu de paie. Frigul care i s-a insinuat în oase începe să dispară.

— Cred că ăla seamănă cu un golden retriever, zice. Și acela din capăt are ceva de terrier.

— Corcituri toată ziua. N-am de unde ști dac-or fi buni la vânat. Câinii din rasa beagle nu sunt de folos la pază. Un hamster ar fi mai sălbatic.

— Câini de pază?

— Dacă e cineva pe pământul tău, te anunță. Observă totul și vor să te informeze. Dar îl vor linge până leșină, în cel mai rău caz.

— N-aș cere unui câine să-mi facă treaba murdară, spune Cal. Dar aș vrea unul care să-mi spună dacă trebuie să fac ceva.

— Te porți frumos cu ei, spune Lena. Dacă vrei unul, îl poți lua.

Cal n-a știut, până atunci, că era analizat.

— Aș vrea să mă gândesc o săptămână, două, spune. Dacă e OK.

Lena s-a întors spre el, amuzată din nou.

— Te-am speriat când ți-am zis de ăia care pleacă după prima iarnă?

— Deloc, spune el, ușor uimit.

— Ți-am zis că majoritatea rezistă șase luni. Ești aici de patru. Nu-ți face griji, nu stabilești niciun record dacă fugi.

— Vreau să fiu sigur că pot ține un câine, spune Cal. E o responsabilitate.

— Așa este, zice Lena cu o sprânceană ușor ridicată, pentru că nu-și dă seama dacă să-l creadă sau nu. Când te hotărăști, îmi spui. Îți place vreunul? Ești primul care vrea, deci poți să alegi.

— Păi, spune Cal, mângâind spinarea voinicului, îmi place ăsta. A dovedit deja că e un luptător.

— Voi spune oamenilor că e promis. Dacă întreabă cineva. Dacă vrei să vii să vezi cum crește, sună-mă înainte, ca să fiu acasă. Îți dau numărul meu. Uneori am un program ciudat.

— Unde lucrezi?

— La niște grajduri, dincolo de Boyle. Mă ocup de contabilitate, însă uneori ajut și cu caii.

— Ai avut și cai? Pe lângă vaci?

— Nu ai noștri. Dar am ținut caii altora.

— Pare să fi fost mult de muncă aici.

Cățelușul i s-a rostogolit în palmă și începe să-l gâdile pe burtică.

— Cred că e o schimbare drastică.

Nu se așteaptă ca ea să zâmbească.

— Ți-ai băgat în cap că sunt o văduvă sărmană, devastată fiindcă și-a pierdut ferma la care ea și soțul ei au muncit pân-au picat lați?

— Ceva de genul, recunoaște Cal, zâmbind și el.

A avut mereu o slăbiciune pentru femeile care-l surprind, deși uite unde l-a adus asta.

— Deloc, spune Lena, veselă. M-am bucurat când am scăpat de ticălos. Am muncit până am picat lați, așa e, iar Sean și-a făcut mereu griji că vom da faliment, așa că a început să bea, ca să se calmeze. I-a cam venit de hac și a făcut infarct.

— Mi-a zis Noreen că a murit. Îmi pare rău.

— S-a întâmplat acum aproape trei ani. Mă obișnuiesc, încetișor, spune femeia în timp ce scarpină tânăra mămică după ureche, în timp ce aceasta mijește ochii încântată. Dar abia așteptam să scap de fermă.

— Ha, pufnește Cal.

Își dă seama că Lena vorbește foarte deschis cu cineva pe care abia l-a cunoscut și că majoritatea oamenilor pe care-i știe și fac așa fie sunt nebuni, fie caută să-i coboare garda pentru propriile interese. Însă, venind din partea ei, nu-l deranjează. E conștient că, oricât de interesantă poate părea discuția, Lena se ține totuși cumva mai la distanță.

— Soțul tău nu voia să renunțe la ea, așa-i?

— Deloc. Sean avea nevoie de libertate. Nu putea suporta să lucreze pentru altcineva. Pentru mine, arată ea din cap spre împrejurimi, asta e libertatea. Nu cealaltă. Când plec de la muncă, am terminat. Nu sunt târâtă din pat la trei dimineața fiindcă a decurs prost fătarea unui vițel. Îmi plac caii, dar îmi plac chiar mai mult acum, că pot să-i las acolo la sfârșitul zilei.

— Înțeleg, spune Cal. Și a mers?

— Mai mult sau mai puțin. Surorile lui Sean m-au atacat, că era ferma familiei, că am vândut-o înainte ca el să se răcească în mormânt, și tot așa. Voiau să le las fiii să lucreze aici, apoi să le-o las moștenire. Am decis că pot trăi fără ei mai bine decât aș trăi cu locul ăsta în spinare. Oricum nu mi-au plăcut niciodată.

Cal râde și după o clipă râde și Lena.

— Mă cred o cățea fără suflet, zice. Poate au dreptate. Dar acum sunt mai fericită decât înainte.

Arată spre cățeluș, care s-a întors iar și țipă disperat. Mama ascultă cu urechile ciulite.

— Uită-te la el. Nu știu unde mai bagă, dar tot mai vrea.

— Vă las să vă vedeți de treabă, spune Cal, lăsând cățelușul înapoi în ladă, unde se înghesuie printre frații și surorile lui. Și te anunț ce am hotărât cu cățelușul.

Lena nu-l invită la ceai și nici nu-l petrece până la drumul principal. Îi face semn din cap din fața ușii și intră, fără ca măcar să ridice o mână, în timp ce Nellie țopăie în urma ei. Cal pleacă mai vesel decât fusese până atunci.

E o stare care durează doar până ce ajunge acasă, căci descoperă că toate cele patru cauciucuri ale mașinii i-au fost dezumflate.

— Puștiule! urlă cât îl țin plămânii. Treci încoa'!

Grădina tace, cu excepția ciorilor care-și râd de el.

— Puștiule! *Acum!*

Nicio mișcare.

Cal înjură și își caută încărcătorul de baterie cu pompă integrată. Găsește instrumentul, îl montează și reușește să reumfle primul cauciuc. Când s-a mai calmat își dă seama de ceva. Ar fi fost mai ușor să taie cauciucurile decât să le dezumfle. Dacă a procedat așa, Trey nu voia să facă rău cu adevărat. Intenționa doar să transmită un mesaj. Cal nu știe ce mesaj – „O să te hărțuiesc până faci ce vreau", poate, sau poate doar „Ești un căcat“ –, dar comunicarea n-a fost niciodată punctul forte al puștiului.

Se apucă să umfle al doilea cauciuc, când apar Mart și Kojak.

— Ce pui la cale cu mârțoaga? întreabă Mart, arătând spre Pajero.

Mart dăduse într-o zi peste Cal în timp ce ceruia mașina, așa că simte că o tratează cu prea multe pretenții, așa cum se face la oraș.

— Îi pui panglici în coamă?

— Mai mult sau mai puțin, spune Cal, mângâindu-l pe Kojak pe cap, în timp ce câinele inspectează mirosurile lăsate de câinii Lenei pe pantalonii lui.

Din fericire, Mart are lucruri mai importante în minte decât mașina lui Cal care are cauciucurile plate ca niște țâțe de vrăjitoare.

— Un tânăr s-a spânzurat, îl informează. Darragh Flaherty, de peste râu. Taică-su a ieșit de dimineață să mulgă vacile și l-a găsit atârnând de un copac.

— Îmi pare rău, spune Cal. Transmite condoleanțe familiei.

— O să transmit. Doar douăzeci de ani avea.

— La vârsta asta se sinucid mulți, spune Cal.

Pentru o clipă, zărește chipul încordat al lui Trey. *N-a plecat.* Continuă să înșurubeze pompa în valvă.

— Am știut că puștiul nu-i deloc bine în ultima vreme, spune Mart. L-am văzut la slujbă în oraș, de trei ori, vara asta. I-am zis lu' taică-su să-l țină sub ochi, dar sigur că n-ai cum zi și noapte.

— De ce n-ar fi mers la biserică? întreabă Cal.

— Biserica, spune Mart, scoțându-și punga cu tutun din buzunarul jachetei în care găsește o țigară rulată, e pentru femei. Mai ales pentru cele nemăritate. Le place să se agite pentru al cui e rândul să citească din Sfântul Pavel sau cine se ocupă de florile de pe altar. Mamele-și aduc copiii ca să nu crească păgâni, iar babele vin să arate că încă n-au murit. Dar, când un tânăr începe să meargă la slujbă, e semn rău. Ceva nu e în regulă în viața sau în mintea lui.

— Tu mergi la slujbă, i-o întoarce Cal. Așa l-ai văzut.

— Da, merg, recunoaște Mart, când și când. După aia au loc discuții faine la Folan's și mai e și-o cină. Uneori am chef să-mi gătească și altcineva cina. Dacă vreau să cumpăr sau să vând vite, mă duc la slujbă dară. Se fac multe târguri la Folan's, după slujba de prânz.

— Și eu care crezusem că ești credincios, spune Cal rânjind.

Mart râde până se îneacă din cauza fumului.

— Sigur că n-am nevoie de așa ceva, la vârsta mea. Ce păcate să comită un bătrân ca mine? Nici măcar internet nu am.

— Trebuie să mai fi rămas păcate și prin părțile astea, spune Cal. Ce zici de *poitin*-ul lui Malachy cum-îl-cheamă?

— Ăla nu e păcat, zice Mart. E împotriva legii, pe când păcatele-s împotriva Bisericii. Uneori sunt aceleași, dar alteori, nu. V-au învățat asta la biserica ta?

— Poate.

Nu e atent doar la Mart. Ar fi mai bucuros dacă ar avea o idee mai clară despre ce poate Trey și care-i sunt limitele. Are senzația că sunt flexibile, stabilite aproape integral de context și de necesități.

— A trecut ceva de când mergeam la biserică.

— N-ar fi ceva la care te-ai aștepta, cred. Voi aveți biserici în care se joacă cu șerpi și vorbesc în limbi.[1] Noi n-avem pe-aci din astea.

— Nenorocitul de Sfânt Patrick, face Cal. Ne strică imaginea.

— N-a avut cum să prevadă c-o să ne cotropească yankeii. Sigur, nici măcar nu erați inventați pe atunci.

— Și uite-ne acum, zice Cal, verificând presiunea cauciucurilor. Suntem peste tot.

---

[1] Este considerat un dar spiritual, o capacitate miraculoasă a cuiva de a vorbi într-o limbă sau un dialect pe care de altfel nu le cunoaște (n. red.).

— Bineveniți. Sigur, Sfântul Patrick a fost o dezamăgire. Voi ne faceți viețile interesante.

Mart își strivește țigara sub talpa cizmei.

— Acum, zi cum merge cu epava aia de birou?

Cal ridică brusc privirea. Pentru o clipă, crede că vocea lui Mart a avut o inflexiune suspectă. De pe terenul lui se poate vedea perfect în curtea din spate a lui Cal.

Mart înclină capul, întrebător, curios ca un copil.

— Merge, spune Cal. Trebuie să-l lăcuiesc și o să fie ca nou.

— Corect. Dacă ai nevoie de ceva bani în plus, poți să faci tâmplărie. Îți deschizi un atelier în magazie, găsești un ucenic să te ajute. Doar să alegi unul bun.

Când Cal ridică iar privirea, continuă:

— Te-am văzut oare plecând ieri în oraș?

Cal aduce prăjiturelele lui Mart și se ironizează reciproc până se plictisesc, îl fluieră pe Kojak și pleacă. Cauciucurile sunt din nou umflate, pentru moment cel puțin. Cal își strânge încărcătorul și intră. Măcar casa e neatinsă, din câte-și dă seama.

Sandviciurile pe care le-a luat la râu par să se fi învechit, dar n-are chef de gătit. Neliniștea de ieri a devenit îngrijorare, genul care te înțeapă încontinuu și aproape că te sufocă.

Este încă devreme în Seattle, dar nu mai poate aștepta. Se duce în spate, unde semnalul e mai bun, și o sună pe Alyssa.

Răspunde, cu respirația tăiată.

— Tată? E totul OK?

— Da. Scuze. Aveam un minut liber, așa că m-am gândit să te sun. N-am vrut să te sperii.

— Nu, e în regulă.

— Tu? Ești bine?

— Da, totul e OK. Ascultă, tată. Sunt la muncă și...

— Sigur, nicio problemă. Sigur ești bine? Ți-a revenit gripa?

— Nu. Sunt bine. Doar că am multe pe cap. Ne auzim mai târziu, da?

Cal închide, iar îngrijorarea lui crește și îl neliniștește din ce în ce mai mult, odată ce se insinuează în mintea lui. Probabil că i-ar prinde bine câteva shoturi de Jim Beam, dar nu se poate convinge. Nu scapă de senzația că îl paște o urgență, că e cineva în pericol și că trebuie să se concentreze ca să poată repara lucrurile. Își amintește că, dacă cineva e în pericol nu-i responsabilitatea lui, dar nu merge așa.

Ar putea paria că nenorocitul de copil îl pândește de undeva, dar Mart e pe câmp, cu oile. Dacă îl strigă pe puști, Mart îl va auzi. Cal traversează grădina, străbate terenul din spatele casei și dă târcoale pădurii, fără să găsească decât niște bârloguri de iepure. Amintindu-și discuția cu Alyssa, se gândește că vocea ei i se pare aiurea, epuizată și demoralizată, de fiecare dată într-o stare mai proastă.

Înainte să-și dea seama ce face, deja o sună pe Donna. Tonul de apel se aude de mai multe ori. E pe punctul de a renunța, când ea răspunde.

— Cal. Care-i treaba?

Lui Cal aproape că-i vine să închidă. Vocea ei este total neutră și nu știe cum să răspundă unui astfel de ton din partea ei. Dar dacă ar închide s-ar simți ca ultimul prost, așa că spune:

— Bună. Nu vreau să te stresez. Doar să te întreb ceva.

— OK. Spune.

Nu-și dă seama unde e sau ce face. Zgomotul de fond pare o adiere de vânt, dar poate să fie și semnalul de vină. Încearcă să-și dea seama ce oră e la Chicago. Poate prânzul?

— Ai văzut-o recent pe Alyssa?

Urmează o scurtă pauză. De când s-au despărțit, fiecare conversație avută cu Donna a fost presărată de pauzele acelea în care ea se gândește dacă răspunsul la întrebare se încadrează în noile reguli stabilite doar de ea pentru relația lor. Nu i le-a comunicat lui Cal, așa că n-are idee care sunt, dar uneori se trezește că încearcă intenționat să le încalce, ca un copil căcăcios.

Se pare că întrebarea aceea e permisă.

— Am fost la ei câteva săptămâni, în iulie.

— Ai vorbit cu ea?

— Mda. La fiecare câteva zile.

— Și ți se pare OK?

Pauza e mai lungă.

— De ce?

Cal simte că îngrijorarea e mai mare, dar încearcă să nu i se reflecte în voce.

— Nu mi se pare în regulă. Nu-mi dau seama ce e, dacă muncește prea mult sau ce se întâmplă, dar îmi fac griji pentru ea. E bolnavă sau ceva? Tipul ăla, Ben, se poartă frumos cu ea?

— De ce mă întrebi?

Donna se străduiește să-și păstreze tonul neutru, dar nu reușește, ceea ce-i dă lui Cal o umbră de satisfacție.

— Nu e treaba mea să mai fiu mediatoarea dintre voi. Dacă vrei să știi ce face Alyssa, întreab-o.

— Am întrebat-o. Spune că e bine.

— Atunci, e bine.

— Dar... Haide, Donna, mai slăbește-mă. Iarăși devine instabilă? S-a întâmplat ceva?

— Ai întrebat-o asta?

— Nu.

— Atunci, întreab-o.

Greutatea din oase îi e atât de familiară, încât îl obosește. El și Donna s-au certat de atâtea ori în anul dinainte ca ea să plece, certuri care se prelungeau la nesfârșit, fără să se ajungă nicăieri sau să aibă o direcție clară, ca în visele acelea în care fugi cât poți, dar abia ți se mișcă picioarele.

— Mi-ai spune? Dacă s-ar întâmpla ceva?

— Pe naiba! Dacă Alyssa nu-ți zice, înseamnă că nu vrea să știi. E alegerea ei. Și, chiar dac-ar fi ceva, ce ai putea să faci de acolo?

— Pot să vin. Ar trebui să vin?

Donna pufnește exasperată. Donnei i-au plăcut mereu cuvintele și le-a folosit din plin, suficient cât să compenseze ceea ce-i lipsea lui, dar nu cât să cuprindă ce simțea. Avea nevoie și de mâini, și de față, și de o gamă întreagă de zgomote ca de gaiță.

— Ești incredibil, știai? Pentru un tip deștept, Doamne... Știi ce, nu fac asta. Nu vreau să mai gândesc pentru tine. Trebuie să plec.

— Sigur, spune Cal, pe un ton ridicat. Transmite-i salutări calde lu' cum-îl-cheamă.

Dar ea a închis deja și probabil că e mai bine așa.

Cal rămâne în câmpul întunecos o vreme, cu telefonul în mână. Vrea să lovească în ceva, dar știe că n-ar ajuta la nimic. Doar s-ar lovi. Să aibă atâta simț de autoconservare îl face să se simtă bătrân.

Seara începe să-și facă loc. Fâșii de un galben rece se întrevăd peste munți, iar în stejar ciorile țin obișnuita conferință de seară. Cal se întoarce în casă și ascultă Emmylou Harris pe iPod. Are nevoie ca cineva să se poarte frumos cu el, măcar o vreme.

Ia sticla de Jim Beam și se duce pe treptele din spate. De ce nu? Chiar dacă e cineva în pericol, pare că ultimul lucru dorit e ajutorul lui.

Nu vede nici de ce să nu șadă acolo și să se gândească la Donna, fiindcă deja a dat-o în bară și a sunat-o. Cal n-a avut niciodată timp să fie nostalgic, dar e important să se gândească la Donna din când în când. Uneori, are senzația că Donna a șters din memoria ei toate momentele lor frumoase, ca să își poată vedea de noua ei viață strălucitoare fără să se sfâșie în bucăți. Dacă nu le păstrează în mintea lui, vor dispărea de parcă nici n-ar fi fost vreodată.

Se gândește la dimineața în care au aflat că urma să se nască Alyssa. Își amintește limpede cum era Donna când a îmbrățișat-o. Avea pielea mai fierbinte ca de obicei, de parcă un motor activa noi cilindri, atracția uluitoare și misterul din interiorul ei. Șade pe treptele din spate, privind cum câmpiile verzi devin cenușii, în timp ce ascultă vocea blândă a lui Emmylou, care plutește spre el de dincolo de ușă, și încearcă să-și dea seama cum a ajuns din ziua aceea în ziua asta.

7

Cal se trezește în dimineața următoare și încă are sentimentul acela neplăcut. În ultimul an, sau ultimii doi în poliție, se trezea zi de zi așa, cu aceeași siguranță adânc infiltrată că se apropia ceva rău de el, ceva inevitabil, căruia nu i se putea opune, cum ar fi un uragan sau un atac armat cu victime multiple. Îl făcea să fie agitat ca un începător. Oamenii remarcau și râdeau de el. Când Donna a plecat, s-a gândit că ăsta era răul pe care-l anticipase. Doar că senzația persista, la fel de sumbră ca întotdeauna. Apoi s-a gândit c-or fi riscurile jobului, care încă de la o vârstă mijlocie îl făcuseră să conștientizeze condiția de muritor. Dar, când și-a dat demisia, senzația a rămas. A început să se relaxeze doar când a semnat documentele pentru casa asta și l-a părăsit doar când a traversat prin iarba prea mare spre ușa scorojită de la intrare. Acum, iat-o din nou, de parcă i-ar fi luat doar o vreme să-l adulmece și să-l găsească și aici.

Se descurcă așa cum se descurca și la job, adică încercând să muncească până o ucide. După micul-dejun, reia vopsirea livingului, cât de repede și de bine poate, fie că vrea, fie că nu. Funcționează la fel ca de fiecare dată, adică nu în mod deosebit, dar măcar reușește să mai facă ceva pe parcurs. Până seara termină de aplicat grundul pe tavan și pe pereți și mare parte din primul strat de vopsea. Tot agitat e, ca un cal sălbatic. Pe timpul zilei e vânt puternic și se aud tot felul de zgomote înăuntru și afară și pe horn, iar Cal tresare de fiecare dată, chiar dacă știe că sunt doar frunze și ramele geamurilor. Sau poate puștiul. Cal își dorește ca mama lui să-l fi trimis la o școală militară, când începuse să chiulească.

Zilele sunt din ce în ce mai scurte. Când își încheie munca, e întuneric, un întuneric care-i face planul de a merge undeva ca să scape de senzația sâcâitoare să pară mai puțin atractiv. Mănâncă un hamburger și încearcă să se hotărască, dar ceva se lovește de ușa de la intrare. Nu e vântul, de data asta. E ceva solid.

Cal lasă jos hamburgerul, iese încet prin spate și ocolește casa. Luna e doar o așchie. Umbrele sunt suficient de dense cât să ascundă chiar și un tip cât el. Dinspre pământurile lui Mart ajunge la el țipătul imperturbabil al unei bufnițe.

Peluza din față e goală, iar vântul culcă iarba în toate direcțiile. Cal așteaptă. După un minut, ceva mic apare șuierând peste gard și se lovește de zidul casei. De data asta, după zgomot și felul în care se împrăștie pe piatră, Cal înțelege. Nenorocitul de copil aruncă în casa lui cu ouă.

Cal intră în casă și stă în living, evaluând situația și ascultând. Ouăle funcționează după același raționament ca în cazul cauciucurilor: câteva pietre ar fi fost mai ușor de dobândit și ar fi făcut mai multe pagube. Copilul nu-l atacă. Îl solicită.

Alt ou se sparge de ușa din față. Cal renunță înainte să știe c-o s-o facă. Îi poate rezista puștiului și poate rezista și propriilor neliniști, însă nu le poate face față simultan.

Se duce la chiuvetă, umple ligheanul de plastic în care-și spală vasele și găsește o cârpă veche. Le duce la ușă și o deschide larg.

— Copile! strigă spre gard. Vino-ncoa'.

Tăcere. Un ou îi trece în zbor pe lângă ureche și se sparge de perete.

— Copile! M-am răzgândit. Acum termină cu rahaturile astea, înainte să mă răzgândesc iar.

Iar liniște, de data asta mai lungă. Trey iese din spatele gardului cu un carton de ouă într-o mână și un ou în cealaltă și așteaptă, gata să arunce sau să fugă. Conul de lumină din ușă îi întinde umbra în spate, alungindu-l, ca o siluetă întunecată care se materializează ca iluminată de faruri pe un drum pustiu.

— O să-l caut pe fratele tău, zice Cal. Nu promit nimic, dar o să văd ce pot să fac.

Trey îl privește cu o suspiciune sălbatică.

— De ce? întreabă el.

— Așa cum am zis, m-am răzgândit.

— De ce?

— Nu te privește, spune Cal. Nu fiindcă ai făcut căcatul ăsta, cu siguranță. Vrei să te ajut sau nu?

Trey încuviințează.

— OK. Atunci, mai întâi cureți mizeria asta. Când termini, vii înăuntru și discutăm.

Lasă cârpa și ligheanul în prag, se duce înăuntru și trântește ușa după el.

Tocmai termina de mâncat hamburgerul, când aude cum ușa se deschide și vântul intră brusc, căutând lucruri pe care să le apuce. Trey e în prag.

— Ai terminat?

Copilul încuviințează. Cal nu trebuie să verifice dacă a făcut treabă bună.

— OK. Stai jos.

Trey nu se mișcă. Lui Cal îi ia o clipă să-și dea seama că se teme că-i momit înăuntru ca să ia bătaie.

— Doamne, puștiule. N-o să te lovesc. Dacă ai făcut curat, suntem chit.

Trey privește biroul din colț.

— Da, l-ai cam făcut praf. Am reușit să scot vopseaua, dar a mai rămas în crăpături. Poți să-l ștergi cu periuța de dinți.

Copilul pare încă nesigur.

— Ți-aș spune că poți lăsa ușa deschisă, dacă vrei să fugi, dar vântul e prea puternic. Tu decizi.

Trey se hotărăște după un minut. Intră în cameră, închide ușa după el și îi întinde lui Cal cartonul cu ouă. A mai rămas unul.

— Mersi, spune Cal. Bagă-l în frigider.

Trey face ce i se spune. Apoi se așază la masă în fața lui Cal, trăgându-și scaunul mai în spate și cu picioarele încordate. Poartă o geacă verde-camuflaj, murdară, și asta e o ușurare. Cal se întreba dacă are haine de iarnă.

— Vrei să mănânci sau să bei ceva?

Trey clatină din cap.

— OK, spune Cal.

Își împinge scaunul în spate, iar Trey tresare. Cal își duce farfuria la chiuvetă, apoi intră în cameră și se întoarce. Are un carnețel și un pix.

— Mai întâi, spune în timp ce-și trage iar scaunul, cel mai probabil nu voi găsi nimic. Sau, dacă găsesc, va fi ce ți-a zis deja maică-ta. Că frate-tu a plecat. Ești OK cu asta?

— N-a plecat.

— Poate că nu. Ce zic e că s-ar putea ca lucrurile să nu decurgă așa cum îți dorești și trebuie să fii pregătit pentru asta. Ești?

— Da.

Cal știe că e o minciună, chiar dacă puștiul n-are habar.

— Ai face bine să fii. Apoi nu mă duci cu zăhărelul. Dacă-ți pun o întrebare, îmi dai toate răspunsurile, chiar dacă nu-ți place. Dacă spui rahaturi, am renunțat. Clar?

Trey spune:

— Dar așa să faci și tu. Orice afli îmi spui.

— Ne-am înțeles.

Cal deschide carnețelul.

— Cum îl cheamă pe fratele tău?

Copilul stă cu spatele drept și mâinile pe coapse, de parc-ar da un examen la care trebuie să ia notă maximă.

— Brendan John Reddy.

Cal notează.

— Data nașterii?

— Doișpe februarie.

— Unde locuia până să dispară?

— Acasă, cu noi.

— Cine sunteți „voi“?

— Mama. Surorile mele. Celălalt frate.

— Nume și vârste.

— Mama e Sheila Reddy. Are patruzeci și patru de ani. Maeve are nouă. Liam, patru. Alanna, trei.

— Ai zis că ai trei surori, înainte, spune Cal, notând. Unde e cealaltă?

— Emer. S-a dus la Dublin acum doi ani. Are douășunu de ani.

— Vreo șansă să stea Brendan la ea?

Trey clatină din cap.

— De ce?

— Nu se înțeleg.

— De ce?

— Brendan spune că e proastă.

— Ce face?

— Lucrează la magazinele Dunnes. Pune chestii pe raft.

— Și Brendan? Lucra? Mergea la școală?

— Nu.

— De ce nu?

Trey ridică din umeri, iar Cal continuă.

— Când a terminat școala?

— Anul trecut. Și-a luat bacalaureatul, n-a renunțat.

— Voia să facă ceva? Să se înscrie la facultate, să-și ia o slujbă?

— Voia să facă inginerie electrică. Sau chimie. Dar n-a avut destule puncte.

— Nu-l duce mintea?

Nu nu-i vorba de asta!

— Atunci?

— Ura școala. Profii.

Copilul răspunde în viteză de parc-ar fi cronometrat la o emisiune televizată. Privindu-l, Cal își dă seama că e bine. Asta, ei doi, față în față peste masă, carnețelul și pixul, asta și-a dorit Trey tot timpul acela.

— Spune-mi despre el.

Trey ridică din sprâncene. N-a mai încercat să spună asta.

— E amuzant, zice. Vorbește mult.

— Sigur sunteți rude?

Trey îi aruncă o privire goală.

— Lasă, glumeam. Continuă.

Copilul se strâmbă, parcă spunând „ce dracu' mai vrei de la mine?", dar Cal așteaptă.

— Nu poate sta potolit, spune Trey. Mama o ia razna. Pentru asta intra în bucluc la școală.

Cal așteaptă mai departe.

— Îi plac motocicletele. Și să facă lucruri. Când eram copil, îmi făcea mașinuțe care funcționau și făcea experimente în spatele casei aruncând chestii în aer. Nu e prost. Are idei. La școală a făcut un purcoi de bani: cumpăra dulciuri din oraș și apoi le vindea la suprapreț copiilor la prânz, până ce au aflat profii.

Îl privește pe Cal, să vadă dacă e suficient.

Cal se gândește că Brendan pare să semene cu taică-său mult mai bine decât Trey – și uite cum a ajuns taică-său.

— Bun, zice. Îmi place să-mi fac o idee despre persoana pe care o caut, să văd în ce direcție mă duc. Fratele tău suferă de ceva? Are vreo tulburare mintală?

— Nu.

— Nu e o insultă, puștiule. Trebuie să știu.

Copilul e încă ofensat.

— E bine.

— N-a fost niciodată la medic pentru ceva?

— Și-a rupt mâna, o dată. A căzut de pe motocicletă. Dar s-a dus la spital.

— Ți s-a părut vreodată deprimat? Neliniștit?

Cu siguranță sunt concepte la care Trey nu prea s-a gândit.

— A fost supărat când n-a intrat la facultate, zice după ce se gândește puțin.

— Supărat? Cum? Stătea toată ziua în cameră? Nu mânca? Nu vorbea?

Trey îi aruncă lui Cal o privire de parc-ar fi sărit calul.

— Nu. Supărat. Înjura mult și a ieșit să bea în noaptea aia și a fost prost dispus toată săptămâna. Apoi a zis să se ducă naibii facultatea, o să fie bine.

— OK, spune Cal.

Nu i se par tendințe depresive, dar membrii familiei nu sunt mereu cei mai buni observatori.

— Cu cine își pierdea vremea?

— Cu Eugene Moynihan, Fergal O'Connor, Paddy Fallon, Alan Geraghty. Și cu alții, dar mai ales cu ei.

Cal notează.

— De care era cel mai apropiat?

— N-are cel mai bun prieten, cum ar veni. Care era prin preajmă.

— Avea iubită?

— Nu în ultima vreme.

— Foste?

— A ieșit cu Caroline Horan câțiva ani, la școală.

— Relație bună?

Trey ridică din umeri ca și cum ar spune „De unde mama naibii să știu?“

— Când s-a terminat?

— Acum o vreme. Înainte de Crăciun.

— De ce?

— L-a lăsat ea.

— Vreo problemă? L-a acuzat de ceva? Că a lovit-o, că a înșelat-o?

Trey ridică iar din umeri.

Cal subliniază numele lui Caroline.

— Unde-o găsesc? Lucrează aici?

— În oraș. Sau asta făcea cât a ieșit Bren cu ea. Magazinul care vinde căcaturi turiștilor. Uneori o ajuta pe Noreen. Maică-sa și Noreen îs verișoare. Cred că e la facultate acum, dar nu știu.

— Poate a avut probleme cu altcineva?

— Nu. Se mai certa cu băieții uneori. Dar nimic serios.

— Cum? Se insultau, țipau, se loveau cu pumnii, cu cuțitele?

Trey îi aruncă din nou lui Cal privirea care-i spune cât exagerează.

— Nu *cuțite*. Restul, da. N-a însemnat nimic.

— Băieți și atât, confirmă Cal.

O fi adevărat, dar trebuie verificat.

— Ce făcea ca să se distreze? Are pasiuni?

— Joacă hurling. Iese în oraș.

— Bea?

— Uneori. Nu în fiecare seară.

— Unde? La Seán Óg?

Trey își dă ochii peste cap.

— Ăla e pentru bătrâni. Brendan se duce în oraș. Sau acasă la oameni.

— Cum e când bea?

— Nu face urât sau ceva. Face tâmpenii, gen el și amicii lui au furat o groază de scânduri din magazinele din oraș și le-au pus în grădinile oamenilor. O dată, părinții lui Fergal au plecat și el a dat o petrecere, dar apoi a leșinat de beat ce era, așa că restul i-au pus o oaie în baie.

— Brendan devine agresiv? Caută ceartă?

Trey pufnește.

— Nu. Se bate rareori, cum a fost când niște băieți din Boyle i-au atacat în oraș. Dar nu le caută.

— Droguri? A luat?

Asta-l face pe Trey să ezite cu adevărat. Îl privește precaut pe Cal, care-l măsoară din priviri la rândul lui. Nu-i treaba lui să insiste. Dacă Trey decide că nu vrea să continue, e treaba lui.

— Uneori, spune Trey, în cele din urmă.

— Ce fel?

— Hașiș. Și niște amfetamină.

— De unde?

— Sunt băieți în zonă care au. Toți îi știu. Sau cumpără din oraș.

— A vândut vreodată?

— Nu.

— De unde știi?

— Îmi spunea lucruri. Nu l-aș fi turnat. Știa asta.

În ochii lui Trey se aprinde scurt flacăra mândriei. Cal înțelege. Puștiul era fratele preferat al lui Brendan și toată relația lor era specială.

— A avut probleme cu poliția?

Trey își coboară colțul gurii.

— Fiindc-a chiulit. Mai vine câte-un grăsan din oraș și ne freacă.

— Vă face o favoare, spune Cal. Ar putea raporta la serviciile de protecția copilului, iar tu și maică-ta ați intra în belea. Dar el vine aici și vorbește cu voi. Data viitoare când îl vezi, să-i mulțumești frumos. Brendan a avut de-a face și altfel cu poliția?

— A depășit viteza legală de câteva ori. Făcea curse cu amicii. Aproape și-a pierdut permisul.

— Altceva?

Trey clatină din cap.

— Pentru ce altceva n-a fost prins?

Se privesc lung și Cal spune:

— Ți-am zis. Dacă-mi ascunzi ceva, am terminat-o.

Trey spune:

— Uneori fură de la Noreen.

— Și?

— Și din alte locuri din oraș. Nimic important. Doar ca să se distreze.

— Altceva?

— Nu. Îi zici lui Noreen?

— Sunt convins că deja știe, puștiule, spune sec Cal. Dar nu-i spun nimic, stai liniștit. Cum se înțelegea Brendan cu taică-tu?

Trey nu tresare, doar clipește.

— Rău.

— Adică?

— Se certau.

— Doar aruncau vorbe? Sau și fizic?

Trey se holbează furios. Nu e treaba lui Cal. Bărbatul îl privește, lăsând tăcerea să se întindă, cât instinctele puștiului îl fac să fie nehotărât.

— Mda, zice Trey cu jumate de gură, în cele din urmă.

Are chipul încordat.

— Des?

— De câteva ori.

— De ce?

— Tata a zis că Brendan nu-i bun de nimic. Că e un parazit și Bren a zis „uite cine vorbește". Uneori...

Bărbia îi tremură lui Trey, dar continuă. Respectă înțelegerea.

— Și uneori ca să-l facă pe tata să ne lase pe noi sau pe mama în pace. Dacă era furios.

— Deci, spune Cal, evitând subiectul elegant, Brendan nu s-a dus la tatăl vostru.

Trey scoate un sunet aspru, exploziv, ca un râset.

— Nicio șansă.

— Ai un număr de telefon al tatălui tău sau o adresă de e-mail? Ca să fie.

— Nu.

— Dar ale lui Brendan?

— Îi știu numărul de telefon.

Cal începe o pagină nouă din carnețel și i-l dă lui Trey. Băiatul scrie atent, apăsând pixul. Vântul încă șuieră afară, zgâlțâind ușa, și intră pe la colțuri cât să li se înfășoare în jurul gleznelor.

— Are smartphone?

— Da.

După numai o oră tehnicienii din poliție ar fi știut tot ce-i trecuse vreodată prin cap lui Brendan. Cal nu se pricepe la așa ceva, n-are nici software și nici posibilitățile lor de acces.

Trey îi înapoiază carnețelul.

— Ai încercat să-l suni?

Iar se uită la el de parcă ar fi vreun tâmpit.

— Normal. De pe fix, când nu e mama în zonă.

Pentru prima dată în ziua aceea, sentimentul acela dezolant își face loc pe chipul lui Trey. S-a luptat să-l ascundă.

— Intră căsuța vocală.

— OK, zice Cal cu blândețe. Direct? Sau mai întâi sună?

— În prima zi a sunat. Acum intră direct.

Sigur c-ar putea însemna că Brendan e răpit de cineva care, evident, nu i-a dat și un încărcător. Sau că și-a luat un telefon nou, când a ajuns unde își propusese. Sau că s-a spânzurat de un copac, undeva sus, în munți, și telefonul lui a mai rezistat o vreme.

— OK, spune iar Cal. E suficient, deocamdată. Bună treabă.

Trey răsuflă ușurat.

— Nu, nu, spune Cal. N-am terminat. Trebuie să aflu despre ultima dată când l-ai văzut pe Brendan.

După o clipă, Trey trage din nou aer în piept și redevine încordat. De data asta face un efort. Pare tras la față, dintrodată, și prea tânăr pentru povestea asta, dar Cal nu vorbește prima dată cu un copil prea mic pentru așa ceva și care se află în această situație împotriva voinței sale.

— Pe douășunu martie ai zis.

— Da.

— Ce zi a săptămânii era?

— Marți.

— Întoarce-te cu câteva zile înainte de asta. Ai observat ceva neobișnuit? Brendan s-a certat cu mama voastră? Cu unul dintre amicii lui? Cu băieții din oraș?

— Mama nu se ceartă. Nu e așa.

— OK. Cu altcineva?

Trey ridică din umeri.

— Nuș'. N-a zis nimic.

— A fost refuzat la un job? A pomenit vreo fată? A stat mai târziu ca de obicei în oraș? Căutăm orice nu îi stătea în fire.

Copilul se gândește.

— A fost cam supărat săptămâna aceea. Cam arțăgos. Când a dispărut, era OK. Mama a zis „Ești foarte vesel“, iar el i-a replicat: „N-are rost să stau bosumflat, n-am timp“. Atât.

— Ha!

Un plan de evadare ar fi înveselit pe cineva, desigur.

— Hai să vorbim despre ziua de douășunu. De la început. Te-ai trezit.

— Nu l-am văzut pe Bren. Era în pat. M-am dus la școală. Am venit acasă, iar el se uita la teve. Am stat lângă el, dar după o vreme a ieșit.

— Pe la ce oră?

— Pe la cinci. Când ne-a chemat mama la ceai. A zis că nu vrea, că el iese, și a plecat.

— Ce conducea? Mașină, motocicletă? Mergea cu bicicleta?

— Nu. Mama are mașină, dar n-a luat-o. N-are motor. A mers pe jos.

— Ți-a zis unde?

— Nu. Credeam că se vede cu băieții. Se uita la ceas, de parcă trebuia să fie undeva.

Sau poate avea de prins un autobuz. Autobuzele spre Dublin și Sligo trec pe drumul principal, la doar câțiva kilometri, și, chiar dacă nu există o stație, Noreen l-a asigurat pe Cal că majoritatea șoferilor acceptă să li se facă semn cu mâna. Cal notează „Orare autobuz 16.00-20.00 marți".

— Ați vorbit despre ceva cât v-ați uitat la televizor?

— Despre ziua mea. Bren a zis că-mi ia o biclă bună. O am pe cea veche a lui și e un rahat. Lanțul se tot blochează. Și am mai vorbit despre emisiunea de la teve. Se cânta, nu mai știu care.

— Cum părea? Bine sau prost dispus?

— Agitat. Vorbea încontinuu și râdea de ăia care cântau. Se tot foia pe canapea și mă înghiontea dacă nu-i răspundeam.

— Ceva normal pentru el?

Trey ridică din umeri.

— Cumva. Mereu se fâțâie ca argintul-viu, așa zicea mama. Doar că nu așa.

— De ce era diferit?

Copilul trage de o bucată mai subțiată din perechea de jeanși, căutându-și cuvintele potrivite. Cal își înghite dorința de a-i spune să înceteze.

— Bren face glume, spune Trey, în sfârșit. Mereu mă făcea să râd. Făcea să râdă pe toată lumea, dar... noi aveam glumele noastre. Îi plăcea să mă facă să râd.

Cal cam înțelege ce a însemnat pentru Trey plecarea lui Brendan. Puștiul nu pare să mai fi râs de atunci.

— Dar în ziua aia nu încerca să fie amuzant, spune Cal.

— Mda. Deloc. Era agitat ca la examene, spune Trey și îi aruncă lui Cal o încruntătură bruscă. Asta nu înseamnă că plănuia să...

— Concentrează-te, îl îndeamnă Cal. Cum era îmbrăcat? De parcă voia să iasă în oraș?

— Ca de obicei. Cu blugi și hanorac. Nu ca de ieșit, n-avea cămașă bună.

— Și-a luat o haină?

— Geaca obișnuită. Nu ploua.

— A zis când se întoarce? Să-i păstrați mâncare de la cină, să nu-l așteptați?

— Nuș'.

Trey se încordează iar.

— Nu-mi amintesc. Am încercat.

— Și nu s-a mai întors.

— Mda.

Copilul și-a coborât umerii de parcă i s-ar fi făcut frig.

— Nici în seara aia, nici când m-am întors de la școală, a doua zi.

— A mai făcut asta?

— Da. A stat la un amic.

— Deci asta ai crezut că face?

— La început, da.

Trey pare să se fi adunat în sine și seamănă cu un copil de pripas, care trebuie să înfrunte mai mult din viață decât poate asimila.

— Nici măcar nu mi-am făcut griji.

— Când ai început să te îngrijorezi?

— A doua zi am început să mă îngrijorez un pic. Mama l-a sunat, dar n-a răspuns. După aia, a sunat să-i întrebe pe unii dacă era cu ei. Doar că nu-l văzuse nimeni. Nici măcar în seara când a ieșit. Așa au zis.

— N-a sunat la poliție?

— Eu i-am *zis*.

Sclipirea de furie pură din ochii lui Trey îl ia pe Cal prin surprindere.

— A zis c-a plecat la fel ca tata. Că n-o să facă nimic polițaii.

— OK.

Cal scrie un 1 lângă numele Sheilei Reddy și îl încercuiește.

— L-am căutat, spune brusc Trey. Pe drumuri, pe munte. Zile întregi. În caz că și-a prins piciorul într-o groapă și și l-a rupt.

Pentru o clipă, Cal își imaginează copilul, înfruntând vântul aspru, călcând apăsat prin iarba întunecată, sărind printre bolovani acoperiți cu mușchi și licheni.

— Vreun motiv să se fi dus pe munte?

— Mai mergea uneori. Ca să fie singur.

Nu-s Munții Stâncoși, ce-i drept, dar Cal știe că sunt suficiente elemente periculoase aici să doboare un om dacă face un pas greșit.

— I-ai verificat lucrurile?

— Mda.

— Ai găsit ceva neașteptat?

Trey clatină din cap.

— Lipsește ceva?

— Nuș'. Nu căutam asta.

Privirea pe care copilul și-o coboară îi spune ce căuta de fapt Trey. Căuta un bilet cu numele lui pe el. „Uite aici mă duc“ sau „Mă întorc“ sau orice.

— Ai găsit bani?

Asta-l face pe Trey să ridice iar privirea, furios.

— Nu i-aș fi luat.

— Știu. Dar ai găsit?

— Nu.

— Te așteptai? Brendan ținea bani în acasă?

— Da. Într-un plic vârât sub sertarul cu pulovere. Uneori îmi mai dădea câte-o bancnotă de cinci, dacă-și găsea vreun job temporar. Vezi? Știa că nu l-aș fura.

— Plicul era gol.

— Da.

— Când ai văzut ultima dată bani în el?

— Cu câteva zile înainte să dispară. Am intrat și el număra banii pe pat. Câteva sute, cred.

Și, în ziua în care dispăruse Brendan, dispăruseră și economiile lui. Trey nu e prost. N-are cum să nu-și dea seama ce înseamnă asta.

— Crezi că l-a răpit cineva.

Trey își mușcă buza și încuviințează.

— OK, spune Cal. Ai pe cineva în minte care să fie capabil de așa ceva? Cineva care-i periculos și poate a mai făcut lucruri dubioase?

Trey îl privește pe Cal, de parcă întrebarea e dincolo de orice răspuns. În cele din urmă, ridică din umeri.

— Nu mă refer la găinării, de genul furtului din magazine sau fabricarea ilegală a alcoolului. Cineva care a mai răpit oameni? Care chiar a făcut rău cuiva?

Altă ridicare din umeri, de data asta mai exagerată: „De unde să știu eu?“

— Ți-a zis maică-ta să te ferești de cineva?

— De Gurny Barry Moloney. Încearcă să convingă copiii să vină cu el, pentru dulciuri, și, dacă refuzi, plânge.

— A încercat vreodată cu tine?

Trey pufnește disprețuitor, din colțul gurii.

— Când eram mic.

— Ce-ai făcut?

— Am fugit.

— Brendan a avut vreodată probleme cu tipul ăsta, când era mic? Sau oricare dintre surorile și frații voștri?

— Nu. Gurny Barry nu e... spune Trey cu un aer de scârbă pe buze. Ți se face milă de el. Lumea aruncă-n el cu chestii.

— Ai mai fost prevenit în legătură cu alții?

— Nu.

Cal lasă jos pixul și se sprijină pe spătar, masându-și un junghi provocat de saltea în zona gâtului.

— Spune pe șleau, copile. Susții că nu s-a certat cu nimeni, că nu se amesteca în lucruri dubioase și că era doar un tip obișnuit. Cum de ești sigur că n-a plecat?

Trey spune cu o siguranță copleșitoare:

— N-ar face asta.

Cal a depășit de mult punctul în care cuvintele astea l-au săturat de toți oamenii. Toți naivii zic la fel și o cred până-n măduva oaselor, până în clipa în care nu mai pot s-o facă. „Soțul meu n-ar face asta copiilor“ sau „Copilașul meu nu e hoț“. Cal simte c-ar trebui să meargă să stea pe stradă și să împartă bucățele de hârtie pe care să fi scris, „Oricine poate face orice“.

— OK, zice.

Închide carnețelul și dă să-l strecoare în buzunarul de la piept, din obișnuință. Dar își dă seama că n-are buzunar.

— Să vedem ce se întâmplă. Cum ajungi de aici la voi acasă?

Asta-l face pe Trey să-și retragă capul, precaut.

— Urci pe lângă Mart Lavin, cam doi kilometri, apoi o iei pe un drum care merge spre munte. Stăm la câțiva kilometri. De ce?

— Maică-ta știe că vii aici?

Trey clatină din cap. Deloc surprinzător.

— Nimeni nu știe.

Cal e mai puțin convins de asta decât Trey, ținând cont de cât de bine-i vede Mart curtea din spate, dar hotărăște să nu pomenească despre asta.

— Deocamdată, spune, hai să rămână așa. Dacă apar la voi acasă și o vizitez pe maică-ta, te prefaci că nu m-ai văzut. Reușești să faci asta?

Pe Trey nu-l încântă deloc ideea.

— Vrei sau nu să mă ocup? întreabă Cal.

— Mda.

— Atunci, faci cum zic eu. Eu știu ce să fac, tu, nu.

Trey încuviințează. Pare stors, de parcă tocmai i s-a scos un dinte fără anestezie.

— Așa făceai când erai polițist?

— Aproape.

Trey îl privește și sucește problema pe toate părțile.

— De ce te-ai făcut polițist?

— Părea o slujbă bună și sigură. Aveam nevoie de ea.

Alyssa urma să se nască, iar brigada de pompieri nu făcea angajări.

— Tatăl tău a fost polițist?

— Nu. Tata n-a fost un om stabil.

— Ce făcea?

— Câte puțin din toate. Călătorea și vindea lucruri, în mare parte. Aspiratoare, o vreme. Apoi hârtie igienică și detergenți, pentru firme. Deloc stabil.

— Dar te-au lăsat să fii polițist.

— Sigur. Nu le păsa ce făcea taică-meu, dacă eu îmi făceam treaba.

— A fost fain?

— Uneori, răspunde Cal.

Sentimentele lui față de slujba în care se angajase cu inima deschisă și cu elan deveniseră treptat suficient de amestecate ca să prefere să evite să se gândească la ele, zilele astea.

— Se pare că Brendan se pricepe la chestii electrice. A făcut așa ceva pentru oameni, ca să mai câștige un ban?

Trey pare uimit.

— Mda. Uneori. Repara chestii.

— Dacă am nevoie, crezi c-ar putea recabla locul ăsta?

Trey îi aruncă o privire care spune că și-a pierdut mințile.

— Nu e ca în zilele în care-aveam insignă, când puteam intra peste oricine ca să pun întrebări. Dacă voi pomeni de fratele tău, am nevoie de un motiv.

Trey se gândește.

— A reparat cablurile din sufrageria noastră. Dar a dispărut. Oamenii știu.

— Aha, dar eu poate că nu știu, spune Cal. Sunt doar un străin care nu-și cunoaște vecinii din zonă, încă. Dacă aud un nume și aflu că se pricepe la chestii electrice, de unde să știu că-i aici sau nu?

Pentru prima dată, pe fața lui Trey mijește un zâmbet.

— O să faci pe prostul.

— Crezi că-mi iese?

Zâmbetul devine rânjet.

— Fără grijă.

— Deșteptule, spune Cal, dar se bucură că puștiul nu mai e la fel de încordat. Acum, dispari, înainte să se întrebe maică-ta pe unde umbli.

— N-o să se întrebe.

— Atunci du-te, înainte să mă răzgândesc.

Copilul sare de pe scaun, urgent, dar rânjește iar spre Cal, arătându-i că știe că nu se va răzgândi. Ia de bun faptul că, odată ce și-a dat cuvântul, Cal nu și-l va lua înapoi. Bărbatul e mai intimidat și mai emoționat decât s-ar fi așteptat.

— Pot să vin mâine să văd ce ai aflat?

— Iisuse, puștiule. Lasă-mi timp. Să nu ai așteptări vreo săptămână, două. Poate deloc.

— Aha. Dar pot să vin?

— Da, poți. Ai întâlnire cu un birou și o periuță de dinți.

Trey încuviințează ferm, ca să se înțeleagă că ia lucrurile în serios.

— Vino după-masă. Trebuie să fac chestii de dimineață.

Copilul ciulește urechile.

— Unde mergi?

— Mai bine să nu știi.

— Dar vreau să fac și eu ceva.

E plin de energie, mai are puțin și țopăie. Lui Cal îi place să-l vadă așa, dar îl și face să se crispeze. Deja e sigur ce o să afle. Brendan e un caz clasic de fugar. Întrunește toate condițiile: puști plictisit, neliniștit, cu rezultate slabe la școală, cu o viață de familie de rahat, fără slujbă, iubită ori prieteni apropiați care să-l țină pe loc, fără un plan de carieră, într-o zonă fără viitor și fără distracție. De cealaltă parte a balanței nu prea e nimic: fără activitate ilegală serioasă, fără cunoscuți implicați în activități ilegale, fără tulburări mintale, nimic. Cal ar spune că șansele sunt de cinci la sută să fi fost un accident, cinci la sută sinucidere, nouăzeci la sută fugă de acasă. Sau poate optzeci și nouă la sută și un procent altceva.

— OK. Atunci, verifică dacă lipsește ceva din lucrurile fratelui tău. Aveți aceeași cameră?

— Nu. Împarte una cu Liam.

— Cine mai stă cu cine?

— Eu cu Maeve. Alanna stă cu mama.

Sheila nu a mutat-o în locul băiatului. A lăsat locul lui Brendan liber, chiar și după șase luni. Pare că i-ar fi spus adevărul lui Trey: crede că Brendan a plecat, dar se va întoarce. Să fie speranță sau are alte motive?

— Ha, pufnește Cal. Liam are patru ani, nu? Deci va observa dacă-ți bagi nasul. Așteaptă să iasă la joacă sau așa ceva. Dacă nu se ivește ocazia potrivită, lasă pe altă dată.

Trey îi aruncă lui Cal o privire care spune, „Da, fraiere". Își încheie geaca. Vântul aspru încă zgâlțâie ușa, căutând insistent o cale să intre.

— Caută încărcătorul lui de telefon, spune Cal, sau aparatul de ras. Ceva care ar încăpea în buzunare, pe care l-ar fi putut lua dacă plănuia să plece câteva zile. Dacă are un rucsac, un ghiozdan, caută-l. Dacă lipsesc haine, asta dacă știi ce haine are.

Trey ridică privirea, dintr-odată atent.

— Crezi că s-a dus undeva anume și l-au ținut acolo?

— Nu cred nimic. Nu încă.

Dintr-odată, are din nou senzația pe care o tot avea când Trey era o necunoscută și Cal hotăra ce să facă în privința lui: o conștientizare acută a întinderii pământurilor rurale, întunecate din jurul casei sale. Sentimentul că e înconjurat de o pânză uriașă, invizibilă și că o singură atingere nepotrivită ar putea zgudui lucruri atât de îndepărtate, pe care nici măcar nu le-a văzut.

— Ești sigur că vrei să facem asta, puștiule, da? Fiindcă, dacă nu ești sigur, trebuie să-mi zici acum.

Copilul își dă ochii peste cap, de parcă tocmai i s-ar fi spus să-și mănânce porția de broccoli din farfurie.

— Ne vedem mâine, spune, apoi își trage gluga și iese în noapte.

8

Zona de munte e mai rece decât zona de câmpie de la poale. Frigul e diferit de cum îl știe Cal în zonă. Este mai subtil, mai provocator și vine direct spre el, adus de un vânt cu experiență. După zeci de ani în care a clasificat vremea în categorii laxe, după cât de mari neplăceri îi provoca – umedă, înghețată, sufocantă, acceptabilă –, Cal se bucură să observe variațiile fine de aici. Crede, acum, că ar putea să distingă între cinci, șase tipuri de ploaie.

Munții nu-s vreun peisaj special. Un șir lung de cocoașe, poate la vreo trei sute de metri înălțime. Dar contrastul le conferă forță, dincolo de mărimea lor reală. Până la poalele lor, câmpiile sunt vaste, verzi și blânde. Munții se ridică maronii și sălbatici, de nicăieri, luând orizontul în stăpânire.

Panta îi solicită mușchii. Drumul este doar o potecă, răsucindu-se în sus, între holde și formațiuni stâncoase, buruieni și alte plante sălbatice de o parte și de cealaltă. Vede molizi care se agață de versanți, iar undeva o pasăre răpitoare țipă ca un avertisment, iar când Cal ridică privirea o vede coborând în picaj – o siluetă minusculă pe albastrul subțire al cerului.

Indicațiile lui Trey sunt corecte: după câțiva kilometri, Cal dă peste o casă cenușie, scundă, tencuită cu mortar de prundiș, departe de potecă, într-o curte care se conturează vag, cu iarbă care chelește. O mașină Hyundai Accent argintie, prăpădită, cu un număr de înmatriculare din 2002, e abandonată într-un colț. Doi copilași, probabil Liam și Alanna, aruncă cu pietre într-o bucată de metal ruginită.

Cal merge mai departe. Cam la treizeci de metri mai încolo, găsește un petic de mlaștină și piciorul i se afundă până la gleznă. Se dovedește a fi foarte dificil să-l scoată. Noroiul i se agață de cizmă de parcă ar vrea să i-o fure cu orice chip. După ce se eliberează, se întoarce și se îndreaptă spre casă.

Copiii stau încă pe vine deasupra bucății de metal. Cal se sprijină de poartă, iar ei se opresc din ce fac și se uită la el.

— Neața, i se adresează Cal celui mai mare. Mama e acasă?

— Aha, răspunde băiatul.

Are părul negru, prea lung, o bluză de trening albastră, uzată, și seamănă suficient de bine cu Trey încât să știe că a venit unde trebuie.

— Poți s-o rogi să iasă un minut?

Ambii copii îl privesc lung. Cal recunoaște ezitarea: așa fac copiii care știu deja că un străin care-ți caută părinții e o întrupare a Omului suprem, iar Omul suprem nu e niciodată acolo ca să-ți aducă vești bune.

— Mă plimbam și eu, zice Cal, strâmbându-se, și uite ce-am făcut.

Ridică piciorul ud.

Fetița chicotește. Are o fețișoară dulce, dar murdară, și păr șaten, prins în două codițe inegale.

— Da, da, da, spune Cal, prefăcându-se ofensat. Râzi de săracul prost, cu cizma udă. Dar eu mă întrebam dacă mama voastră nu mi-ar putea da ceva să mă usuc nițel, ca să nu lipăi tot drumul până jos.

— Lipăi, repeta fetița și chicotește iar.

— Așa e, confirmă Cal, rânjind și el și dând din picior. Să lipăi până acasă.

— O aducem pe mami, spune băiatul și o apucă pe sora lui de mânecă, suficient de tare să se dezechilibreze și să cadă-n fund. Haide!

Și fuge în spatele casei, trăgând fetița care încerca să țină pasul cu el, dar și să se uite înapoi, spre Cal.

Când se fac nevăzuți, Cal aruncă o privire în jur. E o casă dărăpănată, cu pervazuri cojite și mușchi crescut între țiglele de pe acoperiș. Cineva s-a mai străduit să repare câte ceva. Se văd ghivece cu flori ofilite, de mai multe culori de o parte și de alta a ușii, iar într-un colț al curții e o structură pentru joacă, făcută din diferite bucăți de lemn, frânghie și țeavă. Cal s-ar fi așteptat ca o femeie singură, cu mulți copii, să aibă un câine sau doi, dar nu se aude niciun lătrat.

Copiii revin, învârtindu-se pe lângă o femeie înaltă și cam neîngrijită, îmbrăcată în blugi și în genul acela de pulover cu model uluitor de urât pe care-l găsești doar la mâna a doua. Are un păr castaniu-roșcat aspru, strâns într-un coc neglijent, și o față înăsprită de vreme, osoasă – o femeie despre care puteai spune că fusese cândva frumoasă. Cal știe că e cu niște ani mai tânără decât el, dar ea n-o arată. Are aceeași expresie precaută pe care o au copiii.

— Scuze pentru deranj, doamnă, spune el. Am ieșit la plimbare și am călcat ca un prost într-o baltă.

Ridică piciorul. Femeia îl privește de parcă nu are idee ce e și nici de ce ar trebui să-i pese.

— Locuiesc la câțiva kilometri în jos, într-acolo, arată Cal, și am mult de mers, mai ales cu un picior ud. Mă întrebam dacă m-ați putea ajuta.

Femeia își mută lent privirea spre fața lui. E privirea unei femei peste care s-a prăvălit mult pământ, însă nu deodată, ca o avalanșă, ci încet-încet, peste ani.

— Ești americanul, spune ea într-un final.

Are vocea răgușită, de parcă n-a prea vorbit în ultima vreme.

— Stai la O'Shea.

— Eu sunt. Cal Hooper. Încântat.

Întinde mâna peste poartă.

Mare parte din precauție se topește. Femeia face un pas în față, își șterge palma de blugi și i-o întinde scurt lui Cal.

— Sheila Reddy, spune ea.

— Hei, face el, în semn de recunoaștere, dar știu numele ăsta. De unde...

Pocnește din degete.

— Așa. Lena. Sora lui Noreen. Îmi povestea din tinerețe și te-a pomenit.

Sheila îl privește fără curiozitate, așteptând să vadă ce vrea.

Cal rânjește.

— Lena a zis că voi doi erați destul de nebunatice. Că ieșeați pe geam noaptea și făceați stopul ca să mergeți la discotecă.

Sheila zâmbește vag. Îi lipsește un dinte de sus, destul de în față.

— A fost acum multă vreme.

— Știu ce zici, spune nostalgic Cal. Îmi amintesc când ieșeam în oraș, mergeam în cinci locuri diferite și ajungeam acasă când se lumina de ziuă. Acum, beau trei halbe la Seán Óg și atât mi-a fost pentru o săptămână.

Îi aruncă un zâmbet cald. Are practică în a părea inofensiv. La înălțimea lui, trebuie să se străduiască, mai ales când întâlnește o femeie singură. Sheila nu pare să se teamă însă, nu acum, pentru că știe cine e. Nu e genul timid. Reacția inițială de ezitare n-a fost fiindcă e în fața unui bărbat, ci din cauza posibilei autorități pe care o putea reprezenta.

— Atunci, continuă el, nu mă deranja să merg pe jos acasă, chiar și ud. Mai nou însă, circulația sângelui în cazul meu nu e cea mai grozavă. Când ajung înapoi la poalele muntelui, n-o să-mi mai simt degetele de la picior. Aș putea să te rog să-mi dai niște prosoape de hârtie, să mai absorb apa? Sau poate o cârpă veche? Sau o pereche de șosete uscate, dacă ai în plus?

Sheila îi privește piciorul și dă din cap.

— Mă duc să iau ceva, zice și se întoarce în casă.

Copiii rămân lângă structura de joacă și îl privesc. Când le zâmbește, expresiile nu li se schimbă.

Sheila revine cu o rolă de hârtie și o pereche de șosete negre, bărbătești.

— Uite, spune ea, și i le dă peste poartă.

— Doamnă Reddy, tocmai ce mi-ai salvat ziua. Îți rămân dator.

Femeia nu zâmbește. Îl urmărește, cu brațele încrucișate în dreptul taliei, cum se așază pe un bolovan de lângă stâlpul porții și-și scoate cizma.

— Scuză-mi piciorul, face, zâmbind jenat. Era curat de dimineață, chiar dacă acum nu mai e.

Copiii, care s-au apropiat să privească, chicotesc.

Cal adună prosoape de hârtie și le îndeasă în interiorul cizmei, ca să mai absoarbă din apă. Nu se grăbește.

— E o zonă frumoasă, spune Cal, arătând spre coama muntelui din spatele casei.

Sheila se uită peste umăr, apoi privește iar în altă parte.

— Poate, zice ea.

— E un loc bun să crești o familie. Aer curat, spațiu de alergat în voie. Un copil nu prea are nevoie de altceva.

Sheila ridică din umeri.

— Am crescut la țară, explică el, dar am stat apoi la oraș, multă vreme. Mi se pare că-i un adevărat paradis aici.

— M-aș bucura să nu-l mai văd vreodată, spune Sheila.

— Așa? spune Cal, dar femeia nu răspunde.

Cal testează cizma și ajunge la concluzia că mai mult de atât nu se poate.

— Îmi place să mă plimb pe dealuri, spune el. Orașul m-a făcut să mă îngraș și să fiu leneș. Acum, că sunt aici, îmi reiau obiceiurile sănătoase. Deși aș face bine să casc și ochii unde-mi pun picioarele.

Nici acum nu primește vreo reacție. Sheila e o provocare mai mare decât își imaginase. Noreen și Mart și tipii de la cârciumă l-au făcut să înțeleagă altfel conversațiile de curtoazie pe aici. Dar măcar acum știe de unde-a moștenit Trey abilitățile de conversație. Femeia nu pare deranjată că el vorbește. Îl privește în timp ce-și învelește șoseta udă în hârtie și o vâră în buzunar fără interes. Dar nici nu dă impresia că ar avea ceva urgent de făcut.

— Ah, reacționează el, trăgându-și șoseta uscată pe picior – e purtată, dar întreagă. Mult mai bine. Le spăl bine și ți le aduc.

— Nu e nevoie.

— Adevărul e că nici eu nu mi-aș vrea șosetele înapoi după ce au fost în picioarele pline de noroi ale unuia, zice el, în timp ce-și trage cizma pe picior și rânjește. Așa că o să-ți aduc o pereche nouă, după ce ajung prin oraș. Între timp...

Scoate două batoane de Kit Kat din buzunarul gecii.

— Le-am luat să le mănânc pe drum, dar mă întorc mai repede și nu cred c-o să am nevoie. Ar fi în regulă dacă le-aș oferi copiilor?

Sheila zâmbește vag.

— Le-ar plăcea, zice femeia. Adoră dulciurile.

— Așa-s copiii. Când era de vârsta lor, fata mea ar fi mâncat dulciuri toată ziua, dacă o lăsam. Îmi dădeam seama dacă nevastă-mea avea ceva dulce în casă, fiindcă fiică-mea era ca un pointer, se ducea direct acolo.

Imită un câine care a luat urma. Sheila zâmbește larg și se mai calmează. Ceva gratis, oricât de mic, îmbunează oamenii săraci. Îi relaxează. Cal încă mai recunoaște asta în interiorul lui, chiar dacă au trecut douăzeci și cinci de ani de când era așa de sărac. E valul dulce și cald de uimire că, măcar o dată și pe neașteptate, lumea e generoasă cu tine.

— Hei, strigă el, ridicându-se și întinzând ciocolatele peste poartă. Vă place Kit Kat?

Copiii își privesc mama, cerându-i permisiunea. Când ea încuviințează, se apropie, dându-și coate, până ce pot apuca batoanele.

— Spuneți „mulțumesc“, zice Sheila mecanic.

Nu zic, deși fetița îi oferă lui Cal un rânjet fericită. Cei doi se retrag rapid, înainte să le poată lua cineva ciocolata.

— Doar pe aceștia îi ai? întreabă Cal, sprijinindu-se confortabil de poartă.

— Am șase. Ei sunt cei mai mici.

— Au, spune el. Mult de muncă. Cei mari sunt la școală?

Sheila privește în jur, de parcă s-ar putea materializa vreunul de undeva. Cal e convins că e posibil.

— Doi, zice ea. Ceilalți doi sunt mari.

— Stai așa, spune Cal, încântat fiindcă a făcut legătura. Brendan Reddy e fiul tău? El a lucrat la tipul în vârstă, cum îl cheamă, tipul slab, cu șapcă?

Sheila revine brusc la atitudinea precaută de mai devreme. Privirea îi alunecă de pe fața lui Cal direct pe drum, de parcă ar urmări o acțiune în desfășurare.

— Nu știu, spune ea. Posibil.

— Ah, ce noroc. Casa mea, a familiei O'Shea? O repar singur. Mă descurc cu mare parte din lucruri, cu instalațiile și cu văruitul. Dar nu vreau să umblu la cabluri, fără să se uite cineva care se pricepe. Brendan se pricepe, nu?

— Da, zice Sheila și-și împreunează brațele la piept. Da, se pricepe. Dar nu e aici.

— Când se întoarce?

Femeia ridică din umeri.

— Nu știu. A plecat. Primăvara trecută.

— Oh, spune Cal, începând să înțeleagă. S-a mutat?

Ea încuviințează, fără să-l privească.

— Dar e aproape? Pot să-i dau un telefon?

Sheila clatină din cap rapid.

— N-a zis.

— Păcat, spune liniștit Cal. Odată, fata mea a făcut la fel. Când avea optișpe ani. I s-a pus pata că maică-sa și cu mine nu-i oferim suficientă libertate și a plecat.

Alyssa nu făcuse asta niciodată. Fusese mereu un copil bun, respecta regulile și ura să-i facă nefericiți pe cei din jur. Sheila își întoarce din nou privirea spre el.

— Maică-sa a vrut s-o căutăm, dar i-am zis că nu, s-o lăsăm să câștige lupta. Dacă mergeam după ea, avea să se înfurie mai tare și data viitoare să plece mai departe. Dac-o lăsam, se întorcea când era pregătită. Îți cauți băiatul?

Sheila spune:

— Nu aș ști unde.

— Păi, spune Cal, are pașaport? Nu poate ajunge departe fără.

— Nu i-am făcut. Dar poate că și-a făcut singur. Are nouășpe ani. În Anglia te poți duce și fără.

— Voia să vadă locuri? Să viziteze oameni? Fata noastră spunea mereu că i-ar plăcea să ajungă la New York, și acolo a și fugit.

Sheila ridică din umeri.

— Multe locuri. Amsterdam. Sydney. Locuri unde nu l-aș putea eu căuta.

— Când a plecat fiică-mea, zice Cal, meditativ, sprijinindu-se mai bine cu brațele de poartă și privind copiii care molfăiau ciocolată, mama ei a crezut c-ar fi trebuit să ne dăm seama. La cât vorbea despre New York, ar fi trebuit să ne prindem. A înnebunit. Dar băieții sunt altfel.

Lui Cal nu-i plăcea să folosească o fiică în poveștile pe care le spunea în misiuni. De obicei, își prefera fiul inventat, pe Buddy. Dar o fată te face uneori să vezi altfel lucrurile.

— De obicei, sunt tăcuți.

— Brendan, nu, spune Sheila. Vorbește tot timpul.

— Serios? A zis că se gândește să plece?

— Deloc. Doar că s-a săturat să nu aibă nimic de făcut, să nu aibă bani. Voia mereu câte ceva, dar niciodată nu putea...

Îi aruncă lui Cal o privire cu un amestec de rușine, sfidare și ciudă.

— Te termină.

— Așa este. Mai ales dacă nu vezi o cale de ieșire. Pentru un tânăr, e greu.

— Știam că s-a săturat. Poate ar fi trebuit să...

O pală de vânt îi aduce șuvițele de păr peste față. Sheila le îndepărtează cu un gest brusc, cu dosul unei palme înroșite de atâta muncă.

— Nu poți să dai vina pe tine, spune blând Cal. Asta i-am zis și nevesti-mii. Nu poți citi gândurile omului. Tot ce poți să faci e să te folosești de ceea ce știi.

Sheila încuviințează, deloc convinsă. Ochii îi rătăcesc din nou.

— Celălalt lucru care a supărat-o a fost biletul pe care l-a lăsat fata. Ne-a zis că eram răi și că din vina noastră pleacă. Eu m-am gândit că își făcuse curaj să iasă pe ușă, dar maică-sa n-a văzut lucrurile la fel. Băiatul tău a lăsat vreun bilet?

Sheila clatină iar din cap.

— Nimic, spune.

Are ochii uscați, dar vocea ei e răgușită.

— E tânăr, spune Cal. Așa era și fiica mea. La vârsta aia nu-și dau seama prin ce ne fac să trecem.

— S-a întors? întreabă Sheila.

— Clar, răspunde Cal, zâmbind. I-a luat câteva luni, dar, după ce a demonstrat ce avea de demonstrat, s-a plictisit să lucreze la un restaurant ieftin și să împartă un apartament plin de gândaci, așa că s-a întors fuguța, întreagă și nevătămată.

Femeia zâmbește în colțul gurii.

— Slavă Domnului!

— Da, Lui și gândacilor.

Apoi Cal continuă mai sobru:

— A fost grea așteptarea. Ne făceam griji încontinuu. Dacă s-a îndrăgostit de un tip care nu se poartă bine cu ea, dacă n-are unde să stea... Și altele și mai rele.

Expiră și privește spre munte în timp ce continuă:

— Vremuri grele. Dar poate e diferit cu un băiat. Îți faci griji? Sau crezi că poate avea grijă de el?

Sheila își ferește fața, dar o vede cum înghite în sec.

— Îmi fac griji dară.

— Cu vreun motiv anume? Sau fiindcă ești maică-sa și asta-i treaba ta, să-ți faci griji?

Vântul îi împrăștie șuvițele pe față. De data asta nu le dă la o parte.

— Mereu avem motiv de îngrijorare.

— N-am vrut să-mi bag nasul, spune Cal. Îmi cer scuze dacă am sărit calul. Doar zic că puștii fac cele mai ciudate lucruri. De cele mai multe ori, nici nu contează. Nu mereu, în mare parte.

Sheila inspiră rapid și se întoarce spre el.

— Va fi bine, zice ea, brusc cu un glas mai voios.

Femeia nu mai pare departe.

— Sigur că nu pot să-l acuz. Face doar ce-ar fi trebuit să fac eu, când eram de vârsta lui. Acum, cu șosetele... Ești bine?

— Sunt ca nou. Mersi mult.

— Așa, spune Sheila.

S-a întors deja cu jumătate de corp înspre casă.

— Liam! Alanna! Dați-vă jos de pe tâmpenia aia și haideți la cină!

— Rămân dator, spune Cal, dar ea se îndepărtează deja grăbită.

Se întoarce doar să facă un semn din cap, peste umăr, și dispare în spatele casei, mânându-și copiii cu gesturi scurte din mâini.

Cal coboară muntele. Cu excepția peticelor de teren plantate cu molizi, copacii sunt rari. Doar câte unul, ici-colo, țepos, contorsionat, golaș și bătut de amintirea vânturilor aspre, veșnice. Într-o scobitură cineva a lăsat gunoi care dă pe afară: un cadru de pat ruginit, o saltea pătată, un morman de pungi de plastic sfâșiate. Trece pe lângă rămășițele unei colibe abandonate. O cioară bătrână își deschide larg ciocul și, din iarbă, îl gonește.

Cunoaște oamenii ca Sheila, și din copilărie, și de la muncă. Fie c-au fost așa de la început, fie că au ajuns astfel, sunt mereu în alertă ca un animal de pradă. Sunt mâncați pe interior de strădania de a-și păstra echilibrul. N-au spațiu să-și dorească mai mult sau să vadă mai departe de lucrurile rele aflate doar la un pas și de câte ceva bun, când și când. Are idee ce a însemnat un frate ca Brendan pentru Trey în casa aceea.

Sheila i-a zis puștiului adevărul sau, cel puțin, i-a zis ce-și spune sieși: crede că Brendan s-a săturat și a fugit și că se va întoarce. E posibil să fie așa, dar Sheila nu i-a oferit lui Cal nimic care să-l împingă mai departe în direcția aceea. Convingerile ei se bazează doar pe speranță, nu pe ceva solid.

Pe de altă parte, îngrijorarea ei e puternică și are colțuri ascuțite, ca o bucată de piatră. Sheila are motive să-și facă griji pentru Brendan, chiar dacă nu vrea să i le împărtășească lui Cal. Poate că unul dintre amicii lui Brendan ar vrea.

Cal credea că încheiase socotelile cu lucrurile acestea, când și-a predat insigna. *Na, ca să vezi,* se gândește, cu o senzație nefamiliară. *Încă mai pot.*

Donna și-ar fi dat ochii peste cap și-ar fi spus: „Știam eu. Singura surpriză e că ți-a luat atât de mult“. Ea spunea că e dependent de rezolvarea lucrurilor, ca un tip care lovește iar și iar un joc mecanic, incapabil să renunțe până luminile jucau și premiul se revărsa. Cal obiecta la comparație, ținând cont de cât efort depunea ca să rezolve lucruri, dar asta o făcea pe Donna să ridice brațele în aer și să scoată un zgomot exploziv, ca o pisică nervoasă.

Probabil că Donna avea dreptate, măcar pe jumătate. Senzația de agitație a dispărut.

Mart se sprijină de poarta lui Cal, în timp ce privește peste câmpuri și trage din una dintre țigările lui rulate manual. Când aude scrâșnetul cizmelor lui Cal pe drum, se răsucește și-l întâmpină cu un chiot și un gest cu pumnul în aer.

— Sus, băiete, i-ha!

— Ce? face Cal.

— Am auzit că te-ai dus pe la Lena. Cum a mers? Ai călărit-o?

— Iisuse, Mart.

— Zi, mă!

Cal scutură din cap, zâmbind împotriva voinței sale. Ochii mijiți ai lui Mart scânteiază de cât de bine se distrează.

— Nu mă lăsa baltă, tinere. Ai primit măcar un pupic?

— Am mângâiat un cățeluș. Se pune?

— Ah, Hristoase, face Mart, dezgustat.

Apoi, cu un aer de filozof, adaugă:

— E un pas înainte. Femeilor le plac bărbații care iubesc cățelușii. O să fii pe felie cât ai zice Ilie. O scoți în oraș?

— Nu, spune Cal. Dar poate iau cățelușul.

— Dacă-i dintr-un beagle din ăia ai ei, să-l ei. E o cățea bună. Acolo ai fost toată ziua? La mângâiat cățeluși?

— Nu. M-am dus să mă plimb pe munte. Am călcat în noroi și m-am întors.

Cal îi arată cizma udă.

— Ai grijă prin noroaiele alea, zice Mart, inspectând cizma.

Azi poartă o șapcă portocalie, murdară, pe care scrie BOAT HAIR DON'T CARE[1].

— Nu știi de ce sunt în stare, continuă. Calcă unde nu trebuie și nu mai ieși. Au înghițit mulți turiști, îi mâncă fix ca pe dulciuri.

Îi aruncă lui Cal o privire piezișă, malițioasă.

— Frate, spune Cal, nu mi-am dat seama ce risc îmi asum.

— Și nici măcar n-am pomenit încă de munteni. Sunt toți ne-buni de legat acolo sus. Îți crapă capul doar dacă se uită la tine.

— Comitetul pentru turiști nu te prea înghite.

— Comitetul pentru turiști n-a fost în munți. Rămâi aici, unde suntem civilizați.

— S-ar putea, spune Cal, dând să deschidă poarta.

Dar Mart nu se clintește și atunci continuă:

— N-am fost în oraș, omule. Scuze.

Brusc, Mart nu mai e așa amuzat și are chiar o expresie posomorâtă.

— Nu caut biscuiți, zice el.

Mai trage o dată cu sete din țigară și o aruncă într-o baltă.

— Hai în spatele casei mele. Am să-ți arăt ceva.

Oile lui Mart se înghesuie laolaltă pe prima parcelă. Sunt agitate și se mută de pe un picior pe altul. Nu pasc. Câmpul îndepărtat e pustiu, sau aproape. În mijlocul ierbii vede ceva palid, care nu poate fi identificat.

— Una dintre cele mai bune, spune Mart, deschizând poarta.

Vocea îi e plată, atât de diferită de cea mușcătoare, obișnuită, încât lui Cal i se pare de-a dreptul tulburător.

— Am găsit-o de dimineață.

Cal înconjoară oaia, așa cum ar face dacă ar analiza locul unei crime, păstrând distanța și fără grabă. Pâlcuri de muște mari, negre,

---

[1] „Părului încurcat nu-i pasă", în traducere aproximativă din lb. engleză (n. red.).

bâzâie în jurul lânii albe. Când se apropie, flutură un braț ca să le alunge și să vadă mai bine.

Ceva rău a atacat oaia. La beregata ei, sângele s-a închegat. La fel și în interiorul gurii, mult prea larg deschisă. Nu mai are ochi. Un petic de două palme jupuit pe o parte lasă să i se vadă coastele, iar sub coadă are o gaură mare, roșie.

— Nu-i a bună, spune Cal.

— La fel cum a pățit oaia lui Bobby Feeney, completează Mart.

Are o expresie aspră pe chip. Cal examinează iarba, dar nu s-a păstrat nicio urmă.

— M-am uitat, spune Mart. M-am uitat și în noroi, lângă drum. Nimic.

— Kojak a prins vreo urmă?

— E un câine de turmă, nu de urmă, spune Mart amărât, arătând cu bărbia spre oaie. Nu i-a plăcut asta deloc, dar deloc. A luat-o razna. Nu știa dacă s-o atace sau s-o ia la sănătoasa.

— Săracul, spune Cal.

Se lasă pe vine să privească mai de aproape, păstrând încă distanța. Un miros greu începea să se ghicească dinspre leșul oii. Marginile rănilor sunt curate și precise, de parc-ar fi fost făcute de o lamă ascuțită, dar Cal știe, după multe discuții cu băieții de la Omucideri, că pielea moartă poate face lucruri stranii.

— Bobby a mai pierdut și alte oi?

— Nu. În ultimul timp a avut nopți pe care și le-a petrecut afară, sperând să vadă omuleții verzi care coboară după mai multe oi, dar n-a văzut nici țipenie, nimic mai rău decât un bursuc. Să-mi spui tu ce animal e suficient de viclean încât să ia doar o oaie de la o fermă și apoi să se mute dintr-un loc în care știe că-i mâncare, când fermierul stă de pază?

Cal se întreabă același lucru.

— Poate o felină mare, zice el. Dar n-aveți așa ceva pe aici, nu?

— Sunt viclene, așa e, răspunde Mart și își mijește ochii uitându-se spre dealuri. Nu avem. Nu de prin partea locului. Cine știe de ce o fi vrut să scape careva? Munții ăștia sunt un loc perfect ca să scapi de lucruri nedorite.

— Un om ar fi suficient de isteț să se mute după o oaie.

Mart nu-și ia privirea de la munți.

— Cineva care-i dus cu capul, la asta te referi. Cu mintea putredă.

— Se potrivește cineva din zonă descrierii?

— Nu, din câte știu. Dar n-avem cum ști sigur.

— Într-un loc cât ăsta?

— Nu știi niciodată ce vierme roade gândurile cuiva, spune Mart. Băiatul familiei Mannion era un tânăr minunat, nu le făcea niciodată probleme părinților. Acum câțiva ani a aruncat o pisică pe un rug aprins. A ars-o de vie. Nu băuse, nimic. Așa i-a venit.

Oricine poate face orice. Chiar și aici, pare-se.

— Unde-i copilul ăla acum?

— S-a dus în Noua Zeelandă și nu s-a mai întors.

— Ha, pufnește Cal. Deci chemi poliția? Poliția Animalelor?

Mart îi aruncă o privire fix ca a lui Trey, când îl crede tâmpit.

— OK, spune Cal.

Se întreabă ce o fi vrând Mart de la el. Lucrurile au cam scăpat de sub control, recent. Nu vrea să-și adauge și o oaie moartă la ceea ce are de făcut.

— Sunt oile tale, e decizia ta.

— Vreau să știu cine a făcut asta, spune Mart. Bucata ta de pădure e suficient de deasă cât să mă ascundă. Te rog să mă lași să stau câteva nopți aici.

— Crezi că se va întoarce?

— Nu la oile mele. Dar de acolo pot vedea spre pământul lui P. J. Fallon. Și el are o turmă frumoasă. Dacă creatura le atacă, mă va găsi la pândă.

— N-ai decât, spune Cal.

Nu e foarte încântat să-l știe pe Mart acolo, singur. E un tip în vârstă, slăbănog, cu încheieturi roase de artrită, și Cal știe, într-un fel în care Mart poate nu știe, că o pușcă nu e o baghetă magică.

— Poate vin și eu. Să acoperim toate unghiurile.

Mart clatină din cap.

— Mă descurc mai bine singur. Un bărbat stă ascuns mai bine decât doi.

— Am vânat ceva la viața mea. Știu cum să stau nemișcat.

— Nu.

Fața lui Mart se transformă într-un zâmbet.

— La cât ești de mare, orice e acolo te-ar vedea din spațiu. Stai înăuntru și nu-ți congela ouăle pentru ceva care-i de mult plecat, probabil.

— Dacă ești convins...

Trebuie să-l avertizeze pe Trey să nu-i mai facă vizite nocturne sau poate sfârși cu fundul plin de alice.

— Să-mi spui dacă te răzgândești.

Muștele s-au reorganizat în pâlcuri strânse, zumzăitoare. Mart lovește oaia cu vârful bocancului, apoi se ridică iar, scurt, și se apucă de treabă.

— N-am auzit niciodată un sunet, zice el.

Lovește încă o dată oaia, mai tare. Apoi se întoarce și pleacă spre casă, cu mâinile adânc în buzunarele hainei.

A trecut poștașul: permisul de portarmă al lui Cal îl așteaptă pe podea, lângă ușă. Când a solicitat permisul, a făcut-o doar pentru că își dorea tocană de iepure pregătită în casă, nu simțea o nevoie reală să aibă armă. Când începuse să cerceteze Irlanda, unul dintre lucrurile care-i atrăseseră atenția fusese lipsa pericolelor: fără arme de foc, fără șerpi, fără urși sau coioți, fără văduve negre. Nu erau nici măcar țânțari. Cal simte că, într-un fel sau altul, și-a petrecut mare parte din viață luptându-se cu creaturi fioroase și i-a plăcut ideea de a ieși la pensie fără să trebuiască să se gândească la ele. I s-a părut că irlandezii vor avea o relație cu lumea în feluri pe care nici nu le observaseră. Acum, pușca i se pare ceva de folos în casă și, cu cât mai repede, cu atât mai bine.

Își face un sandvici cu șuncă pentru prânz. În timp ce-l mănâncă, reușește să repare internetul astfel încât să-i arate orarul autobuzelor. Marți seara, un autobuz care se îndreaptă spre Sligo trece pe drumul principal, în jur de ora cinci, și unul spre Dublin, puțin după șapte. Ambele sunt posibilități, deși niciunul nu-i sugerează un răspuns evident. Drumul principal este cam la șapte kilometri pe jos de casa familiei Reddy, iar Trey spune că Brendan a părăsit casa în jur de ora cinci, chiar când Sheila servea ceaiul, care, pe aici, înseamnă cina. Trey nu prea are un simț precis al timpului și asta înseamnă că poate nu a intuit corect, iar Cal se îndoiește că Sheila servește mesele după un orar strict. Dar, chiar și să fi pornit la patru și un sfert, tot nu prindea autobuzul de Sligo. Pe de altă parte, cinci, chiar cinci și jumătate ar fi fost prea devreme pentru a pleca spre autobuzul de Dublin, mai ales dacă însemna să rateze cina. Cal crede că, dacă Brendan a plecat departe, mai degrabă, l-a dus cineva cu mașina.

Sună la numărul lui Brendan, să bifeze și asta. Așa cum a zis Trey, intră direct căsuța vocală: „Salut, aici Brendan, lăsați un mesaj". Voce tânără, aspră, iute și relaxată, de parcă ar fi înregistrat mesajul între două lucruri importante. Cal încearcă niște parole pentru primi accEPTul de a asculta înregistrările din căsuța vocală, în caz că Brendan ar fi lăsat-o cum era din fabricație, dar nu reușește să o „spargă".

Își termină sandviciul, spală vasele și se îndreaptă spre Daniel Boone's Guns & Ammunition. Este ascuns în spatele mai multor drumuri lăturalnice, iar Kevin – numele real al proprietarului – e un tip cu membre lungi și părul ciufulit, care pare că s-ar simți mai bine într-un magazin de viniluri dintr-un demisol plin de igrasie, dar își cunoaște bine marfa și are o carabină Henry .22 gata unsă, în așteptarea lui Cal.

Cal n-a mai ținut de mult o armă în mână și a uitat ce satisfacție fizică îi provoacă. Patul solid și cald de castan e o plăcere în palma lui. S-ar putea juca cu cocoșul toată ziua, atât de lină e mișcarea.

— A meritat așteptarea.

— Nu prea primesc cereri pentru ele, zice Kevin, proptit de tejghea, în timp ce privește cu tristețe carabina. Sau n-ar fi trebuit s-o comand.

Kevin a luat-o personal. Cu siguranță a simțit că s-a dezamăgit pe sine, și poate că și țara, fiindcă a permis unui yankeu să-l ia pe nepregătite.

— Bunicul meu avea una, spune Cal. Când eram copil. Nu știu ce s-a întâmplat cu ea.

Ridică arma pe umăr și ia în cătare, bucurându-se de greutatea echilibrată elegant. Cal n-ar fi simțit niciodată atâta afecțiune pentru pistolul Glock de la muncă, cu liniile lui grosolane, cu legănarea insolentă dovadă a faptului că exista pentru a fi îndreptat spre ființe umane. Era doar agresiv, fără demnitate. Pentru el, Henry este cum ar trebui să fie o armă.

— Nu s-au schimbat mult, spune Kevin. Te reobișnuiești imediat. Te duci la poligon?

— Nu, spune Cal, ușor înțepat de ideea că pare o persoană care ar avea nevoie de poligon să tragă. Mă duc să vânez cina.

— Îmi place iepurele, zice Kevin. Mai ales acum, când sunt buni și grași, pentru iarnă. Adu-mi unul și îți fac reducere la gloanțe.

Cal pleacă acasă plănuind să facă întocmai, astfel Kevin l-ar putea ierta pentru Henry. Planurile i se schimbă, fiindcă Trey șade în fața ușii din față, cu genunchii la piept, în timp ce mușcă dintr-o gogoașă.

— Nu mai șuti lucruri de la Noreen.

Puștiul se dă la o parte, permițându-i lui Cal să descuie. Cotrobăie în buzunarul hainei și îi întinde lui Cal o pungă de hârtie cu o altă gogoașă, ușor zdrobită.

— Mersi, spune Cal.

— Ți-ai luat pușcă, arată Trey, impresionat.

— Da. Familia ta n-are?

— Nu.

— Cum așa? Dac-aș locui tocmai acolo, fără niciun vecin pe o rază de kilometri întregi, aș vrea să mă pot apăra.

— Tata avea una. A vândut-o înainte să plece. Ai aflat ceva?

— Ți-am zis că va dura.

Cal intră și sprijină pușca de perete, într-un colț. Nu vrea să-i arate lui Trey locul pentru arme.

Trey se ține după el.

— Da, știu. Ce-ai aflat azi?

— Dacă mă freci la cap, o să te fac să pleci și să nu te întorci o săptămână.

Trey își îndeasă restul de gogoașă în gură și se gândește, în timp ce mestecă. Da, se poate să vorbească serios.

— Ai zis că mă înveți cum s-o folosesc, arată el spre armă.

— Am zis „poate".

— Sunt mare. Tata i-a arătat lui Bren cum se folosește când avea doișpe ani.

Irelevant, fiindcă pușca a dispărut înaintea băiatului, dar Cal reține aspectul.

— Ai treabă, îi amintește copilului.

Deschide cutia cu scule și-i aruncă lui Trey vechea periuță de dinți.

— Apă caldă și detergent de vase.

Trey prinde periuța, își lasă geaca pe un scaun, umple o cană cu detergent de vase și apă și înclină biroul pe spate, cu grijă, să poată sta în genunchi lângă el. Cal întinde cearșaful și scoate capacul de pe cutia cu vopsea. Îl privește cu coada ochiului. Puștiul se apucă de lucru într-un ritm pe care nu-l va putea menține: încearcă din nou să dovedească ceva, după ieșirea pe care a avut-o cu o zi în urmă. Cal toarnă vopsea pe tava pentru trafalet și-l lasă în pace.

— Am verificat lucrurile lui Bren, spune Trey fără să ridice privirea.

— Și?

— Încărcătorul e acolo. La fel și aparatul de ras, spuma și deodorantul. Și rucsacul de la școală, că doar pe ăla îl are.

— Haine?

— Nu lipsește nimic, cred. Doar ce purta pe el. N-are multe.

— A luat ceva ce n-ar fi lăsat acasă? Ceva prețios?

— Ceasul. A fost al bunicului. Mama i l-a dat când a făcut optișpe ani. Nu e acolo. Dar îl poartă mereu.

— Ha, face Cal. Bună treabă.

Trey zice mai tare, cu o urmă de triumf și teamă:

— Vezi?

— Nu înseamnă mare lucru, puștiule, spune Cal, cu blândețe. S-ar putea să se fi gândit că l-ar putea observa cineva dacă ia lucruri după el. Avea cash, putea să-și ia altele.

Trey își mușcă obrazul și se apleacă iar peste birou, dar Cal vede că vrea să spună ceva. Începe să aplice al doilea strat de vopsea și așteaptă.

Durează ceva. Între timp, Cal își dă seama că-i place să lucreze mai mult cu puștiul prezent. Singur, în ultimele zile, n-a prea avut spor, când mai leneș, când mai grăbit. Nu cât să se vadă vreo diferență la ceea ce avea de făcut, ci cât să-l enerveze. Copilului trebuie să i se arate cum se fac corect lucrurile, așa că lucrează bine și constant. Treptat, Trey mai slăbește ritmul.

În cele din urmă, spune:

— Ai fost la mine acasă.

— Da, spune Cal. Cred că erai și tu la școală, ca orice copil.

— Ce a zis mama?

— Ce ai crezut că va zice.

— Nu înseamnă că are dreptate. Mamei îi scapă lucruri. Uneori.

— Păi, tuturor ne scapă. Ce ți-a zis?

— Nu mi-a zis c-ai fost acolo. Alanna mi-a zis. A zis că un tip cu barbă și o cizmă udă le-a dat Kit Kat.

— Da. Mă plimbam și am călcat în noroi chiar lângă casă. Care erau șansele?

Trey nu zâmbește, iar după o secundă spune:

— Mama n-are probleme cu capul.

— N-am zis că are.

— Așa zice lumea.

— Lumea zice mai multe decât ar fi cazul.

— Tu crezi că are probleme cu capul?

Cal se gândește, remarcând că ar prefera să nu-l mintă pe Trey, dacă poate.

— Nu, spune el. N-aș zice. Pare mai degrabă o doamnă căreia i-ar prinde bine niște noroc.

După cum ridică Trey din sprâncene, își dă seama că nu a mai privit lucrurile din perspectiva aceea. După un minut spune:

— Atunci, găsește-l pe Brendan.

— Amicii lui, despre care mi-ai zis... Care e cel mai de încredere?

Trey nu s-a mai gândit la asta.

— Nuș'. Paddy e îngrozitor, ar spune orice. Alan e aiurit, nu știe care îi e cotul și care, curul. Poate Fergal.

— Unde locuiește?

— De cealaltă parte a satului, cam la vreun kilometru de la drum. Fermă de oi, casă albă. Te duci să-i pui întrebări?

— Care-i cel mai deștept?

Trey își ia o clipă să se gândească.

— Eugene Moynihan crede că el e. Face un curs la Sligo Tech, afaceri sau ceva. Crede că-i genial.

— Bravo lui. S-a mutat la Sligo pentru asta sau a rămas în zonă?

— Pun pariu că se duce în fiecare zi. Are motocicletă.

— Unde locuiește?

— În sat. Casa aia mare și galbenă, cu seră într-o parte.

— Cum sunt ei?

Trey pufnește disprețuitor, din colțul gurii.

— Eugene e un labagiu. Fergal e prost.

— Ha!

Crede că acelea sunt singurele detalii pe care le poate obține.

— Cred că Brendan n-a prea știut să-și aleagă prietenii, zice Cal.

Asta-i atrage o privire urâtă.

— Nu prea ai de ales, pe la noi. Ce era să facă?

— Nu criticam, puștiule, spune Cal, ridicând mâinile. Își petrece timpul cu cine vrea.

— O să-i interoghezi?

— O să discut cu ei. Cum ți-am zis. Discutăm cu persoanele care au o oarecare legătură cu cea dispărută.

Trey dă din cap mulțumit.

— Eu ce fac?

— Nimic. Stai departe de Eugene, de Fergal, ții capul la cutie.

Trey capătă o expresie revoltată.

— Copile...

Trey își dă ochii peste cap și se întoarce la treabă. Cal hotărăște să nu insiste. Puștiul știe care-i faza și nu e prost. Cel puțin deocamdată va face ce i se spune.

Când cerul capătă prin fereastră nuanțe de portocaliu, în spatele lizierei pădurii, Cal îl întreabă:

— Ce oră crezi că e?

Trey îi aruncă o privire suspicioasă.

— Uită-te pe telefon.

— Da, știu. Dar te întreb pe tine.

Privirea suspicioasă rămâne, dar Trey ridică din umeri.

— Cam șapte.

Cal verifică. Șapte fără opt minute.

— Pe aproape, spune.

Dacă Trey crede că Brendan a plecat la cinci, probabil nu s-a înșelat prea mult.

— E suficient de târziu încât să trebuiască să mergi acasă. Vreau să nu mai vii o perioadă pe aici după ce se lasă întunericul.

— De ce?

— Vecinul meu, Mart. Ceva i-a ucis o oaie. E tare nemulțumit.

Trey se gândește.

— Una din oile lui Bobby Feeney a fost ucisă, zice.

— Da. Știi ce ar putea ucide oi, pe-aici?

— Poate un câine. S-a mai întâmplat. Senan Maguire l-a împușcat.

— Poate, spune Cal, gândindu-se la pielea jupuită de pe coastele oii. Când stăteai noaptea prin zonă ai văzut vreun câine lăsat liber? Sau alt animal suficient de mare s-o facă?

— E întuneric, spune Trey. Nu ești sigur pe ce vezi.

— Deci ai văzut ceva.

Copilul ridică din umeri, cu ochii la mișcarea ordonată a periuței.

— Am văzut de câteva ori oameni care intră-n case unde n-ar trebui să intre.

— Și?

— Nimic. Am plecat.

— Bună decizie, spune Cal. Acum pleacă. Poți să vii mâine înapoi. După-amiază.

Trey se ridică, își freacă palmele de blugi și face semn spre birou. Cal se apropie și îl examinează.

— Arată bine. Încă o oră, două de muncă și va fi ca nou.

— Când termin, spune Trey, vârându-și un braț în haină, poți să mă înveți să trag.

Face semn cu bărbia spre pușcă și iese pe ușă, fără să mai aștepte vreun răspuns.

Cal se duce la ușă și-l urmărește pe puști cum se îndepărtează, pe lângă linia gardului. Îi vede umbra mișcându-se prin iarba lungă de pe terenul lui, iepuri care au ieșit să ia cina, dar carabina Henry și tocănița nu-i mai ocupă mintea. După ce Trey pornește pe drumul spre munți, îl mai urmărește un minut și apoi se duce la poartă. Privește spatele slab al puștiului, care merge cu mâinile în buzunare, printre tufele de mur, în amurgul care se îngroașă. Chiar și după ce nu se mai vede puștiul, Cal rămâne sprijinit de poartă, ascultând.

9

Lui Cal i-au plăcut mereu diminețile. Nu e același lucru cu a fi o persoană matinală, căci nu este: are nevoie de timp, de lumina zilei și de cafea ca să-și conecteze neuronii. Apreciază diminețile nu pentru efectul asupra lui, ci pentru ceea ce sunt. Chiar și în mijlocul unui cartier agitat din Chicago, zgomotele din zori se ridicau cu o delicatețe uimitoare, iar aerul avea un iz de lămâie, curat, care te făcea să respiri mai adânc și mai lung. Aici, zorii se răspândesc peste câmpuri de parcă s-ar întâmpla un miracol sfânt, făcând să scânteieze un milion de picături de rouă și transformând pânzele de păianjen de pe gard în curcubeie. Ceața se ridică în valuri din iarbă, iar primele strigăte ale păsărilor și oilor par să străbată kilometri, fără prea mare efort. Când îi vine cheful, Cal se ridică și își mănâncă micul-dejun pe treapta din spate, bucurându-se de răcoare și de izul de pământ umed din aer. Gogoașa pe care i-a adus-o Trey ieri e încă bună.

WiFi-ul are chef să funcționeze azi, așa că reușește să deschidă pagina de Facebook pe telefon și să-i caute pe Eugene Moynihan și pe Fergal O'Connor. Eugene e slab, cu părul negru și are o fotografie semiartistică de profil, pe un pod cu aer est-european. Fergal rânjește larg pe fața rotundă, iar obrajii de copil îi lucesc. Ține ridicată o halbă în mână.

Brendan are și el cont de Facebook, deși ultima lui postare e veche de un an, un concurs tip „like & share" de a câștiga bilete la un festival de muzică. Fotografia lui e pe motocicletă, în timp ce el rânjește peste umăr. E slab, șaten, cu trăsături calde, cu pomeți înalți, care arată bine în unele situații, dar nu mereu, iar asta implică schimbări de dispoziție rapide. Cal o recunoaște pe Sheila în el, în pomeți și în jurul gurii, însă nici urmă de Trey.

Dacă Eugene e student și Fergal e fermier, Cal nu are niciun dubiu care dintre ei va fi mai degrabă treaz într-o sâmbătă dimineață. Străbate satul, unde magazinul lui Noreen, cârciuma și micul butic pentru îmbrăcăminte de damă sunt încă închise, cu obloanele trase. Drumul e pustiu: doar o bătrână care pune flori în grota Fecioarei Maria, de la răspântie, se întoarce să-l salute. După un kilometru, vede câmpuri vaste, pline de oi grase și voioase, și o casă albă, mare. În curte, un tânăr înalt, îmbrăcat într-o jachetă și pantaloni de lucru, descarcă saci dintr-o benă și-i duce într-o magazie impresionantă de tablă.

— Neața, îl salută Cal din poartă.

— Neața, îi răspunde tipul, în timp ce ridică următorul sac.

Respiră greu. Mișcarea i-a făcut obrajii să lucească la fel ca în poza de la cârciumă și are aceeași privire încântată în fața lui Cal cum avea pentru aparatul de fotografiat, de parcă ar fi venit să-i aducă o gustare-surpriză.

— Ce turmă faină de oi ai, spune Cal.

— Cât de cât, comentează Fergal, ridicând sacul pe umăr.

E durduliu, are părul șaten, moale și șolduri feminine. Stă pe gânduri o vreme.

— Ar trebui să fie mai multe, dar ne descurcăm cu ce avem.

— Ce s-a întâmplat?

Asta-l face pe Fergal să îi arunce lui Cal o privire piezișă, uimit să afle că există o persoană care nu știe.

— Seceta de vara trecută. A trebuit să vindem o parte, fiindcă nu le puteam hrăni.

— Ce lovitură! Dar vara asta a plouat mult.

— A fost mai bine, da, e de acord Fergal. Anul trecut, seceta a continuat în sezonul de fătare. A lovit rău lotul de miei.

— Nu eram aici, spune Cal.

Mijește ochii spre cerul cu petice alb perlat și cenușiu.

— E greu de imaginat că locul ăsta ar putea primi mai mult soare decât poate duce. Nu asta vând pe site-urile turistice.

— Mie-mi place soarele, mărturisește Fergal, cu un zâmbet rușinat. Mi-a fost greu anul trecut să-l detest. Nu știam ce-i cu mine.

Lui Cal îi place puștiul, îi place conversația și i-ar plăcea să o continue. Are o reținere când se gândește la Trey și la fratele lui idiot.

— Cal Hooper, spune, întinzând mâna. Locuiesc în vechea casă O'Shea, în cealaltă parte a satului.

Fergal se apleacă spre el, reașezându-și sacul ca să poată da mâna.

— Fergal O'Connor.

— Ia te uită! Am auzit c-ai putea fi omul de care am nevoie și iacă-te. Pot să-ți dau o mână de ajutor cât vorbim?

În timp ce Fergal începe să asimileze ce se întâmplă, Cal intră, închide atent poarta în urma lui și scoate un sac din benă. Îl pune pe umăr, apreciind că, patru luni mai devreme, și-ar fi rupt niște mușchi dacă încerca. Sacii au un desen cu o oaie, iar pe ele scrie dedesubt NUTREȚ DE CALITATE.

— În magazie? întreabă.

Fergal privește perplex, dar nu îi vine în minte nimic rezonabil în legătură cu omul din fața lui, așa că acceptă.

— Da, zice el. Nutreț pentru oi.

Cal îl urmează pe Fergal în magazie. Este curată, are un acoperiș înalt și e aerisită, împărțită în șiruri lungi de țarcuri cu bare de metal. Baloți de fân și saci de nutreț stau aranjați în stive lângă un perete. Sus, pe bârne, două rândunele se agită în jurul cuibului.

— Ce oi norocoase, spune Cal. E un loc bun.

— Vom avea nevoie de el curând. Bătrânii zic c-o să fie o iarnă grea.

Se tot uită peste umăr, dar nu-și dă seama ce întrebare să pună.

— De obicei, o nimeresc?

— Da. În mare parte.

— Atunci, spune Cal, lăsând sacul într-o grămadă organizată, sper că mă poți ajuta. Vreau să-mi repar casa înainte să ne lovească iarna și încerc repar instalația electrică. Un tip de la cârciumă a spus că Brendan Reddy ar fi omul potrivit.

Îl analizează când pronunță numele lui Brendan, dar Fergal îl privește clipind des.

— M-am dus să-l caut, spune Cal, dar doamna Sheila Reddy mi-a zis că nu e în zonă. A zis că poate mă ajuți tu.

Uimirea lui Fergal se adâncește.

— Eu?

— Asta a zis.

— Nu mă pricep la chestii electrice. Brendan, da. El se pricepe. Dar nu-i aici.

Cal observă că vorbește la timpul prezent.

— Ah, înseamnă c-am înțeles greșit. Acum mă simt ca un idiot.

Rânjește spre Fergal, care-i răspunde, evident recunoscând sentimentul ca fiind unul familiar.

— Scuze că te-am ținut din treabă. Cel puțin pot să te ajut să termini aici, ca să mă revanșez.

— Ah, nu. E în regulă. Îmi pare rău că nu te pot ajuta.

— Acum mă întreb dacă doamna Reddy nu încerca să scape cumva de mine, spune Cal, când se îndreaptă înapoi spre benă, și, fiindcă ești cel mai bun prieten al lui Brendan, ai fost prima persoană care i-a venit în minte.

Ridică alt sac pe umăr și-i face loc lui Fergal să-l ridice și el pe al lui.

— Cred că am dat rău cu bâta în baltă. Am dat buzna peste ea întrebând de Brendan. Nu știam povestea, atunci.

Viteza cu care Fergal se întoarce spre el e primul indiciu că Brendan Reddy n-a fugit spre o viață mai bună. E la fel de clar pentru el cum e sunetul scurt și distinct al metalului care lovește piatra.

— Ce poveste? face Fergal.

Cal privește blând în ochii lui rotunzi și uimiți.

— Ce-a zis maică-sa?

— Nu e atât ce-a spus, cât ce am înțeles eu.

— Ce...?

Cal așteaptă nițel, dar Fergal doar îl privește.

— Hai să zicem, spune Cal, în cele din urmă, alegându-și cuvintele cu grijă și părând oarecum îngrijorat, că, dacă oamenii spun că Brendan nu-i prin zonă, nu înseamnă că și-a strâns lucrurile, și-a luat rămas-bun de la maică-sa, și-a găsit un apartament simpatic în oraș și vine înapoi în fiecare duminică, pentru o masă caldă. Nu?

Fergal pare în alertă. Trăsăturile lui nu sunt antrenate cu astfel de reacții, iar el a căpătat o mutră comică, încremenită, ca un copil pe pielea căruia s-a așezat un gândac.

— Nu știu, spune.

— Uite care-i treaba, spune Cal. Familia lui Brendan e îngrijorată pentru el, fiule.

Fergal clipește des.

— În ce fel îngrijorată?

Aude ce a zis, își dă seama c-a fost o întrebare stupidă și se înroșește mai tare.

— Se tem că a fost luat.

Cuvintele acestea îl lasă pe Fergal cu gura căscată.

— Luat? Doamne, nu. *Luat*? De cine?

— Tu să-mi spui, fiule, zice Cal. Eu nu-s de prin partea locului.

— Nu știu.

— Nu îți faci griji pentru el?

— Brendan nu e... Sigur e... E în regulă.

Cal pare surprins și nu e deloc greu să pară.

— Vrei să-mi spui că știi sigur asta, fiule? Că l-ai văzut în ultimele șase luni? Că ai vorbit cu el?

Fergal nu era pregătit pentru toate întrebările astea atât de dimineață.

— Nu, n-am... N-am vorbit cu el sau ceva. Cred doar că e bine. Bren e mereu bine.

— Vezi, spune Cal, clătinând din cap, așa știu că îmbătrânesc. Tinerii se gândesc mereu că bătrânii își fac prea multe griji, iar bătrânii cred mereu că tinerii nu-și fac destule. Amicul tău lipsește de luni întregi și tu te gândești că e OK. Pentru un bătrân ca mine, e o nebunie.

— Aș spune doar că s-a speriat și-atât. Nu a fost *luat*. De ce l-ar lua cineva?

— Speriat? De ce? Sau de cine?

Fergal își ajustează sacul pe umăr, părând tot mai incomodat.

— Nu știu. De nimeni.

— Ai zis că s-a speriat, fiule. Adică l-a speriat cineva. Cine?

— Am vrut doar să zic... că așa e el. Mama spune că toată familia lui suferă cu nervii. Se va întoarce după ce se calmează.

— Doamna Reddy e îngrijorată rău, spune Cal. Dacă tu ai dispărea așa, fără un cuvânt, mama ta ce ar zice?

Cuvintele astea ajung la coarda sensibilă a băiatului. Aruncă o privire spre casă.

— N-ar fi bine, cred.

— Ar fi toată ziua și toată noaptea în genunchi, suspinând și rugându-se să i se întoarcă băiatul. Să nu mai zic – atinge Cal din nou punctul sensibil – ce ar spune dacă ar ști că ții o altă mamă în situația asta, când ai putea să o liniștești?

Fergal privește spre magazie. I-ar plăcea să intre, să se așeze pe o grămadă de saci de nutreț și să se gândească sau să stea ascuns până când Cal renunță și pleacă.

— Dacă poate s-o ajute cineva, fiule, tu ești acela. Cu tine s-a întâlnit Brendan în seara când a dispărut. L-ai dus undeva?

— Ce? Nu-i adevărat!

Uimirea de pe chipul lui Fergal e autentică, dar Cal tot se preface sceptic.

— Nu s-a întâlnit cu mine. Ultima dată când l-am văzut a fost cu două, trei zile înainte. A venit să întrebe dacă-i pot împrumuta câteva sute de biștari. I-am dat o sută. A zis „Grozav, ți-i aduc" și a plecat.

— Ha, pufnește Cal.

Dacă Brendan plănuia să plece, orice bănuț îi era de folos, dar Cal se întreabă de unde atâta grabă.

— A zis la ce-i trebuie?

Fergal clatină din cap, dar parcă clipește prea agitat.

— Și nu l-am mai văzut după aia, adaugă băiatul. Jur.

— Cred c-am înțeles prost. Dacă știi unde s-a dus Brendan, trebuie să-i spui și maică-sii. Urgent.

— N-am idee, jur pe Dumnezeu.

— Partea pe care n-o știi nu-i va fi de mare folos doamnei Reddy, fiule.

Se îndoiește că Fergal se va întreba de ce se agită atât de tare un străin pentru sentimentele Sheilei Reddy.

— Ce știi? Brendan ți-a zis ce punea la cale, nu?

Fergal se agită ca un armăsar, încercând să revină la ceea ce face, însă Cal rămâne ferm.

— Nu știu, zice în cele din urmă.

Trăsăturile i s-au netezit și sunt lipsite de orice expresie.

— Doar că eu cred că se va întoarce, continuă.

Cal cunoaște privirea aceea. A văzut-o la multe colțuri de stradă și în multe săli de interogatoriu. E privirea prietenului puștiului vinovat, cel care se poate convinge că nu știe nimic fiindcă n-a fost acolo, cel care tocmai a aflat și e hotărât să se dovedească demn de o aventură din rândul doi, fiindcă nu e turnător.

— Fiule, spune Cal, ridicând o sprânceană. Ți se pare că sunt idiot?

— Ce? Nu... eu...

— Mă bucur. Sunt în multe feluri, dar prost, nu, cel puțin nu din câte știu.

Fergal încă are privirea aceea goală, dar i-au apărut mici riduri de îngrijorare. Cal spune cu blândețe:

— Am fost și eu puști, cândva. Orice-o fi pus Brendan la cale, probabil c-am făcut mai rău. Dar nu mi-am lăsat niciodată mama să stea speriată cu lunile. Nu pot să te acuz că nu vrei să ai de-a face cu doamna Reddy, dar are dreptul să știe ce se petrece. Dacă ai vreun mesaj pentru ea, i-l pot transmite eu. Nu trebuie să-i zic de unde știu.

Dar se lovește de un obstacol din mintea lui Fergal, un amestec de confuzie și loialitate de parcă ar fi turnat în beton.

— Nu știu unde s-a dus Brendan, zice Fergal, mai ferm.

Plănuiește să repete asta și nimic altceva. Ca majoritatea oamenilor care înțeleg destul de repede că nu sunt tocmai brici la minte, știe că poate să-i convingă pe cei mai agili așa.

Cal știe să lovească într-un astfel de obstacol, dar nu vrea s-o facă. Nu i-a plăcut niciodată să scoată ochii oamenilor proști cu propria lor prostie. I se pare că e ca atunci când te iei la locul de joacă de un copil mai slab și, după ce-o faci, nu mai există cale de întoarcere. Nu încearcă să-și facă dușmani prin partea locului.

— Păi, spune Cal oftând și clătinând din cap, e decizia ta. Sper să te răzgândești.

Nu-și dă seama dacă Fergal chiar știe ceva care trebuie ascuns sau dacă face totul din reflex. Acceptă însă posibilitatea că își face prea multe gânduri – defect profesional. Când lucra, era mereu o mare risipă de timp când oamenii își țineau gura fără un motiv bun, dar Cal nu se așteptase să întâlnească aceeași situație aici, pe tărâmul oamenilor sloboзi la gură.

— Când o fi, știi unde mă găsești.

Fergal mormăie ceva și se îndreaptă spre magazie cât de repede poate. Cal se ia după el și îl mai întreabă ceva despre rasele de oi și nu mai schimbă subiectul până descarcă sacii. Fergal s-a relaxat serios până când termină și Cal se îndreaptă înapoi spre sat, gândindu-se la el și la Brendan.

Când avea nouăsprezece ani, Cal nu era OK. Pe atunci i se părea c-ar fi, căci se îmbăta cu doze mari de libertate în Chicago, unde lucra ca bodyguard la cluburi dubioase și se juca de-a casa cu Donna, într-un apartament de la etajul patru, fără aer condiționat. Doar câțiva ani mai târziu, când au aflat că urma să vină pe lume Alyssa, și-a dat seama că genul acela de viață nu i se potrivise niciodată. Fusese distractiv, dar, în sufletul lui, atât de adânc încât nu remarcase, Cal tânjea după o ancoră și după stabilitate.

Simte că aproape toți tinerii de nouăsprezece ani nu sunt ancorați. Se desprind de familii și nu găsesc altceva care să-i stabilizeze. Se lasă în voia sorții, precum paiele în vânt. Sunt niște enigme pentru persoanele care-i știau pe dinafară și pentru ei înșiși.

Oamenii care cunosc cel mai bine un tânăr de nouăsprezece ani sunt amicii lui și iubita, dacă are. Fergal, care știe mult mai bine cum gândește Brendan decât știu fratele lui mai mic sau mama ori polițistul Dennis, crede că băiatul a plecat de bunăvoie și că nu fuge spre ceva, ci de ceva sau de cineva.

Locul ăsta are ceva în comun cu cartierele dure în care lucra Cal cândva: când vremea e frumoasă, oamenii petrec multă vreme afară și sunt ușor de găsit. Pe aleea casei mari și galbene, cu seră, chiar la marginea satului, un tânăr brunet, cu blugi mulați, ceruiește o motocicletă.

E o Yamaha mică și prăpădită, dar e aproape nouă și sigur n-a fost ieftină. Nici SUV-ul uriaș parcat lângă ea sau faimoasa seră, că veni vorba. Grădina din față are straturi ordonate în jurul unei fântâni de forma unei pagode de piatră, cu un glob de cristal luminat deasupra care-și schimbă culoarea. Cal știe, din discuțiile de la cârciumă, că Tommy Moynihan e mare mahăr la fabrica de procesare a cărnii din apropiere. Familia Moynihan, la fel ca familia O'Connor, deși în alt mod, o duce mult mai bine decât familia Reddy.

— Drăguț motor, spune el.

Tipul ridică privirea.

— Mersi, zice, oferindu-i lui Cal un zâmbet în colțul gurii.

Trăsăturile lui sunt suficient de fin modelate încât mulți, și chiar și el însuși, să-l considere arătos, dar are un maxilar subțire și bărbie mai deloc.

— Trebuie să fie greu s-o ții în formă, cu drumurile astea.

De data asta, Eugene nu se obosește să ridice privirea din cârpa cu care lustruiește.

— Nu e greu. Trebuie doar să vrei să investești timp.

Tipul ăsta nu pare să vrea să stea la povești cu el, precum Fergal.

— Hei, spune Cal, ca și cum i-ar fi picat fisa brusc. Ești cumva Eugene Moynihan?

Eugene se întoarce leneș spre el.

— Da. De ce?

— Ce noroc! spune Cal. Mi s-a zis să vorbesc cu tine, că ești omul potrivit, și iată-te. Motorul te-a trădat. Am auzit că ai cea mai mișto motocicletă de pe-aici.

— E OK, spune Eugene, ridicând din umeri și ștergând cu o mișcare vopseaua roșie, lucioasă.

Are o voce ușoară, plăcută, fără mare parte din accentul local.

— Plănuiesc s-o schimb curând, dar mă descurc cu ea, deocamdată.

— Am avut și eu motocicletă, spune Cal, sprijinindu-se de stâlpul porții. Când aveam vârsta ta. O Honda mititică, la mâna a patra, dar ce-o mai iubeam! Fiecare cent câștigat îl investeam în ea.

Eugene nu e interesat și nici nu face vreun efort să se prefacă. Ridică din sprâncene spre Cal.

— Mă căutai?

Cal, căruia Eugene începe să-i semene descrierii făcute de Trey, își spune povestea despre cablurile din bucătărie și Brendan, precum și despre Sheila Reddy, care i-a dat numele lui. Eugene nu pare precaut, ca Fergal. Doar ușor disprețuitor.

— Nu mă ocup de chestii electrice.

— Nu?

— Nu. De finanțe și investiții, da. La facultate.

Cal e impresionat.

— Atunci, ai dreptate să nu-ți irosești timpul cu slujbe de duzină. Eu n-am prea multă educație, dar știu asta. Dacă ai reușit să obții o asemenea ocazie, trebuie să profiți.

Vede privirea precaută pe care i-o arunca Donna când făcea asta, vorbind în felul tărăgănat al amicilor bunicului său. Țopârlănisme, le zicea ea și le detesta – nu o zisese niciodată, dar Cal știa. Donna era fată de cartier din Jersey, dar nu își accentua niciodată accentul, dar nici nu-l ascundea. Oamenii puteau s-o accepte sau nu. Se gândea că el se coboară prea la nivelul ideilor preconcepute ale unora. Cal are orgoliul lui, dar nu și-l manifestă așa. Să se poarte ca un țărănoi îi poate fi de folos. Pentru Donna, nu avea sens.

Opiniile Donnei nu schimbă faptul că privirea lui Eugene are taman aspectul batjocoritor estimat.

— Mda, așa intenționez.

— Se pare că am nimerit prost, spune Cal, scoțându-și șapca și scărpinându-se în vârful capului. Dar Brendan Reddy chiar se ocupă de asta, nu? Măcar cu asta am nimerit-o?

— Se ocupa, da. Însă nu știu unde s-a dus. Îmi pare rău.

Asta-l uimește pe Cal.

— Nu știi?

— Nu. De ce aș ști?

— Păi, spune Cal, punându-și șapca pe cap, nimeni nu pare să știe. E un mister. Dar oamenii îmi tot spun că tu le știi pe toate prin zona asta. Credeam că, dacă are cineva idee unde s-a dus Brendan, tu ești ăla.

Eugene ridică din umeri.

— N-a zis.

— S-a băgat în ceva, nu-i așa?

Eugene ridică din umeri. Se concentrează pe vopsea, mijind ochii să se asigure că nu rămâne nicio urmă.

— Ah, spune Cal, zâmbind.

Nu va încerca să joace cartea cu sentimentul de vinovăție față de mamă. Nu cu puștiul ăsta.

— Acum am înțeles. Cu un tip deștept ca tine, iată-mă uitând că ești doar un puști. Crezi că nu poți spune ce și cum sau o să iei bătaie la locul de joacă.

Eugene ridică privirea.

— Nu sunt copil.

— Așa. Atunci, ce naiba a făcut amicul tău?

Cal încă rânjește, sprijinindu-se mai comod de stâlp.

— Să ghicesc. A desenat un graffiti nasol pe un zid, apoi s-a speriat că-l bate maică-sa?

Lui Eugene i se pare sub demnitatea lui să răspundă la întrebare.

— A lăsat vreo fată gravidă și a trebuit să dispară înainte să-și găsească taică-su pușca?

— Nu.

— Atunci?

Eugene oftează.

— Nu știu în ce s-a băgat Brendan, zice, înclinând capul ca să analizeze locul lustruit dintr-un alt unghi. Și nici nu-mi pasă. Tot ce știu este că nu-i pe cât de isteț se crede – și de obicei așa intri în bucluc. Atât.

— Ha, spune Cal, rânjind mai larg.

Din nou vorbește la timpul prezent.

— Vrei să spui că puștiul ăsta, Brendan, a făcut ceva suficient de complicat încât să nu ai idee despre ce e vorba, dar tot el e prostul?

— Nu. Îți zic că *nu vreau* să am idee.

— Aha, așa da.

— Ție de ce-ți pasă?

Dacă ar fi vorbit pe tonul ăsta unui om suficient de în vârstă să-i fie tată, Cal n-ar fi putut să șadă pe fund o săptămână.

— Păi, lungește el cuvântul, cred că doar sunt curios. Vin dintr-un orășel de pădure, unde oamenilor le place să știe ce face fiecare.

Se scarpină la ceafă, apoi continuă.

— Acasă erau mulți care vorbeau de parcă le știau pe toate, doar că, dacă-i luai la întrebări, nu deosebeau calul de măgar. Cred că-i la fel peste tot în lume.

— Uite, spune Eugene, iritat.

Se lasă pe călcâie, pregătindu-se să explice în cuvinte simple.

— Știu că Brendan avea un plan să facă bani, fiindcă mereu le duce lipsa. Dar dintr-odată a început să vorbească despre mers în Ibiza în vara asta. Știu că era ceva dubios, fiindcă, înainte să plece, cu câteva zile, eram aici și au trecut niște Gardaí, iar Brendan a luat-o razna. Credeam că poate avea „haș“ la el, așa c-am zis, gen, „calmează-te, n-au venit până aici doar pentru asta“, dar el era, gen, „nu pricepi, bă, s-ar putea să iasă nasol de tot", și s-a cărat de parcă-l mușcase dracu' de fund. Așa că-s foarte bucuros că nu cunosc detaliile, Doamne-ajută. Nu mă interesează să-mi petrec zilele în camere de interogatoriu, răspunzând la întrebări inutile ale unui polițai nătărău, OK?

— Corect, spune Cal.

Îl cam disprețuiește pe Eugene. Pricepe că Eugene și Brendan erau prieteni de conjunctură și din obișnuință, nu că s-ar fi ales unul pe altul. Cal are și el asemenea prieteni din copilărie și unii dintre ei au făcut lucruri care i-au aruncat la închisoare. Sau nu fac nimic decât să stea pe verandă, să bea și să facă copii pe care nu-i pot întreține. Încă mai ține legătura cu ei și, când e nevoie, le mai împrumută niște dolari pe care știe că nu-i va mai vedea. I se pare că Eugene ar putea măcar să se întrebe în ce fel de bucluc s-o fi băgat Brendan.

— De ce erau polițiștii aici?

— N-am idee, spune Eugene.

Așază cârpa pe bară, ia niște lubrifiant și începe să dea cu spray cablurile.

— Nu cred că era ceva grav. După douăzeci de minute i-a văzut plecând. Dar, știindu-l pe Brendan, dacă nu îl urmăreau atunci, l-ar fi făcut să creadă că totul era în regulă, iar el ar fi revenit marele lui plan în loc să renunțe dracului înainte să vină Gardaí după el. Asta am vrut să zic cu faptul că Brendan nu e pe cât de isteț se crede. E *inteligent*, dar nu gândește lucrurile până la capăt. Dacă și-ar fi folosit creierul la școală, în loc să chiulească sau să se prăjească, ar fi intrat la facultate. Dacă și-ar fi gândit ideea măreață, n-ar fi ajuns atât de îngrozit de Gardaí încât să doarmă probabil undeva pe vreun *prag*.

— Nu te-ar contacta dacă ar ajunge în situația asta? N-ar împrumuta niște bani, în loc să doarmă aiurea?

— Ah, face Eugene, gândindu-se pentru prima dată la asta. Dacă ar avea cu adevărat nevoie... Dar nu ar face-o. Brendan e ridicol când vine vorba despre bani. Nu te poți oferi nici să-i cumperi o bere, că începe s-o țină langa despre acte de caritate și fuge acasă. Gen, futu-i, încercăm să avem o seară plăcută în oraș, care-i faza? Știi?

Cal se gândește că la nouășpe ani felul lui Eugene de-a oferi ceva l-ar fi trimis și pe el valvârtej acasă. Este complet de acord cu decizia lui Brendan de a-l aborda pe Fergal, și nu pe Eugene, ca să împrumute niște bani. Ca să facă asta, trebuie să fi fost cu adevărat urgent.

— Unii sunt mai sensibili, comentează el. N-a zis nimic despre încotro pleca?

— Când?

— Când a plecat. Nu venea să se vadă cu tine?

Eugene îl privește pe Cal de parcă ar fi un evadat periculos.

— Nu. Eram în Praga, cu băieții de la facultate. Era vacanța de Paști.

— Aaa, vacanță. Nu cred că Brendan o să se întoarcă prea devreme, așa-i?

Eugene ridică din umeri.

— Cu el, nu se știe niciodată. Poate-l apucă și se întoarce mâine sau nu se mai întoarce deloc.

— M-ar putea ajuta cineva?

— Nu am idee, spune Eugene.

Șterge o picătură de lubrifiant în exces și examinează motocicleta.

— Cred c-o scot la o tură, să se usuce bine.

— Ce idee bună, spune Cal, ridicându-se. Dacă ai vești de la Brendan, spune-i că-l așteaptă o trebușoară.

— Sigur, spune Eugene, luându-și casca și suflând un fir de praf de pe ea. Dar n-aș conta pe asta.

— Sunt optimist, spune Cal. Mi-a făcut plăcere să vorbesc cu tine.

Îl privește pe Eugene îndepărtându-se cu zgomot, cârmind Yamaha cu iscusință ca să evite gropile. În poza de profil a lui Brendan pe Facebook se vedea o bucată dintr-o motocicletă, iar Cal e sigur că despre asta e vorba. Eugene a fost măcar suficient de generos încât să-i ofere amicului său o tură. Ori nu își împarte și casca, ori Brendan era prea prost ca s-o poarte.

Cal se îndreaptă înapoi spre sat, care a intrat de-a binelea în ziua de sâmbătă. Blonda între două vârste care deține buticul îmbracă manechinul din vitrină cu o ținută cu flori tropicale țipătoare, Noreen lustruiește alama de pe ușă, iar Barty, barmanul, șterge geamurile cârciumii cu un ziar. Cal le face semn din cap tuturor și mărește pasul când o vede pe Noreen răsucindu-se spre el, cu cârpa ridicată și o sclipire în priviri.

Mai rătăcește puțin pe poteci, înainte să se ducă acasă. Cerne în minte cam tot ce știe până acum. Dacă Eugene are dreptate și Brendan fuge de poliție, în capul listei de motive trebuie să fie drogurile. Brendan avea contacte, chiar dacă la nivel inferior, și voia bani. Poate că voia să înceapă să vândă sau începuse deja să vândă, dar nu era croit pentru asta. Prima dată când a venit poliția să amușine – sau poate prima dată când furnizorii lui au devenit ușor amenințători, iar Cal știe că furnizorii pot fi așa – a intrat în panică și a fugit.

Polițistul O'Malley n-a zis nimic despre vreo operațiune cu droguri în sat sau că Brendan Reddy e luat în colimator. Dar e posibil ca el să nu știe.

Sau planul de afaceri al lui Brendan n-a implicat deloc droguri. Există multe feluri în care un puști poate face rost de bani ilegal, în zonă: poate conduce mașini furate peste graniță, poate ajuta oamenii care „spală" motorină pentru agricultură. Și sunt chestiuni cam la suprafață, cât să le vadă până și un străin. Un puști ca Brendan, cu idei și porniri antreprenoriale, ar fi putut veni cu mai multe idei.

Altă posibilitate, la care nu s-a gândit Eugene, băiatul genial, este că planul de făcut bani a lui Brendan și teama lui de poliție erau două lucruri diferite. Poate că plănuia să-și legalizeze proiectele plătite sau să devină faimos pe YouTube. Între timp, fără nicio legătură, făcea ceva rău.

Mai există posibilitatea ca nici planul de făcut bani, nici lucrul rău să nu existe în realitate. Poate că mintea lui Brendan dădea rateuri. Tot ce a auzit Cal îl plasează în zona instabilă: acum în centrul universului, pune la cale planuri mari, și în clipa următoare cuprins de panică fuge de nimic, stricând totul. Nouășpe ani, vârsta potrivită pentru multe lucruri care pot începe să dea rateuri în mintea cuiva.

Printre cazurile care-i plăceau cel mai puțin lui Cal erau cele în care încerca să prindă o urmă care nu existase niciodată în afara minții cuiva. Dacă un tip fugea în Cleveland fiindcă acolo era vărul lui preferat, vechiul lui coleg de celulă ori poate fata care-l părăsise, urma era solidă. Cal o mirosea și pornea după ea. Dacă se ducea în Cleveland fiindcă o voce de la TV îi spusese că îl aștepta un înger la un mall, urma nu era decât praf în vânt. Cal trebuie să afle dacă mintea lui Brendan născocea lucruri fără noimă.

Se întreabă dacă Brendan e sus, în munți, departe de ochii lumii, într-o colibă abandonată, și coboară noaptea să jupoaie oi. Imaginea îl tulbură mai mult decât ar trebui. Speră sincer că nu va trebui să i-o împărtășească lui Trey.

De fapt, când vine vorba despre Trey, Cal nu prea vrea să îi spună nimic din ce s-a întâmplat dimineață, cel puțin nu până află de ce fugea Brendan de poliție. A promis să-i spună copilului tot ce află, dar simte că ar fi mai bine să aștepte până ce are ceva sigur, și nu indicii și posibilități amestecate. Există lucruri pe care Brendan le-ar fi putut face și care ar trebui spuse cu mare atenție copilului.

Cal își dă seama că e prima dată când a luat decizia să accepte un caz. Când lucra, accepta cazuri fiindcă i se repartizau. Nu se gândea prea mult la aspecte complicate, dacă ar fi de exemplu în interesul oamenilor implicați și al societății ori poate chiar al forțelor binelui ca el să accepte cazul. Oricum avea s-o facă, dar mai ales credea că așa e corect, în general, chiar dacă nu în fiecare situație. Majoritatea colegilor credeau la fel, cel puțin cei cărora le păsa. Existau excepții – ocazional, vreun pedofil să fie bătut, iar martorii se dădeau pierduți, ori poate vreun „pește“ cu o reputație mai rea ajungea să fie împușcat și nimeni nu se străduia să descopere cine apăsase pe trăgaci –, dar, în mare, numele tău era trecut acolo, deci trebuia să-ți faci treaba. Era prima dată când Cal s-a aflat în poziția de a alege dacă să ia sau nu un caz și a ales. Speră că face lucrul corect. Din toată inima.

10

În drum spre casă, Cal se oprește pe la Mart, să vadă dacă a rezistat veghii nocturne. Mart răspunde la ușă cu un șervețel de hârtie vârât la gulerul puloverului și cu Kojak pufnind amenințător, la picior. Casa miroase a fum de cărbune vechi, a carne gătită și a amestec de condimente.

— Voiam să verific dacă nu te-au răpit extratereștrii, zice Cal.

Mart chicotește.

— Sigur, ce să facă ei cu unul ca mine? Dar un tip mare ca tine ar trebui să se păzească. E loc destul de sondat.

— Ar trebui să-mi fac un costum din foiță de aluminiu, spune Cal, întinzându-i mâna lui Kojak, s-o adulmece.

— Cere-i-l lui Bobby Feeney. Cred că are unul în dulap, să-l poarte când iese la vânătoare de omuleți verzi.

— Ai văzut ceva noaptea trecută?

— Nimic ce ar putea face așa ceva. Ți-am protejat proprietatea de un arici periculos, dar ăla a fost cel mai periculos lucru care s-a întâmplat.

Mart rânjește.

— Credeai că poate zac în pădure, sfârtecat?

— Voiam să știu dacă pot să tai prăjiturelele de pe lista de cumpărături.

— Nu încă, băiete. Ce a făcut chestia aia ar face bine să-și aducă prietenii și rudele, dacă vrea să mă doboare.

Mart deschide ușa mai larg.

— Intră, am spaghete și ceai.

Cal voia să refuze, dar spaghetele îl fac curios. Crezuse că Mart e genul care gătește doar carne și cartofi.

— Sigur ai o porție în plus?

— Sigur, pot hrăni tot satul. De obicei fac o oală mare din ce vreau să mănânc și văd cât mă ține. Haide!

Casa lui Mart nu e murdară, dar are aerul c-a fost neglijată multă vreme. Are pereți verzui și linoleum, mult plastic, iar unele suprafețe sunt uzate. În bucătărie, Kylie Minogue cântă „Locomotion" la un radio mare cu tranzistori.

— Stai jos, spune Mart, arătând spre masă, unde se află prânzul lui, pe o cârpă veche, cu pătrățele roșii.

Par a fi *spaghete bolognese*, abia începute. Cal ia loc, iar Kojak se trântește lângă șemineu și se întinde cu un mârâit de mulțumire.

— Credeam că ai toate culorile curcubeului pe pereți, spune Cal, după cât ai râs de mine că vreau să dau cu alb peste tot.

— Eu n-am vopsit nimic pe-aici, îl informează Mart, cu aerul unui om care înscrie un gol.

Mai scoate o farfurie și o cană dintr-un dulap și începe să pună spaghete dintr-o oală mare de pe aragaz.

— Mama, Dumnezeu s-o odihnească, a făcut asta. Când o să reușesc să vopsesc eu, poți pune pariu că n-o să fie în alb.

— Da, însă n-o să reușești, îi spune Cal.

Se gândește că e rândul lui să vâre nițel bățul prin gard.

— Poți să-ți spui ce vrei, dar, dacă n-ai făcut-o până acum, e fiindcă așa îți place.

— Ba nu. Parc-ar fi ieșit din curul unei oi bolnave. Cred că aici ar merge albastru viu, iar pe hol, niște galben.

— Nu se va întâmpla. Pun pariu pe zece dolari că anul viitor pe vremea asta fiecare perete al casei va fi tot verde precum căcatul de oaie.

— Nu-mi impun termene, spune Mart cu demnitate, așezând farfuria plină cu vârf în fața lui Cal. Nu ca să-ți fac pe plac ție, nici altcuiva. Acum, tacă-ți fleanca și umple-o cu mâncare.

Spaghetele trebuie mestecate zdravăn, iar sosul *bolognese* este puternic condimentat cu mentă, coriandru și ceva care aduce a anason. Par să fie bune, câtă vreme Cal le acceptă așa cum sunt.

— Sunt bune, zice.

— Mie-mi plac, spune Mart, turnându-i lui Cal ceai dintr-un ceainic în formă de Dalek[1]. Și numai mie trebuie să-mi placă. Am multă libertate așa. Când trăia mama, primeam doar carne cu cartofi în casa asta. Le fierbea până ce nu le mai puteai deosebi una de cealaltă, dacă închideai ochii, și nu punea deloc condimente: spunea că sunt motivul pentru care în alte locuri există divorțuri și homosexuali și altele. Condimentele le intrau în sânge și le zăpăceau creierul, așa zicea.

Împinge o cutie cu lapte și o pungă cu zahăr peste masă, spre Cal.

— După ce s-a dus, am început să experimentez. M-am dus la Galway, într-unul dintre magazinele celea pretențioase, și am cumpărat tot ce aveau. Fratele meu n-a fost prea încântat, dar el nu era în stare să fiarbă un ou, așa c-a trebuit să înghită gălușca. Mănâncă sau se răcește.

Cal își trage scaunul și începe să mănânce. Pare să fi dat peste o situație în care Mart nu crede în conversație: preferă să înghită cu dedicarea unuia care muncește din greu, iar Cal îl imită. În bucătărie e cald de la gătit. Pe geam se văd dealurile înmuiate de ceață. Kylie a terminat de cântat, dar începe alt hit, pur și dulce, plină de patos: „fără

[1] Extraterestru extrem de xenofob, care apare în serialul britanic SF *Dr. Who* (n. red.).

granițe..." În somn, Kojak pufnește ușor, iar labele îi tresar. Aleargă după ceva.

— S-a oprit ploaia, zice în cele din urmă Mart, împingându-și farfuria la o parte și mijind ochii spre fereastră, dar norul ăla nu pleacă deocamdată nicăieri. Nu contează. Ce nu văd voi auzi.

— Vrei să ieși iar în noaptea asta?

— Mai târziu, spune Mart, dar în seara asta, nu. S-ar putea să-l întreb pe P. J. dacă nu vrea să mai preia câte o tură, dacă nu ai obiecții. Nu pot să-mi ratez somnul de frumusețe mereu.

De fapt, arată surprinzător de în formă. Singurele semne că a petrecut o noapte sub un copac sunt mișcările mai anevoioase ale membrelor, de parcă încheieturile l-ar supăra mai mult decât de obicei, dar el nu spune nimic despre asta.

— P. J. e binevenit în pădurea mea, spune Cal.

Îl cunoaște puțin pe P. J.: e un tip cu picioare lungi și obraji scobiți, care-i face semn din cap lui Cal peste ziduri, fără să înceapă vreo conversație, și care uneori cântă când își face turele de seară, balade vechi, melancolice, cu o voce surprinzătoare de tenor.

— Cât o s-o ții așa?

— Aș vrea să știu și eu, spune Mart, și-și mai toarnă ceai. Orice-ar fi creatura asta, i se va face foame. Sau se va plictisi.

— Sunt multe oi în zonă. Ai vreun motiv să crezi c-o să fie ale lui P. J. următoarele?

— Sigur, zice Mart, ridicând privirea din punga cu zahăr și zâmbind, că nu pot veghea toate oile din Ardnakelty. Ale lui P. J. sunt la îndemână.

— Așa e, confirmă Cal.

Are impresia că Mart îi ascunde ceva.

— În plus, spune Mart, știm că creaturii îi place zona. Și multe dintre fermele de aici sunt de vite și s-ar putea să nu-i placă. Poate nu e destul de mare să doboare o vacă. Dac-aş fi fost eu dubioşenia, P. J. ar fi următorul pe listă.

Îşi atinge tâmpla.

— Psihologie de om bătrân, explică el.

— Nu dă greş niciodată, răspunde Cal. Au fost doar cele două oi, a ta şi a lui Bobby Feeney? Sau se întâmplă de ceva vreme?

— A mai fost una, la începutul verii. A lui Francie Gannon, lângă sat, spune Mart rânjind în timp ce arată cu cana spre Cal. Acum nu face pe Columbo cu mine şi nu începe să pui întrebări. Situaţia e sub control.

Aşadar uciderea oilor a început nu cu mult după ce Brendan a dispărut. Cal se gândeşte din nou la acea colibă dărăpănată sau la o peşteră din munte. În zona în care locuia bunicul său existau oameni care trăiau aşa – sau măcar zvonuri despre ei. Cal şi amicii lui n-au văzut niciodată unul, dar au găsit locuri în care fusese făcut focul, capcane, răcitoare ascunse în tufe, piei de animale prinse de crengi, la uscat, adânc în pădure, unde nimeni n-ar fi trebuit să ajungă. Odată, prietenul lui Cal, Billy, aproape căzuse într-o groapă-capcană camuflată ca la carte. Oricine o săpase începuse, probabil, ca un adolescent neliniştit, care-şi testa perimetrul vieţii ca o cale de scăpare.

— Acum, zice Mart, trăgându-şi scaunul înapoi, ştiu de ce ai nevoie, ca să închei cum se cuvine masa.

Se apleacă, icnind de durere, scotoceşte într-un dulap şi apare cu un pachet de napolitane Mikado.

— Poftim, zice, punându-l pe masă, triumfător. E timpul să afli de ce fac atâta caz.

E atât de încântat de inspiraţia lui, că ar fi nepoliticos să refuze. Napolitana are gustul precum aspectul: zahăr şi spumă, în diverse consistenţe.

— Ei bine, spune Cal, acasă n-aveam d-astea.

— Atunci, mai ia una.

— Ți le las. Nu sunt tocmai stilul meu.

— Nu poți să vii aici și să insulți napolitanele Mikado, spune supărat Mart. Orice copil din Irlanda a fost înțărcat cu astea.

— N-am vrut să fiu nepoliticos, spune Cal, rânjind. Dar mie nu prea îmi plac dulciurile.

— Știi de ce? spune Mart, lovit de o idee. De la hormonii americani. Îți distrug papilele gustative. Așa cum, când o femeie e gravidă, mănâncă tort de fructe cu sardine. Vino înapoi peste un an și mai încearcă-le o dată, după ce te-ai mai obișnuit, și mai vedem ce crezi despre ele atunci.

— Promit, spune Cal.

— Auzi, Columbo, cât ești aici, spune Mart, în timp ce înmoaie o prăjiturică în ceai, spune-mi că nu-l bănuiești pe Eugene Moynihan că mi-a nenorocit oaia.

— Ha?

Mart îi aruncă o privire limpede.

— Am auzit c-ai stat la povești cu el de dimineață. Era un interogatoriu? Aș spune că tipul ăla cedează în câteva minute. O privire severă de la tine și urlă după mă-sa. Nu?

— N-am remarcat. Dar nu i-am dat motive de urlat.

— Eugene nu s-a atins de oile mele, spune Mart. Nici Fergal O'Connor.

— Nici n-am zis asta.

— Atunci, ce ai vrut de la ei?

— Tot ce vreau, spune Cal, din ce în ce mai iritat, este să-mi pună cineva cablurile din bucătărie, ca să pot instala o mașină de spălat și să-mi spăl naibii chiloții acasă, în loc să-i duc săptămânal la oraș. Doar că sunt plimbat dintr-o parte în alta. Unul spune că am nevoie de ăla, așa că mă duc la el, dar nu e în zonă și am nevoie de altul. Dau de ăla, dar el nu știe care-i cablul și care-i curul, mă trimite la altul. Dau de altul – Mart începe să chicotească – și se poartă de parcă i-am cerut să-mi desfunde buda cu mâinile goale. Încerc să dau de lucru localnicilor, din politețe, ca să pot pune la treabă mașina aia de spălat înainte să îmbătrânesc și să n-o mai pot folosi.

Mart șuieră râzând.

— Doamne sfinte, zice el, ștergându-și ochii, calmează-te, cowboy, sau o să faci infarct. Îți găsesc eu un localnic care să-ți instaleze mașina de spălat. La un preț bun.

— Păi, spune Cal, calmându-se, deși încă iritat, aș aprecia. Mersi.

— Cum să-ți fie de folos Eugene Moynihan? Nu s-ar înjosi să-și murdărească mâinile cu așa ceva, spune Mart, cu mare dispreț. Cine ți-a zis c-ar face-o?

— Păi, zice Cal, scărpinându-și gânditor barba, nu sunt sigur. Era un tip de la cârciumă. Mi-a zis de câțiva oameni care mă pot ajuta, dar nu-mi amintesc numele lui. Băusem câteva beri când vorbeam cu el și recunosc că încă nu știu cine-i cine. În vârstă, cred. Păr scurt. Ceva mai înalt ca tine, dar poate greșesc. Cu bască.

— Spanner McHugh? Dessie Mullen?

Cal clatină din cap.

— Știu doar că părea să știe despre ce vorbește.

— Atunci, nu era Dessie.

— Păi, nu s-a dovedit tocmai priceput. Poate să fi fost Dessie.

— Îl întreb. Nu poate trimite străini așa, după cai verzi pe pereți. Strică reputația locului.

Mart își găsește punga de tutun și i-o întinde lui Cal.

— Apreciez, dar trebuie să plec, spune Cal, împingându-și scaunul și luându-și farfuria. Mulțumesc pentru masă.

Mart ridică o sprânceană.

— Care-i graba? Ai întâlnire?

— Cu YouTube-ul, spune Cal, punând farfuria în chiuvetă. Fiindcă nu-mi rezolvă nimeni bucătăria.

— Nu umbla aiurea pe YouTube, c-o să dai foc la casă. Ți-am zis că-ți rezolv eu mașina de spălat.

Mart arată spre el cu țigara.

— Dacă n-ai întâlnire, să vii la Seán Óg diseară.

— Ce se întâmplă? E ziua ta?

Mart râde.

— Doamne, nu. Am renunțat la porcăriile celea cu mulți ani în urmă. Doar vino și vezi ce e de văzut.

Suflă fumul printre dinți și îi face cu ochiul lui Cal, șmecherește.

Cal îl lasă acolo, cu scaunul dat pe spate și fredonând după Dusty Springfield, și iese. Kojak dă din coadă și deschide un ochi spre el, când trece. Cal se duce acasă, întrebându-se ce-a decis Mart să nu-i spună despre oi și P. J.

Trey apare abia după-amiaza târziu.

— A trebuit să mă ocup de mesaje, încearcă să explice, scuturându-și noroiul de pe tenișii în prag.

— Foarte bine. Trebuie s-o ajuți pe maică-ta.

Nedumerit la început, și-a dat seama că, în zonă, „mesajele" înseamnă cumpărături. Unul dintre motivele pentru care a ales Irlanda e că n-a fost să învețe o limbă nouă, dar uneori se simte păcălit.

Trey e foarte agitat azi. Cal își dă seama după cum își ține bărbia și își agită picioarele în prag. Aruncă o privire rapidă în spate, de parcă l-ar urmări cineva, apoi intră și închide ușa.

— Tocmai ce m-am ocupat de tufișul ăsta, spune Cal, adunând de pe masă barba tunsă din cutia de carton pe care o folosește drept coș de gunoi.

Barba lui devenea sălbatică și, dacă tot pune întrebări curioase, s-a gândit că ar fi mai bine să arate respectabil.

— Ce zici?

Trey ridică din umeri. Scoate un pachet din geacă și i-l întinde. Cal recunoaște hârtia cerată: jumătate de duzină de cârnați din frigiderul lui Noreen. Dintr-odată, își dă seama de ce îi aduce Trey lucruri. Sunt o formă de plată.

— Puștiule, nu trebuie să-mi aduci lucruri.

Trey îl ignoră.

— Fergal și Eugene ce au zis?

— M-ai urmărit?

— Nu.

— Atunci de unde știi c-am vorbit cu ei?

— Am auzit-o pe mama lui Eugene spunându-i lui Noreen, cât eram cu mesajele.

— Iisuse! exclamă Cal, îndreptându-se spre frigider cu cârnații. N-ai cum să te scobești în cur aici fără să-ți zică tot satul să te speli pe mâini.

Se întreabă cât mai poate ține lucrurile ascunse și ce va crede lumea, când se va afla. N-are idee, nici despre răspuns, nici despre factorii care-l vor influența.

— Ce-a zis mama lui Eugene?

Trey îl urmărește.

— Că erai în căutarea cuiva să-ți pună cabluri. Avea față de buldog care-a lins pișat de pe-o urzică. Deci ce au zis?

— De ce? Nu i-a plăcut fața mea?

— Fiindcă Eugene e prea bun pentru asta. Și fiindc-ai crezut c-ar avea nevoie de bani.

— Eu sunt doar un străin mare și prost, care nu știe mersul lucrurilor pe-aici, spune Cal. Ce-a zis Noreen?

— A zis că nu-i niciun rău la muncă cinstită și că o slujbă i-ar face bine lui Eugene. Nu-i place de doamna Moynihan. Ce au *zis*?

Puștiul stă în mijlocul bucătăriei, cu picioarele distanțate, blocând drumul. Cal îl simte vibrând de atâta tensiune.

— N-au vești de la fratele tău de când a plecat. Dar amândoi cred că trăiește.

Cal observă ușurarea lui Trey, după ce își relaxează spatele. Indiferent cât de sigur pretinde c-ar fi puștiul cu privire la starea de spirit a lui Brendan, a venit aici temându-se că amicii lui știu altceva.

— Trebuie să-ți zic, copile, că nu cred că l-a răpit cineva. Cred c-a plecat de bunăvoie.

— Poate mint.

— Am fost polițist douăşcinci de ani. Am fost mințit de cei mai buni. Crezi că un nătărău ca Fergal O'Connor mă duce de nas?

Trey recunoaște.

— Fergal e prostănac, dar fiindcă el crede ceva nu-nseamnă că e și adevărat.

— Nu l-aș căuta să-mi construiască o rachetă, dar îți cunoaște fratele. Și crede că Brendan a plecat...

— Crezi că trăiește? întreabă Trey privindu-l în ochi.

Cal știe mai bine să nu lase nici cea mai mică pauză în discuție. Din fericire, știe și ce să spună. A mai spus-o de sute de ori, peste ani.

— Nu cred nimic. Acum adun informații. Mai târziu, o să fac deducții, după ce am mai multe date. Tot ce-ți pot spune e că n-am încă niciun indiciu care să spună c-ar fi murit.

Este adevărat, iar fața Sheilei Reddy, când a privit spre munți, nu e o informație. Cuvintele îi lasă însă un gust amar. Se gândește, mai rău ca niciodată, că s-a băgat în ceva de neînțeles.

Trey îl fixează în continuare, căutând scăpări. Apoi încuviințează, acceptă și expiră. Se duce la birou și începe să cerceteze ce ar mai fi de făcut.

Cal se sprijină de blatul de lucru și îl privește.

— Ce fel de droguri sunt pe-aici?

Trey îi aruncă un rânjet neașteptat peste umăr.

— Vrei?

— Ce amuzant ești! Nu, mersi. Dar să zicem c-aș vrea. Ce se găsește?

— Mult haș, multe benzo, răspunde Trey, prompt. Ecstasy, când și când, gen. Ketamină specială. Coca, uneori. Acid, alteori. Ciuperci.

— Ha, spune Cal.

Nu se aștepta la un meniu complet, deși poate ar fi trebuit. Acasă, în cele mai mici orășele, unde copiii n-aveau altceva să-i țină ocupați, puteai găsi orice drog de care auziseși plus alte câteva pe care nu le știai.

— Crack?

— Nu. N-am auzit.

— Met?

— Nu multă. Am auzit de câteva ori c-ar avea cineva.

— Heroină?

— Nu. Cine se bagă pe aia pleacă. Galway sau Athlone. Aici nu știi ce-i disponibil și când. Drogații trebuie să știe c-o pot obține oricând.

— Știi de unde-și iau marfa dealerii de aici? E vreun localnic care se ocupă de distribuție?

— Nu. Niște băieți aduc de la Dublin.

— Brendan îi cunoștea? Pe cei din Dublin?

— Bren nu e dealer, zice Trey imediat, apăsat.

— N-am zis c-ar fi. Dar crezi că l-au luat oameni răi. Trebuie să știu ce fel de oameni răi sunt aici.

Trey examinează biroul, trecându-și unghia peste crăpături.

— Tipii din Dublin nu-s deloc OK, zice, în cele din urmă. Uneori îi auzi. Vin în niște mașini mari, Hummer, și gonesc peste câmpuri noaptea, când e lună. Sau chiar ziua. Știu că Gardaí n-o să-i prindă la timp.

— I-am auzit, spune Cal.

Se gândește la grupul de tipi aflați în spatele cârciumii din când în când, prea tineri și îmbrăcați nepotrivit, care stăruie cu privirea asupra lui.

— Au ucis așa câteva oi, ultima dată. Au bătut un tip din sus de Boyle, fiindcă nu i-a plătit. L-au bătut așa rău, că a pierdut un ochi.

— Cunosc genul. Încep periculos și devin și mai răi când îi supără cineva.

Trey ridică privirea.

— Bren nu i-ar fi putut supăra. Nici nu-i cunoaște.

— Ești sigur, puștiule? Sigur, sigur?

— N-ar vinde direct unuia ca el, care ia când și când. Bren cumpăra doar de la băieții din zonă, când voia. N-ar fi ajuns la ăia.

— Atunci, cine l-a luat? Sunt singurii băieți răi pe care i-ați pomenit voi cei de pe-aici. Tu să-mi spui, puștiule, dacă n-au fost ei, atunci cine?

— Poate l-au încurcat cu altcineva.

Trey râcâie urmele de vopsea cu unghia și se uită la Cal, urmărindu-i reacția la teoria lui.

— Poate.

Nu-și imaginează cum s-ar fi putut întâmpla, dar, dacă Trey are nevoie, o să păstreze ideea, deocamdată.

— Ăia nu prea sunt genii, recunosc. Dacă Brendan nu stătea cu ei, atunci cine? Amicii lui?

Trey pufnește disprețuitor.

— I-ai văzut pe Fergal și Eugene. Crezi c-ar face-o?

— Nu. Nu contează.

S-a gândit la o persoană care știe multe despre tipii din Dublin. Donie McGrath se afla mai mereu lângă grupul acela, în cârciumă.

Trey îl privește pierdut, cu un soi de rânjet.

— Tu ai luat droguri? Înainte să fii polițist?

Pentru o clipă, Cal nu e sigur ce să răspundă. Când Alyssa îi pusese aceeași întrebare, gândul la ea luând droguri îl lovise în stomac atât de tare, încât îi spusese doar povești despre ce văzuse și o implorase să nu se apropie niciodată de ceva mai tare decât iarba. Din câte știe, nu a făcut-o, dar probabil n-ar fi făcut-o oricum. În cazul acesta, răspunsul corect poate conta.

În cele din urmă, alege adevărul.

— Am încercat câte ceva, în zilele mele nebune. Nu mi-au plăcut, așa că m-am lăsat de încercat.

— Ce-ai încercat?

— Nu contează. Oricum nu mi-ar fi plăcut nici altceva.

Adevărul e că orice încerca respingea cu o intensitate care-l speria și pe care nu o putea recunoaște nici măcar față de Donna, care, pe atunci, mai trăgea pe nas cocaină, ocazional. Detesta felul în care fiecare drog, în moduri diferite, înlătura soliditatea lumii și o făcea să aibă o textură de nisipuri mișcătoare, fisurată și nesigură. La fel se întâmpla cu oamenii: cei care luau droguri nu mai erau așa cum îi știai. Te priveau drept în față și vedeau lucruri care n-aveau nicio legătură cu tine. Venirea pe lume a Alyssei a însemnat să renunțe la zilele nebunești și să nu trebuiască să mai stea cu persoane care luau droguri.

Întreabă, cu ochii la birou:

— Dar tu? Ai încercat ceva?

— Nu, zice sec Trey.

— Sigur?

— Da. Te prostesc. Te poate păcăli oricine.

— Așa e.

E uimit de cât de ușurat se simte.

— Cred că, dacă nu ești genul credul, drogurile nu-s pentru tine.

— Nu sunt.

— Da, m-am prins. Nici eu.

Trey îl privește. Pare mai tras la față, mai palid, de parcă ar fi ros pe dinăuntru.

— Acum ce faci?

Cal încă se gândește. Mai precis, nu ce să facă, ci cum. Ce știe acum e că puștiul are nevoie de ceva bun pe ziua de azi.

— O să te învăț să tragi cu pușca.

Puștiul dă să spună ceva și se luminează de parc-ar fi primit o bicicletă de ziua lui.

— Ușurel, tigrule. Nu devii expert de cum o ai în mână. Ce-o să faci azi e cum să nu-ți împuști piciorul și o să ratezi câteva doze de bere. Dacă avem timp, poate ratezi și niște iepuri.

Trey încearcă să-și dea ochii peste cap, dar nu-și poate șterge rânjetul de pe față. Cal rânjește și el, căci nu se poate abține.

— Dar n-am terminat, spune Trey întristat, în timp ce arată spre birou.

— O să termini în altă zi. Haide!

Seiful pentru arme nu pare să fie la locul lui pe podeaua goală din dormitorul lui Cal. Celelalte lucruri din cameră sunt salteaua și sacul de dormit, valiza în care-și ține hainele curate și sacul de plastic pentru cele murdare. Iar cei patru pereți indigo sunt pătați de umezeală. În tot acest context, cutia metalică, înaltă și închisă la culoare, are un aer de amenințare subtilă, străină.

— Este un seif pentru arme, spune Cal, lovindu-l ușurel lateral. Pușca mea stă aici până ce trag cu ea, fiindcă nu e o jucărie și asta nu e un joc. A fost făcută să ucidă și dacă te prind vreodată că uiți asta, nu mai pui mâna pe ea. Clar?

Trey încuviințează, de parcă i-ar fi frică să spună ceva, să nu se răzgândească.

— Asta, spune Cal, scoțând-o, este o Henry .22 cu repetiție. Una dintre cele mai bune făcute vreodată.

— Ah, dar pușca tatei nu era așa.

— Probabil că nu, spune Cal.

Toate celelalte puști în afară de Henry i se par ori greoaie, ori nesăbuite.

— Foloseau carabina asta în Vestul Sălbatic, la frontieră. Dacă te uiți la filme vechi, cu cowboy, e pușca pe care-o folosesc ei.

Trey inspiră mirosul de ulei de pușcă și mângâie cu degetul patul de castan.

— O frumusețe, spune el.

— Mai întâi trebuie să verifici dacă e descărcată. Magazia iese așa, pârghia coboară așa, te asiguri că nu-s gloanțe.

Vâră tubul magaziei înapoi și îi întinde pușca lui Trey.

— Să te văd acu'.

Expresia de pe chipul puștiului când ia arma în mână îl bucură pe Cal. Opinia sa despre mulți delincvenți juvenili întâlniți în câmpul muncii era că tânjeau, fie că erau sau nu conștienți de asta, după o pușcă și un cal și o turmă de vite pe care să le mâne pe un teren periculos. Dacă le-ar fi avut, mulți – nu toți, dar mulți – ar fi ajuns mai bine. Fără asta, s-au apropiat de această idee cum au putut, cu rezultate de la rele la dezastruoase.

Trey verifică pușca. E la fel de atent și dibaci ca atunci când lucrează la birou.

— Bun, spune Cal. Acum vezi asta? E percutorul. Îl tragi până la capăt și pușca e armată, gata să tragă. Dar dacă-l împing puțin, uite așa, până face clic, e în siguranță. Poți apăsa pe trăgaci cât vrei, că nu se întâmplă nimic. Ca să fie și armată, și sigură, lași trăgaciul puțin și împingi percutorul în față. Așa.

Trey face întocmai. Mâinile lui pe pușcă par mici și delicate, dar Cal știe că are suficientă putere.

— Uite, spune el, acum e sigură. Dar, adu-ți aminte, sigură sau nu, încărcată sau nu, nu o îndrepți spre o creatură decât dacă ești pregătit s-o ucizi. Ne-am înțeles?

— Da, spune Trey.

Lui Cal îi place cum o spune, cu privirea fixă, peste pușca din mâinile lui. Copilul îi simte greutatea, și așa trebuie să se și întâmple.

— OK. Hai s-o încercăm.

Ia punga de plastic în care-și ține dozele goale de bere și i-o dă lui Trey. Își pune pușca pe umăr și ies afară. Aerul e blând, dar îngreunat de ceață, bogat în mirosuri de pământ reavăn. Spre vest, norii se subțiază și au marginile aurii.

— Trebuie să alegem un loc bun. Unde să nu lovim nimic nedorit.

— Le împușcăm? întreabă Trey, arătând cu bărbia spre ciorile care se ceartă pe ceva din iarbă.

— Nu.

— De ce?

— Îmi place compania lor, spune el. Sunt deștepte. În plus, nu cred că-s bune de mâncat și nu ucid creaturi doar de dragul de a omorî ceva. Dacă împușcăm ceva, îl jupuim, îi scoatem mațele, îl gătim și-l mâncăm. Ești de acord?

Trey încuviințează.

— Bine, spune Cal. Ce-ai zice să ne instalăm aici?

Zidul scund de piatră de pe terenul din spate al lui Cal se deschide spre iarbă întinsă. Nimeni nu poate să le intre neașteptat în bătaia puștii. Se află și în partea de teren supravegheată de tăcutul și nepăsătorul P. J., și nu în cea supravegheată de Mart, deși nici măcar P. J. nu se vede nicăieri. Așază doze de bere pe pietrele aspre, așezate acolo cine știe acum câtă vreme de strămoși ai lui Mart, P. J. și Trey, și se retrag. Pașii foșnesc în iarba umedă.

Cal îi arată lui Trey cum să scoată magazia, cum să pună gloanțele la locul lor și să o facă să revină în poziție. Au ales o zi bună: norul împiedică lumina să le intre în ochi sau să arunce umbre, iar adierea e doar o atingere ușoară pe obraz. Dozele de bere se profilează clar în iarbă, ca niște pietre mici, verticale. Munții maronii se înalță în spatele lor.

— OK, spune Cal. Poți să tragi stând în picioare, într-un genunchi sau întins pe burtă, dar noi vom începe cu a doua poziție. Pui un picior sub tine și un genunchi sus. Așa.

Trey îl imită cu grijă.

— Patul se sprijină în scobitura umărului, acolo. Îl ții bine, lipit de tine, ca să nu aibă recul prea puternic.

Echilibrul puștii este perfect. Cal simte că ar putea sta așa toată ziua, fără să-i obosească mușchii.

— Vezi mărgeaua aia de la capătul țevii? E cătarea frontală. Semiluna de aici e cătarea din spate. Le aliniezi pe țintă. Eu țintesc a treia doză din stânga, așa c-am aliniat cătările pe ea. Voi inspira și expira apoi ușor și, când termin, voi apăsa pe trăgaci. Nu tare, că nu-i o pușcă de forțat. Va coopera. Expiri pe gură, apoi prin pușcă. Ai înțeles?

Trey încuviințează.

— Bine, zise Cal. Acum, să vedem dacă mă mai descurc.

Cumva, după toți anii, Cal încă se pricepe. Doboară doza de pe zid, cu un zgomot metalic triumfător care răsună peste câmpuri, peste reculul brusc al puștii.

— Daaa, face Trey, încântat.

— Ia te uită.

Cal inspiră mirosul de praf de pușcă și zâmbește.

— E rândul tău.

Copilul ține bine arma și o așază pe umăr de parcă acolo i-ar fi locul.

— Coatele strânse. Lasă-ți obrazul să se sprijine de pat, ușurel. Nu te grăbi.

Trey mijește ochii de-a lungul țevii, alegând cu grijă doza și aliniind cătările.

— Va bubui și îți va lovi umărul. Să nu te sperii.

Trey e prea concentrat ca să-și dea ochii peste cap. Cal îi aude respirația lentă, inspiră, expiră. Nu se clatină, anticipând lovitura, și nu tresare când o simte. Ratează, dar nu cu mult.

— Nu-i rău, spune Cal. Ai nevoie doar de exercițiu. Strânge cartușele. Lași locul așa cum l-ai găsit.

Trag cu rândul, până ce magazia se golește. Cal doboară cinci doze de bere. Puștiul una, iar asta-l luminează atât de tare, încât Cal rânjește și traversează câmpul să-i aducă doza găurită.

— Uite, zice el, dându-i-o. Poți s-o păstrezi. Prima ta țintă nimerită.

Trey rânjește și el, dar clatină din cap.

— Mama ar vrea să știe de unde o am.

— Îți caută prin lucruri?

— Nu făcea asta până la dispariția lui Bren.

— E îngrijorată. Vrea să știe că nu-ți dă prin cap și ție să pleci.

Trey ridică din umeri, aruncând doza în sacul de plastic. Chipul nu-i mai e așa luminat.

— OK. Acum, că ai prins ideea, hai să ne facem rost de cină.

Asta-l înveselește iar.

— Unde?

— Bucata aia de pădure de acolo, spune Cal, arătând spre ea. Iepurii au o groază de vizuini la lizieră. I-am văzut hrănindu-se în multe seri, cam la ora asta. Vino.

Strâng dozele de bere și se opresc suficient de departe de pădurice cât să nu sperie iepurii, dar suficient de aproape ca puștiul să aibă o șansă. Apoi așteaptă. Auriul de la vest s-a transformat în roz, iar lumina începe să scadă, imprimând câmpurilor nuanțe eterice de verde-cenușiu. În grădina lui Cal, ciorile s-au strâns pentru cină. Distanța le îmblânzește gălăgia, niște tonuri mai joase decât ciripitul ascuțit al păsărilor mai mici.

Trey își sprijină cu grijă carabina de genunchi, gata s-o ridice.

— Ai zis că bunicul tău te-a învățat să tragi.

— Așa e.

— Cum de nu te-a învățat tatăl tău?

— Cum ți-am zis, nu prea era pe-acasă.

— Ai zis că nu era stabil.

— Așa e.

— Și cum de nu te-a învățat mama ta? Nici ea nu era stabilă?

— Nu, mama era pe cât de stabilă se putea. Avea două joburi ca să ne întrețină. Asta însemna că nu era acasă, să mă poată supraveghea. Așa că m-a trimis să locuiesc cu bunicul și bunica mare parte din timp, până ce m-am făcut suficient de mare ca să am grijă de mine. De aceea m-a învățat să trag.

Trey asimilează informația, privind spre liziera pădurii.

— Ce joburi avea mama ta?

— Era îngrijitoare într-un centru pentru persoane vârstnice. Și chelneriță la restaurant, în restul timpului.

— Mama a lucrat la benzinăria de pe drumul principal. Dar, după ce Emer a plecat, n-a rămas nimeni să aibă grijă de cei mici cât eram noi la școală. Toți bunicii mei au murit.

— Oamenii se descurcă cum pot.

— Și frații și surorile tale au mers cu tine?

— Au mame diferite, spune Cal. Nu sunt sigur ce au făcut.

— Tatăl tău a fost mare craidon, spune Trey, ca și cum tocmai i s-a aprins un beculeț.

Îi ia lui Cal o clipă să-și dea seama ce înseamnă. Când o face, râde scurt și-și înghite restul de hohote.

— Da, zice el, chicotind. Cam așa.

— Ssst, face Trey brusc, arătând din cap spre pădure. Iepure.

La marginea pădurii se vede mișcare în iarba înaltă. Vreo șase iepuri au ieșit să ia masa de seară. Se simt în largul lor, șopăind de colo-colo și oprindu-se când și când să ronțăie o delicatesă.

Cal îl privește pe Trey, care și-a sprijinit pușca de umăr, cu tot trupul alert și dornic. Părul lui tuns periuță seamănă cu blana de pe cățelușul Lenei. Lui Cal îi vine să-i pună o mână pe creștet.

— OK, spune. Vezi dacă ne faci rost de cină.

Glonțul se îndreaptă direct spre iepuri, iar ei sar în tufiș și dispar. Trey îl privește pe Cal, nemulțumit.

— E OK, spune Cal. Se vor întoarce. Dar ai nimerit suficient de aproape încât să n-o facă o vreme și oricum e timpul să ne întoarcem acasă.

Amurgul coboară, tot mai dens. Curând, Mart sau P. J. se vor îndrepta spre pădure, să stea de veghe.

— Cinci minute! Aproape că l-am nimerit pe ăla.

— Vei nimeri unul data viitoare. Nu e grabă. Nu pleacă nicăieri. Acum, să-ți arăt cum descarci.

Descarcă pușca și pornesc înapoi peste câmp, spre casă. Trey fluieră. Cal nu l-a mai auzit niciodată fluierând. E o melodie parcă desprinsă din fluierul de cositor de la Seán Óg. Ar putea fi despre cum pornești într-o dimineață de primăvară să te vezi cu o fată frumoasă. Ciorile se liniștesc și ies primele creaturi ale nopții: un liliac plutește deasupra copacilor și ceva mic dispare în iarba înaltă, când se apropie ei.

— A fost fain, zice Trey, ridicând privirea spre Cal. Mersi.

— Plăcerea mea, spune Cal. Ai ochi buni. Vei învăța.

Trey încuviințează și, fiindcă n-are ce să mai spună, se îndreaptă spre gard. Cal încearcă să-l urmărească din priviri, dar imediat ce ajunge la drum devine invizibil, dispărând în amurg.

Cal e curios ce se întâmplă la cârciumă. Își pregătește un sandvici cu brânză, cald, la cină, apoi face o baie, să se primenească pentru orice ar putea urma. E sâmbătă. O sună pe Alyssa, dar ea nu răspunde.

11

Când Cal pornește spre cârciumă, frigul din întuneric începe să înțepe. Din hornul lui Dumbo Gannon se înalță fum, iar când Cal trece pe lângă casa lui, surprinde și mirosul bogat, de pământ. Miroase a ce ard oamenii din partea locului – turbă tăiată din turbăriile din munți și uscată. Câmpurile și gardurile învie parcă de mișcări tulburate. Toate animalele simt că se apropie iarna.

Ușa de la Seán Óg se deschide spre lumină și căldură, spre voci puternice și muzică, toate îmbrăcate în fum. Mart, înconjurat de amici în separeul lui, urlă de bun-venit când îl vede.

— Omul serii! Fă-te-ncoa și ia un loc. Am ceva pentru tine.

Separeul lui Mart e aglomerat: sunt Senan și Bobby și câțiva tipi de ale căror nume Cal nu e sigur. Toți au fețele roșii și ochi sticloși, de parc-ar fi mult mai beți decât s-ar aștepta Cal, la ora asta.

— Bună seara, spune.

Mart se dă într-o parte, pe banchetă, să-i facă loc.

— Barty! strigă el spre bar. O halbă de Smithwick's. Îi cunoști pe retardații ăștia, nu?

— Pe cei mai mulți, zice Cal, scoțându-și haina și așezându-se pe banchetă.

Mart nu l-a mai invitat până acum în colțul lui decât dacă aveau nevoie de al patrulea om la cărți. În seara asta, colțul muzical are o scripcă, o chitară și un fluier de cositor și cântă o melodie de jale, auzindu-se din când în când „Nu! Niciodată" și lovituri în masă. Deirdre cântă și ea, cu o jumătate de măsură în urmă, aproape zâmbind și mai animată decât a văzut-o Cal vreodată.

— Ce se petrece?

— E aici un domn pe care-aș vrea să-l cunoști, spune Mart, arătând spre un tip slab la față, vârât într-un colț. El este domnul Malachy Dwyer. Malachy, el e noul meu vecin, domnul Calvin Hooper.

— Încântat, spune Cal, dând mâna peste Mart și începând să priceapă care-i treaba cu seara asta.

Malachy are păr șaten ciufulit și pare destul de visător și sensibil, o expresie care nu se potrivește cu impresia de renegat pe care vrea să o transmită.

— Am auzit multe despre tine.

— Mal, fă cunoștință cu Cal, zice Bobby, chicotind. Cal, el e Mal.

— Ah, în ce stare ești, face Senan, scârbit.

— Sunt numai bine, zice Bobby, uluit.

— Domnul Dwyer, îi explică Mart lui Cal, e cel mai bun distilator din trei comitate. Un meșter iscusit, asta e.

Malachy zâmbește cu modestie.

— Când și când, dacă Malachy are un produs deosebit, aduce aici și împarte cu noi, din mărinimie. Ca un serviciu către comunitate. M-am gândit că meriți șansa de a-i încerca marfa.

— Sunt onorat, spune Cal, deși simt că ar trebui să fiu și speriat.

— Nu, spune Malachy, liniștitor. Este un lot deosebit.

De sub masă, scoate un păhărel și o sticlă de doi litri pe jumătate plină cu un lichid transparent. Îi toarnă lui Cal un shot, atent să nu verse nicio picătură, și i-l întinde.

— Poftim.

Ceilalți îl privesc, rânjind nerăbdători. Băutura miroase suspect de inofensiv.

— Ah, pentru Dumnezeu, lasă buchetul, îi comandă Mart. Dă-l de dușcă.

Cal se conformează. Se așteaptă să-l ardă precum benzina, dar n-are niciun gust, iar arsura nu-l face nici măcar să se strâmbe.

— E bun, zice.

— Nu ți-am zis? Merge lin, ca frișca. E un artist omul nostru.

Atunci îl lovește. Cal simte cum bancheta devine lichidă sub el, iar camera începe să se învârtă lent.

— Au! face, clătinând din cap.

Cei din separeu se scutură de râs și lui Cal i se pare un zgomot care pare să pulseze undeva în depărtare.

— Da' e tare, nu glumă, zice el.

— Sigur că asta a fost doar așa, să-i prinzi gustul, spune Malachy. Nici n-ai început.

— Anul trecut, îi zice Senan lui Cal, arătând spre Bobby, tipul ăsta, după câteva shoturi...

— Ah, nu, protestează Bobby.

Ceilalți rânjesc.

— ... s-a ridicat de pe scaun și a început să urle la noi să-l ducem la popă. Voia să se spovedească. La două dimineața.

— Dar ce făcuseși? îl întreabă Cal.

Nu e sigur dacă Bobby îl va auzi, fiindcă i se pare greu să estimeze la ce distanță se află. Dar îl aude.

— Porno, spune Bobby, oftând, cu bărbia în palmă.

Băutura i-a dat un aer de melancolie visătoare.

— Pe internet. Nimic șocant. Doar oameni care și-o trag. Nici măcar nu s-a descărcat bine. Dar, orice era în lotul ăla de la Malachy, mi-a dat palpitații și am crezut că fac infarct. Așa c-am crezut că e cazul să-mi mărturisesc păcatele, dacă mor, gen.

Toată lumea râde.

— Nu băutura mea ți-a provocat palpitații, zice Malachy. Era conștiința ta vinovată.

Bobby înclină capul, recunoscând că poate are dreptate.

— L-ați dus la preot?

— Nu, spune Senan. L-am dus în camera din spate, să doarmă și să-i treacă. I-am zis că vom rosti o rugăciune, până ce se trezește.

— N-au făcut-o, spune Bobby, supărat. Au uitat că eram acolo. M-am trezit a doua zi și am crezut c-am murit.

Urmează alt val de râs și Cal râde și el cu poftă.

— Era încă pe jumătate luat, spune Senan. M-a sunat să mă întrebe dacă a murit și, dacă da, ce să facă.

— Măcar, spune Bobby, cu demnitate, ridicând glasul să se facă auzit, nu mi-am rupt nasul încercând să sar peste un zid pe care nu-l mai sărisem de la opșpe ani...

— Aproape am reușit, zice Mart, ridicând halba și făcând din ochi.

— ... sau n-am acceptat o provocare, n-am bătut, gol pușcă, la geamul bătrânei doamne Scanlan și nu mi-am primit o găleată de apă rece în cap!

Un tip de pe margine primește un chiot colectiv de aprobare și câteva bătăi pe spate și clatină din cap, rânjind. Cal îi place să-i vadă așa, băieți nebunatici ieșiți din rolul de fermieri de nădejde. Pentru o clipă, se întreabă care dintre ei a fost ca Brendan la vremea lui, agitat, vânând căi de scăpare și aventuri, și cum a ajuns.

— Mai ia unul, spune Mart, cu ochii aprinși de ghidușie, întinzându-se după sticle. Ai de recuperat.

Cal doar pare beat și vrea să păstreze lucrurile așa. Băutura nu l-a supărat așa cum au făcut-o drogurile – nu face realitatea găunoasă și nici oamenii –, dar i se pare că se învârte camera și, în circumstanțele potrivite, lucrurile ar putea scăpa de sub control cu o viteză absurdă. Și ce se întâmplă are șansele unui ritual de inițiere care poate deveni circumstanța potrivită.

— Cred c-ar trebui s-o iau încet, ca să nu ajung gol sub geamul doamnei Scanlan.

— Nu-i nimic rău în asta, spune Mart. S-ar putea întâmpla oricui.

— Voi sunteți obișnuiți cu asta, spune Cal. Dacă încerc să țin pasul cu voi, o să orbesc.

— Nu după băutura mea, spune Malachy, atins în orgoliul profesional.

— Ah, dar termină cu agitația, omule, spune Mart. Nu ești un turist care intră să bea un Guinness cu localnicii înguști la minte și apoi se întoarce la hotel. Acum ești de-al locului. Faci ce facem noi. Să nu-mi spui că n-ai mai făcut lucruri din astea.

— În mare parte, am stricat petreceri, spune Cal. M-am împrietenit cu străini, am cântat. Am mai furat câte un indicator stradal. Nimic extraordinar, la fel ca voi.

— Păi, spune Mart, vârându-i păhărelul în mână, noi nu avem indicatoare și nici străini și ești deja la singura petrecere din zonă, așa că poți cânta.

— Ai de gând să-l cari tu acasă? întreabă Barty, de după bar. La cât e...

— Sigur, asta ziceam și eu. Va fi nevoie de mai mult de unul, ținând cont de cât de mare e. Mai mult de doi, dar începem așa și vedem unde ajungem.

Cal se hotărăște, nu fiindcă a renunța acum i-ar aduce reputația definitivă de fătălău, de turist, sau, cel puțin, nu neapărat. Ce îl ajută sunt ritmurile fără efort ale conversației care se poartă peste masă. Cal simte lipsa companiei bărbaților pe care-i cunoaște de mult. Cei mai buni patru prieteni ai săi s-au numărat printre motivele pentru care a părăsit Chicago. Profunzimea și detaliile în care-l cunoșteau îl făceau să se simtă cumva nesigur, ca și cum trebuia să stea departe. În momentul acela nu putea spune ce ar putea fi, în interiorul lui, dacă ei ar putea vedea înaintea lui. Dar, undeva, în mintea lui, pofta pentru o seară la bar cu ei a crescut treptat, încât abia acum îi remarcă amploarea. S-ar putea să nu-i cunoască pe acești bărbați, dar ei se cunosc între ei și se simte confortabil.

Se resemnează cu probabilitatea că se va trezi într-un șanț, fără pantaloni și cu o capră legată de picior.

— Pân' la fund, zice și dă shotul peste cap.

E mult mai mare decât primul și urmează o explozie de urale.

Parcă netezește totul. Camera începe din nou să se miște și bancheta devine chiar mai instabilă, dar i se pare natural și corect. Cal se bucură. Aproape că râde la cât de aproape a fost să renunțe.

În celălalt colț, cântecul atinge un crescendo, se încheie cu un chiot și se dizolvă în aplauze.

— La marele fix, zice Mart. Care-i melodia ta, băiete?

La asemenea petreceri, melodia lui Cal era mereu „Pancho and Lefty". Începe să cânte. Nu e cântăreț de operă, dar poate urma ritmul și are o voce profundă care ține publicul în suspans și se potrivește unei melodii despre spații deschise. Ultimele aplauze se sting, iar lumea se lasă în scaune și ascultă. Omul cu chitara prinde melodia și o face să plutească peste toți.

Când termină, înainte de aplauze, urmează o clipă de tăcere. E bătut pe spate de mai multe mâini și cineva îi strigă lui Barty să-i mai aducă o halbă. Cal rânjește încântat și brusc puțin speriat de sine.

— Bravo, îi spune Mart la ureche. Ai plămâni, nu glumă.

— Mersi, spune Cal și se întinde după bere.

E puțin rușinat, nu de ce a cântat, ci pentru aprobarea nedisimulată de la masă și plăcerea pe care i-o provoacă.

— Mi-a plăcut.

— Sigur. Ne-a plăcut tuturor. E minunat să ai pe cineva care să mai înviore partitura. Ne ascultăm între noi de-o viață. Avem nevoie de sânge proaspăt.

Tipul care a apărut gol pușcă la geamul doamnei Scanlan începe să cânte, cu voce de tenor.

— „Noaptea trecută visam la zilele frumoase..."

Muzicienii preiau ritmul și câțiva oameni fredonează încetișor. Mart își dă capul pe spate, ascultând, cu ochii pe jumătate închiși.

— Când eram tânăr, nu era seară în cârciumă fără cântec, spune după o vreme. Oare tinerii mai cântă fără să încerce să ajungă la teve?

— Nu știu, spune Cal.

Se întreabă dacă Alyssa și prietenii ei cântă la petreceri. Ai nevoie de cineva cu o chitară care să stârnească lucrurile. Ben e genul de tip care s-ar gândi să învețe să cânte la un instrument, ca să fie frivol.

— A trecut ceva de când eram tânăr.

— Vino-ncoa', băiete, spune Mart. Sigur ai nevoie de cineva să-ți facă instalația electrică, da?

— Ha? spune Cal, clipind.

— Nu-mi pun reputația în joc făcându-l pe unul dintre băieții ăștia să-și ia timp din programul încărcat, ca apoi să te răzgândești, explică Mart. Vrei să rezolvi?

— Normal, spune Cal.

— Atunci, e ca și făcută, zice Mart, bătându-l pe umăr și rânjind. Locky! Domnul Hooper are nevoie de cineva care să-i refacă instalația electrică din bucătărie și vrea o mașină de spălat decentă care să nu-l coste și pielea de pe el. Te poți ocupa?

— Da' sigur, spune un tip îndesat, cu ochi mici și nas de bețiv.

Locky nu i se pare de încredere lui Cal, dar nici nu crede c-ar fi în poziția de a-și exprima îndoiala, chiar dacă ar fi suficient de treaz s-o contureze delicat. Și nu e.

— Câteva zile și vin pe capul tău.

— Bun băiat, zice Mart bucuros, cerând sticla de alcool care a dat un tur de cârciumă și acum revine în mâna lui. Acum, domnule, nu mai ai nevoie să alergi după băieți aroganți prin târg, să te enervezi și să te frustrezi. Locky și cu mine te rezolvăm în maximum două săptămâni.

— Mulțumesc, spune Cal. Apreciez.

Mart îi umple păhărelul de shot și îl ridică pe-al său.

— Nu-i problemă. Trebuie să avem grijă unii de alții pe-aici. N-or s-o facă alții pentru noi, corect?

Ciocnesc și beau. Cal se desprinde iar de cameră, dar de data asta n-a mai fost luat prin surprindere și reușește să se bucure de călătorie. Tipul care a fost gol pușcă sub geam își încheie cântecul și se înclină cu sertiozitate la runda de aplauze, iar din colțul îndepărtat se aude ceva alert și vioi, care începe cu „Orice-ai spune, nu spune nimic".

— Acum, că te-am relaxat, spune Mart mai tare, arătând cu paharul spre Cal, cum merge cu frumoasa Lena?

Asta generează o repriză de râsete și chiote de la ceilalți.

— E o doamnă de treabă, spune Cal.

— Este. Și fiindcă am fost prieten bun cu taică-său, Dumnezeu să-l odihnească, cred c-ar trebui să te întreb ce intenții ai.

— Păi, spune Cal încet, atent, s-ar putea să am intenția să-i iau un cățeluș. Dar nu m-am hotărât.

Mart clatină viguros din cap, agitând un deget spre el.

— Nu, nu, nu. Nu merge așa. Nu poți amăgi o femeie ca Lena Dunne doar ca s-o dezamăgești.

— Am întâlnit-o doar de două ori.

— Ia uite unde era pețitoarea satului, comentează cineva.

— Și, chiar dac-aș fi, spune Mart, pentru unii ca tine nici n-aș avea ce să fac. Îmi place să văd oameni fericiți, atât. Tipul ăsta are nevoie de o femeie.

— N-are sens s-o curteze pe Lena, zice o voce profundă din colțul separeului, dacă se întoarce în Yankestan înainte să se gate iarna.

Urmează o pauză. Fluierul de cositor scoate o notă ascuțită.

— Nu pleacă nicăieri, spune Mart ceva mai tare, privind în jurul mesei, ca să se asigure că-l aud toți. Omul e un vecin de treabă și plănuiesc să mă țin de el.

Adaugă, rânjind spre Cal:

— Sigur, niciunul dintre retardații ăștia nu se obosește să-mi aducă biscuiții ăia.

— Dacă nu-l vrea Lena, spune altcineva, îl putem combina cu Belinda.

Urmează o explozie de râs. Cal nu-l pricepe. E batjocoritor, dar pe aici batjocura e precum ploaia: în mare parte, e prezentă sau stă să se întâmple și poate fi sub mai multe forme, de la calmă la sălbatică, iar diferențele sunt atât de subtile, că ar dura ani să le înțeleagă pe toate.

— Cine e Belinda? întreabă.

— A adus-o vântul, ca pe tine, zice Senan, rânjind. Îți plac roșcatele?

— N-aș spune că e și între picioare, comentează cineva.

— De unde-ai ști tu una ca asta? N-ai fost lângă o femeie de când era Elvis numărul unu în topuri.

— Nu e și părerea soră-tii.

— Soră-mea te-ar face ghem și te-ar folosi să șteargă pe jos.

— Belinda e englezoaică, îi spune Mart lui Cal. Are o cabană mititică, sus, lângă Knockfarraney, și e aici de vreo douăzeci de ani. Nebună de legat. Numai șaluri mari și mov și bijuterii cu rahaturi celtice. A venit aici fiindcă a crezut că are o șansă de a întâlni poporul zânelor.

— Și l-a întâlnit? întreabă Cal.

Camera își realiniază unghiurile ori de câte ori clipește, dar nu mai e așa grav.

— Spune că-i vede pe toți aceia când e lună plină, spune Mart, rânjind. Pe câmpii sau în păduri. Face tablouri cu ei și le vinde în magazinele pentru turiști din Galway.

— I-am văzut tablourile, spune cineva. Bine dotate zânele astea. Ar trebui să petrec mai mult timp pe câmpuri.

— Du-te. Poate o întâlnești pe Belinda.

— Dansând într-un cerc al zânelor, în pielea goală.

— Îi spui că ești regele zânelor.

— Belinda e în regulă, spune Mart. O fi ea englezoaică și o fi dusă cu pluta, dar nu face niciun rău. Nu e ca Lord Muck.

Râd cu toții. Batjocura e limpede acum, clară și sălbatică – o agresiune.

— Cine e Lord Muck? întreabă Cal.

— Nu-ți face griji, spune Senan, întinzându-se după halbă și rânjind. S-a dus.

— Un venetic, spune Mart. Englezoi. A venit aici pentru liniște, să poată scrie un roman despre un geniu care călărește tinerele, fiindcă nevastă-sa nu-i apreciază poemele.

— Eu aș citi cartea, spune cineva.

— N-ai citit nimic în viața ta.

— De unde știi?

— Ce ai citit? Shakespeare, ha?

— L-am citit.

— Dacă era cu poze.

Mart îi ignoră.

— Acum vreo opt ani s-a mutat aici.

— Gata să ne civilizeze, pe noi ăștia sălbatici, completează Senan.

— Nu, nu, spune Mart, corect. A fost bine la început. Maniere minunate, mereu „Scuzați-mă, domnule Lavin“ și „Pot să vă deranjez, domnule Lavin?“

Senan pufnește.

— Nu râde. Nu ți-ar strica nici ție niște maniere.

— Vrei să-ți zic „domnule Lavin“?

— De ce nu? Ar mai aduce niște eleganță în locul ăsta bătrân. Dacă vrei, poți să-mi faci o plecăciune de pe tractor, când treci.

— În cur o s-o fac.

— S-a dus totul dracului când Lord Muck a aflat despre momirea bursucilor. Știi ce e aia?

— Nu prea, răspunde Cal.

Prima explozie violentă a băuturii se stinge, dar încă i se pare mai isteț să spună doar propoziții scurte.

— E ilegală, spune Mart, dar văcarilor nu le plac bursucii. Molipsesc vitele cu tuberculoză. Guvernul îi mai rărește, dar unii preferă să ia treaba în propriile mâini. Trimit câțiva terieri să găsească bursucul și-l scot din bârlog. Îl împușcă sau lasă câinii să-l ucidă, după cum au chef.

— Câțiva băieți făceau planuri într-o seară, aici, spune Senan. Și Lord Muck i-a auzit.

— Nu i-a plăcut defel, spune altcineva. I s-a părut cumplit.

— Omorau niște biete creaturi.

— Înjositor.

— Barbar.

Bărbații râd din nou. De data asta, cu un iz întunecat.

— Englezii sunt nebuni de legat, îi spune Mart lui Cal. Au mai multă compasiune pentru animale decât pentru orice ființă umană. În țara ăluia, copiii mor de foame, armata lui bombardează civili în Orientul Mijlociu, iar el s-a gândit la bursuc și i-au dat lacrimile. Abia ce băuse a doua halbă.

— Fătălău nenorocit, face Senan.

— Nu-mi place nici mie ideea asta cu momirea bursucilor, spune Mart. Am făcut-o o dată, când eram tânăr, și de atunci nu mai vreau. Dar eu nu am vite. Dacă ți-e teamă că bursucii îți vor ceea ce-ți aduce pâine pe masă, cine sunt eu să-ți spun să stai cuminte și să speri că trece? Și dacă nu e treaba mea, nu e nici treaba unui venetic care n-a călcat în viața lui la fermă, decât ca să scrie vreun poem despre ea.

— Păcat că Lord Muck n-a văzut lucrurile așa, spune Senan.

— Deloc. Lord Muck a apărut într-o noapte cu o lanternă mare într-o mână și o cameră video în cealaltă.

— Urla și țipa ca din gură de șarpe despre cum o să ducă el filmările la Gardaí și la televiziuni, spune altcineva.

— Voia s-arunce tot ținutul la închisoare. Să oprească „operațiunea teribil de sângeroasă".

— N-a dus filmările nici într-o parte, nici în alta, sărmanul, spune Malachy. Cumva, camera de filmat n-a supraviețuit acelei nopți.

— Ah, a spart-o singur, spune cineva. Se arunca de colo-colo ca un nebun.

— Încerca să alunge lumea lovind cu lanterna în toate direcțiile.

— Și-a spart nasul cu ea.

— Și-a învinețit ochii.

— Unul dintre câini s-a năpustit la el și nenorocitul l-a lovit în coaste. Halal iubitor de animale.

— L-a împușcat pe John Joe în braț, spune Bobby.

— Ce tot spui? întreabă Senan. Cu ce era să-l împuște?

— Cu un pistol. Cu ce împușcă...

— Cum era să țină un pistol? Avea lanterna într-o mână și camera în cealaltă...

— De unde să știu eu cum îl ținea?

— Doar nu era o nenorocită de caracatiță.

— Poate ținea lanterna în dinți.

— Atunci, cum a urlat la ei?

Bobby spune, încăpățânat:

— Știu că John Joe mi-a arătat rana.

— Omul tău l-a lovit pe John Joe cu lanterna, atât. Dacă John Joe ți-a arătat o rană de glonț, și-a făcut-o singur. Ăla nu deosebește capătul unei puști de...

Începe o ceartă care implică toate părțile și Cal îl privește pe Mart, care-i zâmbește.

— Nu asculta ce zic idioții ăștia de Belinda, îi spune Mart. Femeia ți-ar face capul calendar. Ar vrea să ieși să dansezi în cercurile zânelor, când e lună plină, și nu ești făcut pentru asta. Rămâi la Lena.

Cal încă nu apreciază corect distanțele. I se pare că fața lui Mart e foarte aproape de a lui și că se topește.

— Deci, spune Cal, Lord Muck nu mai locuiește în zonă.

— Cred că s-a întors în Anglia, spune Mart. Ar fi mai fericit acolo. Mă întreb dacă a scris romanul ăla.

— Ce le faceți bursucilor nu mă privește, spune Cal.

— Eu nu le fac nimic, îi amintește Mart. Sigur c-am zis asta deja. Nu cred în rănirea niciunei creaturi, dacă nu e nevoie.

Cal ar vrea să poată gândi mai limpede. Ia o gură de bere, sperând să-și dilueze alcoolul pur din sânge.

— Știi ce ai făcut bine când te-ai mutat aici? întreabă Mart, cu un deget osos îndreptat spre el. Ai cerut sfaturi. M-ai întrebat mereu de unde să cumperi pentru construcții și ce să faci cu fosa septică. Mi-ai făcut o impresie bună. Numai un om deștept își dă seama când are nevoie de sfaturi de la cineva care știe cum stau lucrurile. *Tipul n-o să sfârșească la fel ca Lord Muck*, mi-am zis. *Se descurcă.*

Îl privește cu reproș pe Cal, prin fumul care a îngroșat aerul.

— Apoi te-ai oprit. Ce s-a întâmplat, băiete? Te-am indus în eroare cumva și nu mi-ai zis?

— Nu, din câte știu. Ai făcut-o?

— Nu. De ce nu-mi mai ceri sfatul? Nu crezi că mai ai nevoie? Acum știi mersul lucrurilor și te descurci singur?

— OK. Dă-mi niște sfaturi.

— Așa e mai bine.

Se așază mai bine pe banchetă și privește petele de umezeală de pe tavan. Se aude o melodie veche, care te bântuie, și fluierul de cositor țese o formă străină lui Cal, cu scripca zumzăind scăzut pe fundal.

— După ce a murit frate-meu, spune Mart, am fost dezorientat. Eram singur în nopțile întunecoase de iarnă, fără să am cu cine vorbi. Nu eram în largul meu, mă agitam. Nu-mi făcea deloc bine. Așa că m-am dus la o librărie din Galway și le-am zis să-mi comande o grămadă de cărți despre geologie. Le-am citit din scoarță în scoarță. Pot să-ți zic tot ce vrei să știi despre geologia locului.

Arată spre ferestruica îmbrăcată în beznă.

— Știai că munții ăia, unde te-ai dus să te fâțâi acum câteva zile, sunt făcuți din calcar roșu? Acum patru sute de milioane de ani, s-au așezat, când pământul era chiar mai jos de Ecuator. Nu era nimic verde aici, pe vremea aceea, căci totul era deșert roșiatic și mai nimic nu trăia în zonă. Dar a venit ploaia, în torente. Dacă urci în munți și sapi nițel, vei găsi straturi de pietricele și nisip și noroi, iar asta-ți spune că în deșertul ăla au fost inundații rapide. La câteva milioane de ani după aceea, niște continente s-au lovit între ele și au boțit munții ca pe niște bucăți de hârtie. De aceea unele stânci sunt verticale. Un vulcan a scuipat pietre în aer și lava a curs în pantă.

Se întinde după halbă, zâmbind spre Cal.

— Când te-ai dus să te plimbi pe acolo, asta ai făcut, spune el. Să știu lucrul ăsta mă liniștește. Lucrurile pe care le facem în munții aceia, plimbarea ta și rachiul lui Malachy și restul, nu contează. Nu mai mult decât niște gâze.

Ridică halba spre Cal și bea prelung.

— Asta am făcut când am avut mintea agitată, spune, ștergându-și spuma de la gură.

— Nu știu dacă geologia e stilul meu.

— Nu trebuie să fie geologie. Poate fi ce vrei tu. Astronomie. Ai tot cerul la dispoziție, acum, că ești departe de luminile orașului. Ia-ți un telescop și câteva hărți și ești pregătit. Sau poate niște latină. Îmi pari genul de om care nu și-a dus educația la capăt. Aici avem o tradiție să ne educăm singuri, dacă nu ne oferă nimeni asta pe tavă. Fiindcă ești aici, ai putea să te alături.

— E ca ideea de a-i cumpăra lui Bobby un acordeon? întreabă Cal. Să mă țină ocupat, să nu fac nebunii?

— Eu doar am grijă de tine.

Ironia i-a dispărut din voce și îl privește în ochi pe Cal.

— Ești un om bun și vreau să te știu fericit aici. Meriți.

Îl bate pe Cal pe umăr, cu chipul despicat într-un rânjet.

— Și dac-o iei razna cu extratereștrii, ca Bobby, tot eu va trebui să te ascult. Ia-ți telescop. Du-te și ia-mi și o bere, în schimbul sfaturilor bune.

Când se întoarce, mergând foarte atent, cu halba lui Mart și cu a lui în mâini, conversația s-a sfârșit. Mart se ceartă cu câțiva în legătură cu două emisiuni TV despre care Cal n-a auzit în viața lui și se întrerupe doar să-i facă cu ochiul în timp ce-și ia halba.

Noaptea continuă. Cearta despre emisiuni TV se încinge suficient cât Cal să se vadă nevoit să țină o mână pe masă, în caz că încearcă să o răstoarnă cineva. Dar toate ocările se risipesc într-o explozie de insulte și râsete. Deirdre cântă „Crazy“ cu o voce de tânguitoare, cu capul dat pe spate și ochii închiși. Colțul muzical se avântă într-o melodie voioasă, care face oamenii să bată din picior și să lovească în masă ținând ritmul.

— Știi ce am crezut când ai venit? strigă Bobby, peste muzică, mai tare decât ar fi necesar.

Are părul ciufulit și nu se poate concentra la fața lui Cal.

— Am crezut că ești un predicator american și c-o să ne ieși în cale strigând despre Judecata de Apoi.

— Eu, nu, spune Senan. Am crezut că ești vreun rahat de hipster și c-o să-i ceri avocado lui Noreen.

— Barba a fost de vină, îl lămurește Mart. Nu prea avem bărboși prin zonă și trebuia explicată.

— Ăsta a crezut că ești fugar, spune cineva, dând un ghiont vecinului.

— Sunt doar leneș. Am lăsat-o mai moale cu bărbieritul și s-a întâmplat.

— Dacă vrei, te ajutăm, spune tipul cu voce profundă din colț.

— M-am obișnuit. Cred c-o mai păstrez o vreme.

— Lena are dreptul să vadă ce-i sub ea, înainte să se vâre în vreo poveste.

— Sigur ești superb.

— Noreen vinde aparate de ras.

— Barty! Dă-ne cheia!

Rânjesc cu toții la Cal, cu paharele pe masă. Melodia începe să pulseze.

Cal îi măsoară din priviri, pentru orice eventualitate. Tipul cu voce profundă îi atrage cel mai mult atenția. El și Senan îi pot face probleme. La fel și Malachy. Dacă se poate ocupa de ei, restul vor da înapoi. Se pregătește cum poate.

— Terminați, le zice Mart, cu un braț în jurul umerilor lui Cal. V-am mai zis eu că tipul e pâinea lui Dumnezeu. N-am avut dreptate? Dacă vrea să semene cu Chewbacca[1], n-are decât.

Pentru o clipă, cei din separeu tac, gata să se încline în orice direcție. Apoi Senan se zguduie de râs și restul i se alătură, de parcă ar fi glumit de la început.

— Ce față a făcut, spune cineva. Credea c-o să-l tundem ca pe oi.

— Ia uitați-l cum voia să ne bată pe toți, strigă altcineva.

---

[1] Personaj din *Războiul stelelor* (n. red.).

Se așază mai bine, în timp ce toți râd cu ochii la Cal, și cineva îi strigă lui Barty să-i mai aducă nebunului o halbă. Cal îi privește și el și râde, lung și copios, la fel ca ei. Se întreabă care dintre ei e cel mai probabil să-și petreacă nopțile în câmp, cu o oaie și un cuțit ascuțit.

Senan cântă ceva în irlandeză, probabil ceva de dor și jale, cu un tremur la final, cu capul dat pe spate și ochii închiși. Tipul cu voce profundă, Francie pe numele lui, se apropie ca să se prezinte. Se lansează într-o poveste despre cum marea iubire a lui l-a părăsit fiindcă a trebuit să aibă grijă de mama lui, în cei doisprezece ani în care i-a fost din ce în ce mai rău. O poveste suficient de sfâșietoare să-l facă pe Cal să-i cumpere lui Francie o bere și să aibă amândoi nevoie de câte un shot. Deirdre dispare, la un moment dat, la fel și tipul gol pușcă de la geam. Cineva pornește peștele de cauciuc din spatele barului, când nu e Barty atent, și toți cântă „I Will Survive" pe o singură voce, cât pot de tare.

Când oamenii încep să plece, Cal e destul de beat încât să accepte să-l ducă Mart acasă. Destul de amețit, se gândește că nu ar fi politicos să refuze, mai ales că încă are barbă datorită lui.

Mart cântă tot drumul, cu o voce de tenor spartă, surprinzător de tare, cântece despre fete care-s cele mai frumoase din oraș, deși nu știe toate versurile. Aerul rece pătrunde prin geamurile deschise, iar norii se dau la o parte, așa că se văd stele și întuneric, pătrunzând amețitor prin parbriz. Mașina se zgâlțâie la fiecare groapă sub roți. Cal se gândește că există posibilitatea să nu ajungă acasă, dar se alătură la refren.

— Așa, spune Mart, oprindu-se cu o smucire lângă poarta lui Cal. Cum ți-e stomacul?

— E binișor, zice Cal, chinuindu-se cu clapeta centurii.

Telefonul îi vibrează în buzunar. Îi ia o clipă să-și dea seama cine e. Pare să fie Alyssa, care i-a scris pe WhatsApp: „Scuze că ți-am ratat apelul, ne auzim mai târziu!" Lasă telefonul unde e.

— Sigur. Bun băiat.

Părul încărunțit al lui Mart s-a ciufulit într-o parte. Pare cuprins de fericire.

— Barty a părut bucuros să scape de noi, spune Cal.

Când s-a uitat ultima dată la ceas, era ora trei.

— Barty, spune Mart, cu dispreț. Să știi că de fapt cârciuma nu-i a lui. A pus mâna pe ea numai fiindcă fiul lui Seán Óg s-a vrut într-un birou cu ștaif. Nu ne suportă tot timpul.

— Să-i fi dat lui Malachy niște bani? întreabă Cal. Pentru... – nu găsește cuvântul potrivit – tărie?

— M-am ocupat io, să știi, îi spune Mart. Îmi dai tu altă dată. O să ai destule momente opto... opotur...

Flutură din mână și-o lasă așa.

— Ups, spune Cal, clătinându-se afară din mașină. Mersi că m-ai adus. Și pentru invitație.

— A fost o noapte pe cinste, băiete, spune Mart, aplecându-se peste geamul pasagerului. N-o s-o uiți.

— Nu-s sigur c-o să-mi amintesc ceva, și asta-l face pe Mart să râdă.

— Vei fi bine. Dormi, atâta ai nevoie.

— Așa vreau să fac. Să dormi și tu.

— O să dorm.

Rânjește larg.

— Voiam să preiau cartul de la P. J. la jumatea nopții, știi? Ar fi trebuit să știu că nu e cazul. N-a fost niciodată. Dar eu am fost mereu optimist.

Îi face din mână și pornește pe drumul luminat de farurile care se leagănă în mișcare.

Cal nu intră încă în casă. Stă întins pe iarbă și privește stelele, dese ca niște păpădii. Se gândește la telescopul pe care i l-a sugerat Mart, dar nu crede că i s-ar potrivi. Nu simte nicio dorință să înțeleagă mai bine stelele. E mulțumit de ele așa cum sunt. A fost mereu o trăsătură a sa, mai bună sau mai rea, să prefere să-și ancoreze mintea de lucruri pe care le poate schimba.

După o vreme, își revine cât să simtă pietrele care-i împung spatele și frigul strecurându-i-se în oase. Își dă seama, treptat, că n-ar fi o idee bună să stea întins acolo, cât ceva sau cineva încă mai taie beregate de oaie.

I se învârte capul când se ridică și trebuie să se sprijine cu mâinile pe coapse, o vreme, până se oprește. Apoi străbate către casă peluza care i se pare foarte mare și foarte pustie. Nu-i nicio mișcare pe câmpuri și nu se aude niciun sunet printre tufe și crengi. Noaptea a ajuns în cel mai adânc punct, la granița dezolantă cu zorile. Pâlcul lui de pădure e o pată intensă sub stele, tăcută, nemișcată. Casa lui Mart n-are nicio lumină.

12

Cal se trezește târziu. Soarele își face loc prin fereastra dormitorului. Îl doare puțin capul și pare să fi fost umplut cu puf de mochetă lipicios, însă, în afară de asta, e într-o formă surprinzător de bună. Își vâră capul sub apa rece de la robinet, ceea ce-l ajută puțin și își face ouă prăjite cu cârnați. Ia câteva analgezice și bea multă cafea la prânz. Apoi își aruncă sacul cu rufe murdare în portbagaj și se îndreaptă spre oraș.

Ziua e amăgitor de luminoasă, căci la umbră este foarte frig și o adiere blândă flirtează cu el, doar ca să devină tăioasă. Mașina se clatină ritmic peste gropi, iar umbrele norilor mici alunecă peste munții maronii.

Cal știe că noaptea anterioară a primit un avertisment. A fost atât de subtil, încât nu e sigur de ce a fost avertizat să nu se apropie. N-are idee dacă Ardnakelty și-a dat seama că el cercetează dispariția lui Brendan Reddy și vrea să-l facă să renunțe sau dacă doar a pus prea multe întrebări pentru un străin și are nevoie de instruire în obiceiurile locului.

O parte interesantă este unde și când a fost dat avertismentul. Mart ar fi putut să-i ofere câteva indicii rapide, între patru ochi, peste poartă. Dar a păstrat momentul pentru petrecere. Ori a vrut să audă Cal mesajul de la mai mulți oameni deodată, ca să priceapă, ori să se asigure că află toată lumea că el a fost avertizat. Cal crede că a doua variantă e cea corectă și că a fost așa pentru a-l proteja.

E nesigur de circumstanțele care ar putea face asta necesar. Este obișnuit să fie în beznă la început de investigație, așa că i-a luat o vreme să-și dea seama că acum este cu totul altfel. N-are idee nici despre ce știu și despre ce cred oamenii din jur, nici despre ce vor, de ce vor sau cum pot încerca să dobândească ce vor. Zecile de ani în care a devenit familiar cu toate acestea, care păreau o sursă de liniște la începutul nopții trecute, se țes într-un hățiș impenetrabil. Straturile sale ascund fiecare acțiune și fiecare motivație, până ce devin indescifrabile pentru cineva din exterior. Înțelege că efectul este, cel puțin parțial, deliberat și exersat. Oamenii doresc să-l știe legat la ochi. Nimic personal. Doar că să-l țină așa este o precauție firească și necesară.

Cal e conștient că pare genul de tip placid, care ar ține seama de avertisment. Aparența i-a fost de folos nu doar o dată. Ar dori să-i fie de folos și aici: să lase oamenii să se relaxeze, crezând că s-a întors la treaba lui și la zugrăvirea casei. Doar că nu-și permite. Când lucra, ar fi putut rămâne departe de cunoscuții lui Brendan, concentrându-se pe lucrurile de culise, o vreme: apela la tehnicieni, căuta telefonul lui Brendan și urmărea locurile în care fusese, parcurgându-i e-mailurile, verifica dacă se folosise cardul lui bancar, trecea cunoștințele băiatului prin sistem și vorbea la Narcotice despre băieții care se ocupau de droguri în Dublin. Ar fi putut să se consulte cu O'Leary, partenerul lui, un cinic cu un aer înșelător de lene și un simț ascuțit al ridicolului, și l-ar fi putut trimite pe teren, în locul lui.

Aici, artileria și aliații îi lipsesc. Nu există culise în care să se ascundă. E lipsit de mijloace și singur, în câmp deschis.

Planul original pentru azi fusese să dea de Donie McGrath, dar s-a răzgândit. Donie probabil va fi dificil de interogat și pe Cal îl doare capul. Mai important de-atât e că nu știe precis ce se petrece. Dacă oamenii îl avertizează să stea departe de Brendan, tot ce știu până acum e că încearcă să afle unde a fugit un puști fie ca să-i calmeze mama îngrijorată, fie din pură curiozitate. Dar Cal știe că-l vor urmări. Dacă vorbește cu Donie sau cu altcineva care are legătură cu băieții cu droguri din Dublin, vor ști la ce se gândește. Cal nu dorește să facă pasul până nu e pregătit.

Are un lucru pe listă care nu-i va dezvălui intențiile și care poate fi făcut doar în weekend. Își duce hainele la spălătorie în oraș și se îndreaptă spre magazinul de suveniruri.

Caroline Horan e încă prietenă pe Facebook cu Brendan, ceea ce-l face pe Cal să decidă că despărțirea n-a fost chiar de rahat. Poza ei de profil o arată pe plajă, împreună cu alte două fete, râzând în bătaia brizei. Caroline are bucle șatene, ciufulite, și o față rotundă, pistruiată, cu un zâmbet cu vino-ncoa'. „Studiază la Institutul Tehnologic din Athlone", spune profilul ei, adică, dacă încă lucrează la magazin, probabil că are ture doar în weekend.

Când deschide ușa, în sunet de clopoței, iat-o, reorganizând un stand cu plăcuțe cu nume decorate cu spiriduși. E mai scundă decât se aștepta Cal și are o siluetă plăcută, mai plinuță. Are buclele strânse în coadă și e puțin machiată, cât să pară îngrijită, dar naturală.

— Bună, spune Cal, privind în jur, uluit de cantitatea de lucruri.

E un loc mic și plin de obiecte verzi, obiecte de lână și obiecte de marmură. Majoritatea au fie trifoi, fie simboluri celtice. În fundal, un tip cântă o baladă melancolică, despre care Cal poate spune că n-are nimic în comun cu cântecele de la cârciuma din sat.

— Salut, spune Caroline, întorcându-se cu un zâmbet. Vă pot ajuta?

— Caut un cadou pentru nepoata mea din Chicago, spune Cal. Va împlini șase ani. Ai niște recomandări?

— Sigur, spune ea, voioasă.

Se duce în spatele tejghelei, luând lucruri de pe rafturi: o păpușă-zână verde, un tricou cu trifoi, un colier de argint într-o cutiuță verde, o oaie de jucărie pufoasă, cu fața neagră.

— Dacă-i plac zânele, va adora asta. Dacă e sportivă, poate un tricou și o șapcă?

Cal se sprijină de tejghea, la o distanță respectuoasă, și încuviințează. Caroline nu și-a lustruit accentul, pentru facultate, așa cum a făcut Eugene. E aproape la fel de puternic ca al lui Trey. Cal, care după aproape treizeci de ani în Chicago încă vorbește ca un băiat din Carolina de Nord, aprobă. Îi plac răspunsurile ei rapide și eficiența mișcărilor. Brendan și-a dorit deci încredere și competență. Dacă fata asta l-a vrut, nici el nu e prost.

— Sau nu puteți da greș cu un lănțișor *claddagh*. Este simbolul tradițional irlandez pentru iubire, prietenie și loialitate.

— Asta mi se pare simpatică, spune Cal, luând oaia.

Alyssei îi plăceau creaturile mici și moi. Camera ei era plină de ele. Avea peste tot jucării organizate cu grijă, să pară că poartă conversații sau se joacă. Lua câteva și le făcea să vorbească între ele, în timp ce Alyssa chicotea copios. Era un raton care se strecura și le gâdila pe celelalte, apoi fugea.

— Sunt locale, îi spune Caroline. O doamnă din Carrickmore le face de mână, cu lână de la oile fratelui ei.

Cal ridică privirea spre ea.

— Am senzația că locuiești în zona mea, spune el. Te-am văzut cumva ajutând-o pe Noreen la magazinul din Ardnakelty?

Caroline zâmbește.

— Probabil. E greu s-o refuzi pe Noreen.

— Mie-mi zici? spune el, rânjind și întinzându-i mâna. Cal Hooper. Americanul care a cumpărat casa O'Shea.

Numele lui nu stârnește nicio reacție. Strângerea ei de mână e parcă a unei persoane mai în vârstă, e mai profesională.

— Caroline Horan.

— OK, să vedem dacă m-a învățat ceva Noreen. Dacă ești Caroline, tu ești cea care și-a rupt încheietura căzând de pe scara ei, în timp ce încerca să fure niște decorațiuni pentru prăjituri. Am nimerit?

Caroline râde.

— Doamne, aveam *șase* ani. Nu voi trece niciodată peste asta. Și nici măcar n-am dobândit decorațiunile.

— Nu-ți face griji, spune Cal și rânjește și el. Tot ce mai știu e că ai ieșit cu Brendan Reddy, tipul care nu e disponibil să-mi refacă instalația electrică fiindcă a plecat, și că ești la facultate. Ce studiezi?

Numele lui Brendan o face pe Caroline să clipească altfel.

— Management hotelier, spune ea, întorcându-se să mai ia niște oi de pe raft. Poți pleca oriunde așa, știți?

— Vrei să călătorești?

Ea zâmbește peste umăr.

— Doamne, da. Cu cât mai mult, cu atât mai bine. Și așa pot să fiu și plătită s-o fac.

Cal se gândește că marea greșeală a lui Brendan, sau una dintre ele, a fost să facă ce-o fi făcut de l-a părăsit Caroline. Fata asta are scânteia unei femei care va ajunge departe. I-ar fi dus pe amândoi cât putea visa Brendan, și mai departe.

— Acum, zice ea, aliniind pe tejghea încă șase oi de culori diferite. Alegeți. Mie-mi place expresia ăsteia.

— Arată mai de prin partea locului, spune Cal, privind ochii albi ai oii. Parc-ar aștepta să atace.

Caroline râde.

— Are personalitate.

— Dacă nepoată-mea va avea coșmaruri, va veni sor-mea aici să mă bată.

— Ce spuneți de asta?

Ia una crem, cu capul negru.

— Ce față are! N-ar face rău nici unei muște.

— E speriată de cea nebună. Uite!

Cal pune oaia timidă în spatele celorlalte, iar cea de-a locului le privește amenințător.

— Își scutură copitele.

Caroline râde iar.

— Trebuie s-o salvați. Oferiți-i un nou cămin și va fi bine.

— OK. Așa voi face. Să zic că am făcut și eu o faptă bună pe ziua de azi.

— Îi puteți zice nepoatei c-ați salvat oaia, spune Caroline.

Începe să pună oile celelalte înapoi pe raft.

— Știi ce, spune Cal, răsucind șapca verde în mâini, nu vreau să mă amestec, dar vorbeam ieri cu mama lui Brendan Reddy și e foarte îngrijorată. Dacă ai vreo veste de la el, poate-ți faci timp un minut să-i spui și ei.

Caroline îl privește doar o secundă.

— Nu am nicio veste.

— Nu trebuie să-mi spui mie, ci ei.

— Da, știu. Dar nu am vești.

— Chiar dacă a pomenit doar încotro se duce. Ea nu se descurcă deloc bine. Ar ajuta orice.

Caroline clatină din cap.

— Nu mi-a zis niciodată nimic. Nici n-avea de ce. După ce ne-am despărțit, nu am păstrat legătura.

Durerea din vocea ei nu e complet vindecată. Orice-ar fi fost între ei, îl plăcea mult pe Brendan.

— Nu i-a picat bine? întreabă Cal.

— Într-un fel.

— Și tu îți faci griji pentru el?

Caroline revine la tejghea. Mângâie oaia pe bot.

— Mi-ar plăcea să știu unde e, da.

— Bănuiești unde ar putea fi?

Caroline ia o buclă de puf verde de pe spatele oii.

— Brendan are idei și se lasă dus de ele. Uită să-i ia în considerare și pe ceilalți oameni.

— Cum așa?

— Păi, uitați, ne place mult cântărețul ăla, Hozier, da? Cânta la Dublin, în decembrie. Așa că Brendan a muncit pe unde a putut ca să pună deoparte banii de autobuz și de pensiune. Cadou de Crăciun. Ar fi fost fantastic, dar a luat biletele pentru seara de dinainte de ultimul meu examen.

— Pfff...

— Da. N-a făcut-o intenționat. Doar c-a uitat să mă întrebe. Când am zis că nu pot să merg, a fost șocat. Chiar furios. Gen, îți pasă doar de facultate, crezi că nu merit fiindcă nu am viitor... Și nu gândeam deloc asta, dar... na.

— Dar un tip sensibil e mai greu să înțeleagă lucrurile astea.

— Da. Practic, de aceea ne-am despărțit.

— Deci crezi c-a plecat după vreo idee importantă și a uitat că maică-sa își va face griji?

Caroline îl privește, apoi ochii îi alunecă iar.

— Poate.

— Sau...?

— Să vă ambalez oaia pentru cadou?

— Ar fi grozav. Nu mă pricep.

— Sigur, spune Caroline, scoțând niște hârtie verde de sub tejghea. La șase ani n-o să-i pese, dar surorii dumneavoastră, poate. Să facem lucrurile cum trebuie.

Cal încearcă să rotească șapca într-un deget, ascultă cântărețul tânguindu-se despre dorul de casă și se uită la Caroline, care înfășoară oaia în hârtie creponată, în straturi în nuanțe diferite de verde. Cu Eugene a făcut pe prostul, fiindcă așa vrea Eugene să fie oamenii. Caroline vrea ca ei să fie deștepți și eficienți.

— Domnișoară Caroline, spune el, o să-ți pun câteva întrebări, fiindcă sunt de părere că ești șansa mea să primesc răspunsuri bune.

Caroline se oprește și ridică privirea spre el.

— Despre?

— Brendan Reddy.

— De ce?

Se privesc lung. Cal știe c-a avut noroc să ajungă până aici fără să-i pună nimeni întrebarea.

— Poate că-s curios sau neliniștit. Ori poate ambele. Atâta pot să-ți promit: nu vreau să-i fac rău, doar să aflu unde e.

Caroline încuviințează. Îl crede.

— N-am nimic de zis.

— Vrei să știi unde s-a dus. Ai de gând să întrebi și tu?

Caroline clatină din cap. Gestul brusc îl face pe Cal să priceapă că se teme.

— Atunci, eu sunt cea mai bună șansă.

— Dacă aflați, îmi spuneți.

— Nu pot să-ți promit.

Acum un minut i-ar fi promis, dar gestul ei l-a făcut precaut. Nu pare genul care să se sperie ușor.

— Dar, dacă-l găsesc, îi zic să te sune. E mai bine decât nimic.

După o clipă spune fără nicio expresie pe chip:

— OK. Ziceți.

— Ce era în mintea lui Brendan?

— Adică?

— Era deprimat?

— Nu cred.

Răspunsul vine atât de repede, încât Cal știe că ea s-a mai gândit la asta.

— Nu era fericit, dar asta e altceva. Nu era ceva ce-l apăsa, ci... îl frustra. Practic, e un optimist. Se gândea mereu că o s-apară ceva.

— Îmi pare rău pentru că întreb direct, dar ai idee dacă s-ar fi putut sinucide?

— N-am, răspunde Caroline imediat. Știu că nu poți spune despre cineva că e genul care s-ar sinucide, iar oamenii se pot simți mult mai rău decât lasă să se vadă, dar Brendan se gândește mereu că va găsi o cale, că va fi bine, într-un fel sau altul. Nu pare să se gândească la sinucidere.

— Nici nu mi-aş fi imaginat.

Tinde să fie de acord cu Caroline, deși îi împărtășește și reținerea.

— Ți s-a părut vreodată rupt de realitate? A zis lucruri care n-aveau sens?

— Cum ar fi schizofrenia sau tulburarea bipolară.

— Sau ceva similar.

Caroline se gândește puțin, cu mâinile pe hârtia de împachetat. Apoi clatină din cap.

— Nu, spune ea, cu fermitate. Uneori devine nerealist, ca atunci, cu biletele și examenul meu. Zicea „Va fi bine, înveți înainte și luăm autobuzul devreme, a doua zi", dar nu e ca și cum ar fi rupt de realitate.

— Așa e.

Caroline folosește timpul prezent. La fel ca Fergal și Eugene, crede că Brendan trăiește. Cal nu se bazează prea mult pe asta. Pentru ei, ideea ca cineva de vârsta lor să moară pare imposibilă. Speră să rămână așa încă o vreme.

— Atitudinea aceea nerealistă i-a determinat pe unii să-i devină dușmani?

Ochii lui Caroline se măresc, pentru o secundă, dar vocea îi rămâne fermă.

— Nu cum ați crede. Poate că-i irită pe câte unii, uneori. Dar ne știm cu toții între noi de-o viață. Toată lumea știe cum e el. N-a fost mare lucru niciodată.

— Știu cum e. E un tip de încredere? Dacă spune că va face ceva pentru tine sau îți va aduce ceva, te aștepți s-o facă ori să uite?

— S-ar ține de cuvânt. E chestie de orgoliu pentru el. Tatăl lui s-a purtat îngrozitor: făcea promisiuni și uita de ele. Brendan detesta asta. Nu voia să fie ca el.

— Oamenii pot ierta pe cineva fiindcă e nerealist, dacă e de încredere.

Cal pune șapca la loc și o ajustează.

— Cred că asta înseamnă că n-ar fi plecat dacă credea că ești gravidă.

Pune pariu că fata înțelege și nu se supără. Zice relaxată:

— În niciun caz. Ar fi făcut totul ca să fie tăticul perfect. Dar n-avea niciun motiv să creadă asta. N-a tras vreo sperietură sau ceva pe subiectul ăsta.

— Ai zis că o ducea prost cu banii și că-și făcea griji că tu credeai că n-are viitor. Avea planuri să rezolve asta?

Caroline expiră și zâmbește vag.

— Așa cred, da. Când ne-am despărțit, a zis că o să-mi arate unde ajunge.

— A zis și cum?

Clatină din cap.

— Poate implicându-se în ceva ce n-ar fi trebuit?

— Cum ar fi? întreabă Caroline cu o voce ascuțită.

— Ceva ilegal. Furt, droguri.

— N-a făcut asta niciodată. Nu cât am fost împreună.

— Cum a făcut rost de bani pentru bilete?

— Unchiul unuia dintre prietenii noștri mută mobilă, așa că Brendan s-a angajat să-l ajute câteva zile. Și a dat și ore.

Cal o privește fără să priceapă.

— A meditat elevi din școala noastră la chimie și tehnologie. Sunt materiile lui preferate.

Cal ar fi verificat totul, când lucra. Acum are doar instinctul, care-i spune că ea vrea să spună lucruri frumoase despre Brendan, dar că nu e proastă.

— Inteligent, zice el. Dar nu se îmbogățea așa.

— Nu, însă înțelegeți că n-a făcut nimic dubios.

— Dar nici nu-mi spui că n-ar face.

Caroline revine la împachetarea oii cu foarte multă abilitate. Cal așteaptă.

— Au circulat zvonuri după ce a plecat Brendan, spunea ea în cele din urmă.

Își mișcă repede mâinile și îi tremură vocea. Este un subiect despre care nu vrea să vorbească.

— Oamenii ziceau că m-ar fi violat și c-a fugit fiindcă voiam să fac plângere la poliție.

— Era adevărat?

— Deloc. Brendan nu m-a atins niciodată împotriva voinței mele. Am stins din fașă zvonul ăla. Dar au fost multe altele pentru care n-am putut să fac nimic. Că a fugit fiindcă-și bătea mama. Sau fiindc-a fost prins trăgând cu ochiul pe geamurile femeilor. Poate unele mai rele, despre care nu mi-a zis nimeni.

Trage o bucată de hârtie din dispersor, cu un pocnet.

— Așa a fost Ardnakelty pentru Brendan, mereu. Fiindcă provine din familia aceea, oamenii au crezut mereu ce e mai rău despre el, fie că au existat sau nu motive. Până și părinții mei, care nu sunt așa, au fost oripilați când am început să ies cu el, doar că au zis că știu eu mai bine, așa că probabil văd ceva la el, ceva în interiorul lui. Dar nu erau încântați. Chiar și când au văzut că se purta frumos cu mine, tot n-au fost mulțumiți.

Se uită spre Cal, cu un gest de furie.

— Tot ce zic e să nu credeți tot ce vă spun oamenii despre Brendan. Sunt în mare parte niște porcării.

— Atunci, spune-mi tu. Ar face lucruri ilegale?

— Vă zic cum e Brendan.

Mâinile ei au încetat să se mai miște. A uitat de oaie.

— Are o mână de frați și surori. Cei mai mulți, când încep să iasă cu cineva, ignoră pe toată lumea. Dar Brendan, chiar și când de-abia începuserăm să ieșim împreună, când eram nebuni unul după celălalt, zicea „nu pot să ies în seara asta, trebuie să merg la meciul de fotbal al lui Trey" sau „Maeve s-a certat cu cea mai bună prietenă, o să stau acasă ca să-i ridic moralul". Părinții lor nu făceau asta, așa c-o făcea el. Nu ca și cum era o obligație, ci ca și cum asta voia.

— Pare un om bun. Dar oamenii buni încalcă legea uneori. Nu mi-ai zis dacă ar face-o.

Caroline împăturește marginile hârtiei.

— Sper că nu, spune, într-un târziu.

E încordată. Cal așteaptă. Fata începe să spună ceva, dar se oprește.

— Aș vrea doar să știu că e bine, spune.

— N-am auzit încă nimic care să confirme contrariul.

Caroline inspiră repede și spune fără să-l privească direct în ochi:

— Da. Și eu zic că e bine.

— Știi ce? spune Cal. Dacă află vești de la Brendan, am să-i spun doamnei Reddy să te anunțe.

— Mersi, spune Caroline politicos, desfășurând panglică verde de pe o bobină. Ar fi minunat.

Conversația s-a sfârșit. Caroline termină de împachetat oaia și răsucește artistic panglica. Cal îi mulțumește pentru ajutor și-i lasă o secundă, în eventualitatea în care mai vrea să spună ceva, dar ea îi zâmbește impersonal și-i urează nepoatei la mulți ani.

Afară, după aglomerație și balade melancolice, i se pare spațios și lejer. În piața principală, familiile în haine bune și bătrâne cu batic ies de la biserică. În spatele turnului, vântul poartă așchii de nor pe cerul albastru.

Cal spera ca Brendan să fi vorbit cu Caroline despre planul lui măreț de a face bani. Băieții își dau drumul la gură când încearcă să impresioneze fetele. Caroline nu e genul pe care s-o impresionezi cu activități ilegale, dar Brendan ar fi putut să fie prea tânăr, prea grăbit și prea disperat să remarce. Cal o crede însă. Brendan a păstrat pentru sine ce punea la cale.

Cal n-a rămas cu buza umflată. Sinuciderea este exclusă sau ca și exclusă. Nu pentru că fosta lui iubită crede că Brendan nu era predispus la un astfel de gest, ci pentru că ea – iar Cal o consideră cel mai bun martor de până acum – spune că Brendan se ținea de promisiuni. A zis că-i va lua lui Trey o bicicletă de ziua lui și că-i va da banii înapoi lui Fergal, bani de care n-ar fi avut nevoie dacă plănuia să urce în munți și să se spânzure. Dacă Brendan plănuia să plece, plănuia și să revină.

Caroline crede că nu era nimic nefiresc în mintea lui Brendan, iar Cal se bucură. Dacă s-a speriat și a fugit, dacă se ascunde în munți, atunci motivul a fost din afară. Asta înseamnă că trebuie să fi lăsat dovezi.

Se poate ca ea să suspecteze ce făcea Brendan și să nu vrea să discute, cel puțin nu cu un străin. Pe de altă parte, s-ar putea să nu fi fost Cal singura persoană avertizată.

Cal nu crede că secția de poliție e deschisă duminica, dar polițistul O'Malley e la birou, citește ziarul și mănâncă cu mâna o bucată mare de tort cu ciocolată.

— Doamne, e polițistul Hooper, zice, rânjind și încercând să găsească o soluție ca să se ridice. Nu pot să-ți strâng mâna, uite.

Ridică degetele lipicioase.

— Băiețelul meu a făcut opt ani, iar maică-sa a pregătit un tort din care cred c-o să mâncăm până face nouă.

— Nicio problemă. Pare un tort bun.

— E delicios. Se uită la toate emisiunile alea de gătit. Dacă știam că vii, îți aduceam.

— Anul viitor. Am trecut pe-aici doar ca să-ți zic că am luat pușca. Mulțumesc pentru ajutor.

— Nicio problemă, spune O'Malley, relaxându-se și lingând glazură de pe degetul mare. Ai ieșit cu ea?

— Am împușcat niște doze de bere, ca să-mi reintru în mână. E o pușcă bună. Am iepuri pe pământurile mele, așa c-o să încerc să împușc câțiva.

— Sunt niște ticăloși mici și vicleni, spune O'Malley, cu superioritatea experienței. Noroc.

— Ce mai am e un copac plin de ciori care se agită la mine-n iarbă. Zi, sunt bune de mâncat?

O'Malley pare uimit, dar se gândește și răspunde cu un aer politicos:

— Eu n-am mâncat niciodată, zice. Dar tatăl meu ne spunea că maică-sa făcea tocană de cioară când era el mic, dacă altceva n-aveau. Cu cartofi și nițică ceapă. Aș spune că găsești rețete pe internet, că doar au de toate acolo.

— O să încerc.

Cal nu intenționează să-și împuște ciorile. Are senzația că cele care vor supraviețui ar putea deveni dușmani redutabili.

— Nu zic c-ar fi bune, spune O'Malley. Probabil au un gust foarte puternic.

— Îți păstrez o porție, spune Cal rânjind.

— Ah, nu, mersi, mersi, reacționează polițistul, ușor scârbit. Eu tot o să mănânc din tortul ăsta și atunci.

Cal râde, lovește tejgheaua cu palma și se întoarce spre ușă, când îi vine o idee.

— Era să uit, zice. Mi-a zis un tip că au fost chemați niște polițiști în Ardnakelty, prin martie. Tu erai?

— Nu, nu. Singurele dăți când am ieșit anul ăsta am fost pe munte, să încerc să conving copiii Reddy să meargă la școală. Ardnakelty nu prea are legătură cu noi.

— Așa credeam și eu, spune Cal, încruntându-se. Ai idee despre ce a fost treaba din martie?

— Nu cred c-a fost ceva serios, îl asigură O'Malley. Dacă era, aș fi știut.

— Mi-ar plăcea să știu. Nu pot să stau liniștit dacă nu știu pe ce teren mă aflu. Defect profesional. Dar cu cine vorbesc, hm?

O'Malley nu pare să se fi gândit vreodată așa, dar dă din cap viguros.

— Știi ce-o să fac? spune el, căci i-a venit o idee. Stai un minut, că mă uit în sistem.

— Ce amabil din partea ta, spune Cal, plăcut surprins. Aș aprecia. Îți aduc tocană de cioară, desigur.

O'Malley râde, se extrage din scaun, cu câteva trosnete puternice, și se duce în spate. Cal așteaptă, privind cerul pe fereastră. Norii se îngroașă, devenind mai întunecați și nu prevestesc nimic bun. Nu-și dă seama cum s-ar putea obișnui cu schimbările de vreme de aici. E obișnuit ca ziua însorită să fie așa până la capăt, iar cea cu ploaie și frig, la fel. Aici, în unele zile, vremea pare să-și râdă de oameni, din principiu.

— Așa cum ți-am zis, spune O'Malley, întorcându-se mulțumit de rezultat. N-a fost nimic grav. Pe 16 martie, un fermier a semnalat niște semne de intruși pe pământul lui și un posibil furt de echipamente, dar, când au ajuns băieții, le-a zis c-a fost „o greșeală".

Se așază iar și-și vâră niște tort în gură.

— Zic c-a aflat că nu erau decât niște măscărici de pe-aici. Se plictisesc. Uneori, cei mai curajoși ascund ceva, ca să se amuze, să vadă fermierul înnebunind în timp ce caută. Sau poate c-a fost furt, iar fermierul a aflat cine e de vină și cum a făcut-o și și-a recuperat singur bunurile. Pe aici așa e lumea. Apelează la noi doar dacă n-au de ales.

— În orice caz, asta mă liniștește, spune Cal. Nu am echipamente de furat. Am doar o roabă veche, care a venit la pachet cu casa, dar, dac-o vrea cineva, e binevenit s-o ia.

— Mai degrabă ți-o urcă pe acoperiș.

— Va face locul să arate mai bine, probabil. Sunt designeri care taxează fițoșii cu mii de dolari pentru idei de genul ăsta. Cine era fermierul?

— Un tip pe nume Patrick Fallon. Nu-l cunosc. Asta înseamnă că nu raportează lucruri de obicei. Nu e implicat în vreo ceartă locală, nimic.

Patrick Fallon este, probabil, P. J.

— Hm, reacționează Cal. E vecinul meu. N-am auzit să fi pomenit vreun necaz de când am ajuns. Cred c-a fost un incident izolat.

— Băieți făcând prostii, spune polițistul, rupând încă o bucată de tort.

Lui Cal i s-a făcut foame privind tortul ăla, așa că găsește o cafenea și își cumpără o felie de prăjitură cu mere și niște cafea, ca să mai treacă timpul până ce sunt gata rufele. Când termină cafeaua, își scoate carnețelul din buzunar și dă la o pagină nouă.

Se gândește la posibilitatea ca Brendan să se fi gândit să devină furnizor de echipamente furate, să-l fi jefuit pe P. J. și să fi dat înapoi când a aflat c-au fost chemați polițiștii, apoi să fi fugit din oraș ca să evite consecințele, precum puștiul Mannion, care a ucis pisica. Nu pare în regulă, căci oricine ar fi avut câțiva neuroni s-ar fi putut aștepta la intervenția poliției, iar Brendan nu este sau nu era un idiot, dar poate că nu s-a gândit că furtul va fi observat atât de repede. Caroline a zis că nu se gândea la reacțiile oamenilor.

Scrie: „Echipament de fermă, 16/3. Ce s-a furat? S-a recuperat?"

Și gândul la oile moarte îl apasă. Mart nu stă degeaba în pădurice. Are un motiv să creadă că urmează oile lui PJ.

Cal desenează o schiță rapidă a Ardnakelty, cu ajutorul hărților de pe internet. Marchează pământul lui Mart, al lui PJ și al lui Bobby Feeney. Nu știe unde se află precis cel al lui Francie Gannon, dar cumva „pe lângă sat". Apoi notează toate celelalte ferme de oi despre care știe.

Geografic, cele patru nu se deosebesc cu nimic de celelalte. Nu sunt cele mai apropiate de munți sau de o pădure în care se poate ascunde o creatură, nici aproape unele de celelalte, nici cele mai la drum pentru o rută rapidă de scăpare. Nu există niciun motiv, cel puțin nu pe care să-l vadă Cal, pentru care să fie ținte evidente pentru om sau animal.

Scrie: „Francie / Bobby / Mart / PJ. Conexiuni? Legătură? Ceartă cu Brendan? Cu altcineva?"

Îi vine în minte cineva care s-a certat cu Mart, nu cu mult înainte să-i fie ucisă oaia. „Cu Donie McG?"

Ce a mai rămas din cafea s-a răcit. Cal cumpără mai multe lucruri, inclusiv prăjiturelele lui Mart și un pachet cu trei perechi de șosete, își ia rufele și pleacă din orășel.

Drumul spre munte e diferit în mașină, mai puțin primitor, de parcă s-ar pregăti să-i găurească un cauciuc sau să-l facă să alunece în noroi. Parchează lângă poarta familiei Reddy. Nu rămâne spațiu liber, dar nici nu e îngrijorat că va exista vreo mașină care să vrea să treacă.

Curtea e goală. Vântul îi mușcă pielea, iar frânghiile care atârnă de structura de cățărat se leagănă agitate. Geamurile din față sunt abandonate, întunecate, dar Cal traversează curtea simțindu-se urmărit. Încetinește, ca să fie văzut mai bine.

Sheilei îi ia multă vreme să vină la ușă. O întredeschide și îl privește pe Cal prin crăpătură. Nu-și dă seama dacă-l recunoaște. Din casă se aud râsete din desene animate.

— Bună ziua, doamnă Reddy, zice el, păstrând distanța. Cal Hooper sunt. M-ai ajutat cu șosete uscate, îți amintești?

Ea îl privește. Precauția nu dispare.

— Ți-am adus șosete noi, cu mulțumiri.

Asta aduce o scânteie de viață în ochii Sheilei.

— Nu le vreau. Nu sunt atât de săracă încât să nu-mi permit să dau o pereche de șosete.

Cal, uimit, lasă capul în jos și se foiește în prag.

— Doamnă Reddy, n-am vrut să te jignesc. Dar m-ai scutit de o plimbare până acasă cu picioarele ude, iar eu am fost educat să fiu recunoscător. Mama s-ar răsuci în mormânt să știe că nu ți-am adus șosetele.

După o clipă, femeia se uită în altă parte.

— E în regulă. Doar că...

Cal așteaptă, încă rușinat.

— Copiii sunt în casă. Nu pot lăsa străini să umble pe aici.

Când Cal ridică privirea, uimit și jignit, ea spune aproape furioasă:

— Nu are legătură cu tine. Oamenii vorbesc pe aici. Nu pot să le dau prilejul să zică mai multe decât zic deja despre mine.

— Păi, spune Cal, încă ușor mirat, îmi cer scuze. N-am vrut să vă fac probleme. Plec.

Întinde iar șosetele, dar Sheila nu le ia. Pentru o clipă, crede că va spune ceva, dar apoi încuviințează și dă să închidă ușa.

— Ai vești de la Brendan?

Scânteia de teamă din ochii Sheilei ține loc de răspuns. A fost și ea avertizată.

— Brendan e bine, zice ea.

— Dacă ai vești, poate-i spui și lui Caroline Horan.

Dar Sheila i-a închis ușa în nas, înainte să-și termine fraza.

În drum spre casă, Cal lasă prăjiturelele la Mart, în semn de mulțumire pentru seara trecută și ca semn de recunoștință. Mart stă pe treptele din spate, fără vreun scop anume și îl perie pe Kojak.

— Ce-ți face capul? întreabă, îndepărtând botul câinelui de prăjiturele.

Pare la fel de vioi ca întotdeauna, deși i-ar prinde bine să se bărbierească.

— Nu pe cât de rău mă așteptam. Al tău?

Mart îi face cu ochiul și îndreaptă un deget spre el.

— De aia îl iubim noi pe Malachy. Ce pregătește el este pur ca agheasma. Impuritățile te distrug.

— Și eu care credeam că alcoolul, spune Cal, scărpinându-l pe Kojak în spatele urechilor.

— Deloc. Aș putea să beau o sticlă din bunătatea preparată de Malachy, să mă trezesc de dimineață și să fac treabă toată ziua. Dar am un văr dincolo de munți și nu m-aș atinge de ce prepară el nici bătut. M-ar durea capul până la Crăciun. Mereu mă invită la un păhărel și mereu trebuie să găsesc o scuză. E un câmp minat din punct de vedere social.

— A zis P. J. ceva aseară?

— Nicio vorbuliță.

Desprinde din perie o mână de blană și o aruncă în iarbă.

— Tipu' ăla, Donie McGrath, nu prea te are la inimă acum.

Mart îl privește o clipă, apoi începe să chicotească.

— Doamne, o să mă omori. Vorbești de pufosul ăla mititel de la cârciumă? Dacă Donie McGrath s-ar apuca de ucis oile tuturor celor care l-au pus la punct, n-ar mai avea timp să doarmă noaptea. Nu e ca și cum îl urmărește etica.

— L-a pus P. J. la punct de curând? Sau Bobby Feeney?

— Dacă nu-i una, e alta, măi, spune Mart, clătinând din cap. Uită de telescop. Ai nevoie de un joc Cluedo. Îți cumpăr unul și-l poți aduce la cârciumă să ne jucăm cu toții.

Pocnește din degete către Kojak, să revină la periat.

— Vii în seara asta? Cui pe cui se scoate.

— Nu, zice Cal, trebuie să-mi revin.

Nu simte nicio dorință să meargă la cârciumă, nici în seara asta, nici în general. I-au plăcut mereu oamenii de-acolo, cu vorbele lor și expresiile în schimbare, dar acum, când se gândește mai bine, totul arată diferit: lumini sclipind pe râu, cu cine știe ce pândind sub apă.

— Un om puternic ca tine? spune Mart, mai mult întristat decât batjocoritor. Ce se alege din noua generație?

Cal râde și se întoarce la mașină, strivind pietricelele de pe aleea lui Mart sub tălpi.

Ajunge acasă, își scoate carnețelul și se așază în fotoliu, să recitească tot ce a notat. Trebuie să-și pună ordine în gânduri. Nu i-a plăcut niciodată prea mult faza asta a investigației, când lucrurile sunt încurcate, așezate straturi peste straturi, în toate direcțiile, și prea multe dintre ele nici nu s-au întâmplat de fapt. Abia așteaptă partea în care, cu puțin noroc, demontează teoriile neclare și găsește lucrurile solide ascunse printre ele.

De data asta, tot acest proces are o tentă personală, cu care nu e obișnuit. Teama din ochii Sheilei și ai lui Caroline i-a spus că avertismentul de ieri-seară n-a fost la modul general, pentru că a fost extrem de curios. A fost despre Brendan.

Lui Cal i-ar plăcea să știe ce sau cine, mai precis, ar trebui să-l sperie. Brendan pare să fi fost speriat de Gardaí, iar Sheila s-ar putea să fie și ea precaută în privința lor, ori în numele lui, ori din reflex. Dar Cal nu prea poate găsi un motiv pentru care Caroline, Mart sau el ar trebui să se teamă de ofițerul Dennis. Doar dacă nu cumva întregul sat e băgat până-n gât într-o operațiune ilegală de amploare, care ar putea să fie zădărnicită dacă el pune prea multe întrebări. Ceea ce pare puțin probabil.

Alternativa evidentă este amenințarea băieților cu droguri din Dublin. Cal presupune că, la fel ca bandele care se ocupă de asta oriunde altundeva, nu s-ar gândi de două ori înainte să scape de oricine le-ar pricinui neplăceri. Dacă, într-un fel sau altul, Brendan a devenit incomod și ei l-au făcut să dispară, n-ar fi încântați că un yankeu curios pune întrebări. Dar de unde să știe ei?

Cal simte că trebuie să discute cu Donie McGrath. Acum are un motiv serios. Mart știe că se simțea protector după cearta de la cârciumă. Ar fi natural să se ducă să-l zgâlțâie pe Donie nițel, apropo de oile alea. N-ar încălca avertismentul de seara trecută, nu și dacă Mart crede că oile au legătură cu Brendan. Cal e interesat să vadă ce se întâmplă după ce vorbește cu Donie.

Stă o vreme cu carnețelul, privind harta și gândindu-se unde crede satul că s-a dus Brendan, fie că e corect sau nu, și de ce.

Pe geam, norii încă nu eliberează ploaia, dar verdele câmpurilor pălește, pe măsură ce lumina începe să scadă. Seara are un miros aparte aici, intens și răcoros, cu iz de plante și flori care nu se simte pe timp de zi. Cal se ridică să aprindă lumina și își organizează cumpărăturile.

Plănuia să-i trimită oaia pufoasă Alyssei, dar acum nu mai crede că e o idee atât de bună. S-ar putea să creadă c-o tratează ca pe un copil și să se supere. Desface oaia din ambalaj și o pune pe polița din living. Jucăria cade într-o parte și-i aruncă o privire plină de reproș.

13

Primul lucru pe care-l face Cal a doua zi de dimineață este să-i trimită Lenei un mesaj. „Salut. Cal Hooper aici. Mă întreb dacă pot să vin să văd cățelușul, dacă e bine azi. Mersi."

Norii s-au rupt în timpul nopții. Chiar și în somn, Cal a auzit ploaia bătând neîncetat darabana pe acoperișul lui. Și-a croit drum prin visele lui, care i se păreau importante atunci, deși nu-și amintește de ce. Ia micul-dejun în timp ce privește cum ploaia lovește în geam, atât de deasă încât câmpurile abia dacă se mai văd.

Când Lena îi răspunde la mesaj, spăla vasele. „Sunt acasă toată dimineața, până la 11:30. Cățelul e dublu față de cum era."

Ținând cont de vreme, Cal ia mașina. Parbrizul se acoperă prea repede de stropi mari pentru ca ștergătoarele să poată face față, iar mașina împroașcă în toate direcțiile cu apă când mai intră în vreo băltoacă. Mirosul câmpurilor pătrunde prin geamul crăpat, proaspăt, a iarbă udă și a bălegar de vacă. Munții nu se văd. Dincolo de câmpuri e doar o pânză cenușie de ceață. Animalele din cirezi și turme stau nemișcate, unele băgate în altele, cu capetele plecate.

— Ai găsit locul, zice Lena, deschizând ușa. Bine jucat.

— Încep să învăț, spune Cal.

Se oprește s-o mângâie pe Nellie, dând din coadă bucuroasă că-l revede.

— Încet-încet.

Se așteaptă ca Lena să-și ia o geacă și să iasă, dar ea îi deschide ușa mai larg. Cal își șterge bocancii de covor și o urmează pe hol.

Bucătăria e mare și călduroasă, cu lucruri uzate, dar solide și rezistente încă: piatră cenușie pe jos, netedă pe alocuri, dulapuri de lemn vopsite în culoarea untului cu tentă de galben, o masă lungă, de fermă, care poate fi veche de zeci sau sute de ani. Luminile sunt aprinse. Camera e curată, dar nu ordonată: pe masă sunt răspândite cărți și ziare, iar mormane de haine călcate așteaptă pe două scaune să fie așezate la locul lor. Locul spune clar că e numai o persoană în casă, care are grijă doar de ea.

Dintr-o cutie mare de carton se aud icnete și foșnete.

— Uite-i, spune Lena.

— Deci s-au mutat înăuntru, în cele din urmă?

Mama puilor ridică privirea și mârâie încet. Cal se întoarce și își face de lucru cu Nellie, care i-a adus un pantof ros.

— Înghețul de noaptea trecută, explică Lena, îngenunchind și apucând-o pe cățea de fălci, ca s-o calmeze. La miezul nopții a zgâriat la ușă, cu un cățel în gură. A vrut să-i aducă pe toți la căldură. Vor trebui să iasă iar, după ce încep să se miște peste tot, că nu curăț după ei. Dar o s-o ducă bine aici câteva zile.

Cal se apropie și se lasă pe vine, lângă cățelușă. Nu mai mârâie, deși îl urmărește cu atenție. Cutia e căptușită cu straturi groase de prosoape moi și ziare. Cățeii se cațără unii peste alții, scoțând țipete de parcă ar fi niște păsări mari. Au crescut, chiar și în câteva zile.

— Uite-ți băiatul, spune Lena.

Cal a văzut deja forma de steag negru zdrențuit. Femeia vâră mâna în cutie, înșfacă puiul și i-l pasează.

— Salut, micuțule, spune Cal, luând cățelul, care se zvârcolește și dă furios din lăbuțe.

Îl simte mai greu și mai în forță.

— E mai puternic.

— Așa e. E tot cel mai mic, dar nu-l împiedică să fie puternic. Cel de colo, mare, cu negru și arămiu îi dă pe toți la o parte, dar al tău n-are treabă și nu-l lasă.

— Ce băiat bun, spune Cal blând cățelului.

Acum își ține singur capul. Începe să i se deschidă un ochi, arătând o picătură de albastru-cenușiu încețoșat.

— Dorești ceai? întreabă Lena. Pari să vrei să stai o vreme.

— Sigur, răspunde Cal. Mersi.

Femeia se ridică și se duce lângă blat.

Cățelul a început să se zbată. Cal se așază pe podea și-l apropie de piept. Se relaxează la căldură și lângă bătăile inimii, devenind moale și greu și ațipește imediat. Îi mângâie între degete o ureche. Lena umple fierbătorul și scoate două căni dintr-un dulap. Camera miroase a pâine prăjită, haine călcate și câine ud.

Cal se gândește că Noreen are tot felul de cutii de carton. Poate lua una de mărimea potrivită și o poate căptuși cu cămăși vechi, ca mirosul lui să calmeze cățelul. Poate să o pună lângă salteaua lui, să-și țină o mână pe cățel peste noapte, până se liniștește și se obișnuiește fără maică-sa. Gândul îl lovește puternic. Chiar și în imaginație felul în care se simte casa se schimbă.

— Mă așteptam să fiu asaltată de copii care-și doresc să-i mângâie, zice Lena, peste sâsâitul cănii electrice. Îmi amintesc când eram noi mici și alergam la oricine avea cățeluși sau pisicuțe. Dar au fost doar câțiva.

— Ceilalți stau cu ochii în ecrane?

Lena clatină din cap.

— Nu prea mai există alții. Cum vorbeam și înainte, nu doar generația asta s-a îndreptat spre oraș. De când au început să poată avea slujbe bune, pleacă fetele. Băieții rămân dacă au moștenit pământ, dar cei mai mulți de aici nu lasă pământ fetelor. Așa că ele pleacă.

— Nu poți să le acuzi, spune Cal, gândindu-se la Caroline.

Cățelului încep să-i dea dinții. Împinge degetul lui Cal cu lăbuțele din față, reușește să-și vâre vârful în gură și se străduie să-l molfăie.

— Nu le acuz. Aș fi făcut la fel dacă nu mă îndrăgosteam de Sean. Dar asta înseamnă că băieții n-au cu cine se însura. Așa că n-avem copii care să vină să vadă cățeii și sunt o groază de burlaci bătrâni la ferme.

— E greu pentru zonă.

Fierbătorul clocotește și se închide, iar Lena toarnă ceaiul.

— Din multe puncte de vedere. Bărbații fără copii se simt nesiguri când îmbătrânesc. Lumea se schimbă și ei n-au tineri care să le arate că totul e în regulă, așa că se simt atacați. De parcă trebuie să fie mereu gata de luptă.

— Să ai copii poate fi la fel, spune Cal. Vrei mereu să lupți cu ce e în jur.

Lena îl privește, aruncând plicurile de ceai la gunoi, dar nu întreabă.

— E diferit. Dacă ai copii, cauți mereu să vezi dacă ai de luptat cu ceva, fiindcă ei se îndreaptă spre lumea aia. Nu te baricadezi înăuntru, ciulind urechea la atacurile indienilor. Nu e bine pentru un loc să aibă prea mulți holtei pe propriile pământuri, fără să aibă cu cine vorbi și care simt că trebuie să-și apere teritoriul, chiar dacă nu știu de ce. Vrei lapte?

— Nu. Simplu.

Femeia scoate laptele din frigider pentru ea. Lui Cal îi place cum se mișcă prin bucătărie, eficient, dar fără grabă. Se gândește cum ar fi să-ți duci viața într-un loc unde deciziile personale, cum ar fi dacă să te căsătorești, să ai copii ori să te muți, influențează viața tuturor. Ploaia răpăie în continuare.

— Ce se întâmplă când vor muri toți holteii? întreabă el. Cine va prelua fermele?

— Nepoții sau verii, pe unele. Cine știe ce se va întâmpla cu altele?

Lena îi aduce o cană lui Cal și o lasă pe jos. Se așază și ea, cu spatele lipit de perete și cu genunchii la piept. Un cățel zgârie marginea cutiei, iar ea îl ia în mână.

— Îmi plac la vârsta asta, zice femeia. Pot să-i mângâi când am chef și să-i pun la loc când m-am plictisit. Într-o săptămână sau două, nu o să mai stea liniștiți, ci doar printre picioarele mele.

— Îmi plac așa, dar și când sunt mai mari. Când se joacă.

— Atunci au mereu nevoie de ceva, chiar dacă e doar vorba despre atenție să nu-i calci.

Ține cana departe de cățel, care încearcă să i se cațăre pe genunchi.

— Abia aștept să crească suficient să aibă un pic de simț al conservării. De aceea mi-am luat un câine adult, și nu un cățeluș. Acum, iată-mă.

— Ai găsit cămine pentru ceilalți?

— Două. Noreen îi va lua pe ceilalți, dacă n-o fac alții. Zice ea că nu, dar o va face.

— Sora ta e o femeie bună.

— Este. Uneori mă face să mă urc pe pereți, dar lumea n-ar ajunge departe fără unii ca ea.

Zâmbește.

— Uneori râd de ea, fiindcă Cliodna, cea mai mică dintre copiii ei, îi seamănă leit, dar adevărul e că mă bucur. Fără cineva care să preia Ardnakelty când o îmbătrâni Noreen, locul s-ar duce naibii.

— Cliodna e fata de zece-unsprezece ani? întreabă Cal. Cu păr roșu?

— Ea este.

— M-a ajutat o dată, când m-am dus la magazin. Mi-a zis că de fapt cumpăram detergentul de vase greșit, că-mi va usca mâinile și vasele nu vor străluci, și s-a urcat pe scara aia să-mi aducă unul pe care mi-l recomanda. Apoi m-a întrebat de ce m-am mutat aici și de ce nu sunt însurat.

Lena râde.

— Asta e. Suntem pe mâini bune.

Cal se întoarce, să țină cățelul cu o mână și să-și bea ceaiul, care e tare și bun.

— Am pus întrebări despre Brendan Reddy.

— Da, știu, spune Lena.

Cățelul din mâna ei, extenuat de efort, i-a căzut în poală, iar Lena îi gâdilă pernuțele de la o lăbuță.

— De ce?

— M-am întâlnit cu vechea ta prietenă, Sheila. E foarte afectată c-a plecat băiatul.

Lena îi aruncă o privire amuzată.

— Cavalerul pe cal alb.

— Mi s-a părut că e o întrebare care merită răspuns. Vecinul meu, Mart, crede că mă plictisesc și caut ceva să-mi ocup mintea. Poate că are dreptate.

Lena suflă în ceai și-l privește peste cană, cu un colț al gurii încă ridicat.

— Cum te descurci?

— Nu prea bine, răspunde Cal. Am auzit multe despre Brendan, dar nimeni nu vrea să vorbească despre unde s-o fi dus sau de ce.

— Poate că nu știu.

— Am vorbit cu maică-sa, cu cei mai buni prieteni ai lui și cu iubita. Niciunul n-a avut ceva de zis. Dacă ei nu știu, atunci cine?

— Poate că nimeni.

— Chiar m-am întrebat. Dar apoi Mart m-a avertizat să mă potolesc, acum două seri. Crede c-o să intru în bucluc. Mi se pare că totuși cineva știe ceva, sau cel puțin crede că știe.

Lena încă-l privește pieziș, bând ceai la distanță de cățel.

— Ești o persoană care nu poate sta liniștită? Dacă n-ai probleme, pleci să le cauți?

— Nu, răspunde Cal. Ce căutam era pace și liniște. Nu fac decât să primesc ce mi se oferă, la fel ca tine.

— Cățelușii sunt bătaie de cap, nu probleme.

— Nimeni nu mi-a explicat de ce ar fi Brendan Reddy o problemă. De cine se teme Mart?

— Nu credeam că se teme de cineva, pune Lena.

— Poate că nu. Dar crede c-ar trebui să mă tem eu.

— Atunci, poate c-ar trebui.

— Sunt rebel din naștere, explică el. Cu cât încearcă să mă îndepărteze mai mulți oameni de ceva, cu atât mă agăț mai tare. Așa am fost mereu, chiar de mic.

Cățelul din mână nu-i mai roade degetul. Când se uită în jos, vede c-a adormit, întins la pieptul lui, în palmă.

— Cred că dacă e cineva care să-mi poată răspunde cinstit despre Brendan Reddy, tu ești aceea.

Lena se sprijină de perete, privindu-l în timp ce bea din ceai și își mângâie cățelul cu mâna cealaltă.

— Nu știu ce-a pățit Brendan Reddy.

— Dar poți să-ți dai cu presupusul.

— Pot. Dar nu vreau.

— Nu-mi dai impresia că te sperii ușor. Nu mai mult decât Mart.

— Nu mă tem.

— Dar?

— Nu mă implic.

Zâmbește brusc.

— Asta-i termină pe oameni. Cineva încearcă mereu să mă convingă să intru în Asociația Femeilor Fermiere sau în Orașe Curate. Probabil că, dac-aș fi avut copii, aș fi făcut-o: comitetul de părinți și cluburile sportive, tot tacâmul. Dar n-am avut, așa că nu trebuie. Noreen e suficient de implicată pentru amândouă.

— Este. Unii așa sunt făcuți. Alții, nu.

— Spune-i asta lui Noreen. Așa e de când s-a născut și înnebunește că nu sunt și eu la fel. De aceea ea și restul încearcă mereu să-mi găsească pe cineva. Cred că, dacă-mi găsesc un tip în regulă, implicat în problemele comunității, o să mă implic și eu.

Lena rânjește relaxată.

— Tu ce soi ești?

— Îmi place să nu mă implic. Mi se potrivește.

Lena ridică o sprânceană, dar spune:

— Tu poți. N-o să te bată nimeni la cap. Oamenii din zonă respectă un bărbat discret. Femeile îi scot din sărite.

— Nu-ți cer să te implici. Doar să-ți dai cu părerea.

— Și eu n-am de gând s-o fac. Poți să-ți faci singur opinii.

Se uită la ceasul de pe perete.

— Trebuie să plec la muncă. Spune-mi dacă vrei cățelul sau a fost doar o scuză să mă întrebi despre Brendan.

— Puțin din ambele.

Lena își așază cățelușul înapoi în coș și întinde mâinile după al lui Cal.

— Deci îl iei.

Cal îi pune cățelușul în mâini, încercând să nu-l trezească, și îl mai mângâie o dată pe pata albă ca un fulger de pe nas. Cățelul, încă adormit, ridică năsucul și-i linge degetul.

— Mai lasă-mă o săptămână sau două. Să fiu sigur.

Ea îl privește fără să zâmbească.

— Corect, spune apoi.

Se întoarce și așază cu grijă cățelul printre ceilalți.

Trey își face apariția după-amiază târziu. Ploaia s-a potolit, în sfârșit. Cal stă pe prag, cu o sticlă de bere în mână, și se uită la ciori. Se pare că și ziua lor e pe final. Două se războiesc pe o crenguță, alte două se ciugulesc reciproc, pe rând, certându-se. O alta este sub gard și îngroapă ceva, iar din când în când aruncă priviri în spate.

Zgomotul de pași în iarba udă îl face pe Cal să se întoarcă. Trey apare din fața casei și lasă un pachet de brioșe cu glazură albă pe treaptă.

— Trebuie să încetezi, spune Cal, sau Noreen o să cheme poliția.

— Nu sunt de la Noreen, zice Trey.

Pare din nou încordat și vulnerabil. Lui Cal, care-l privește cu ochii mijiți, i se pare și ceva mai înalt, de parc-ar începe un salt de creștere.

— Am bătut.

— Nu te-am auzit, zice. Eram cu gândurile departe.

— Am venit și mai devreme. Și ieri. Nu erai.

— Nu.

— Ce-ai făcut? Ai aflat ceva?

Cal își termină berea și se ridică.

— Mai întâi, o să-mi iau pușca și o să mai încercăm cu iepurii ăia, zice Cal în timp ce se ridică și se scutură pe fund.

Trey îl urmează înăuntru.

— Vreau să știu.

— Îți spun. Dar, dacă vrem să încercăm cu iepurii, trebuie să ne ocupăm pozițiile înainte să iasă la cină.

După o clipă de ezitare, Trey acceptă. Cal își ia pușca din seif și-și umple buzunarele cu alte lucruri de care ar putea avea nevoie – gloanțe, cuțitul de vânătoare, o sticlă cu apă, o pungă de plastic. Se îndreaptă spre locul care dă spre liziera pădurii. Cerul este o întindere nemișcată de nori cenușii, cu fâșii de galben palid la periferia vestică. Iarba e grea de ploaie și pământul e moale.

— O să ne udăm și o să ne umplem de noroi.

Trey ridică din umeri.

— OK, spune Cal, așezându-se într-un genunchi, pe iarbă. Mai ții minte tot ce ți-am arătat?

Trey îl privește de parcă ar fi vreun tâmpit și întinde mâinile după armă.

— Bine. Să vedem.

Trey verifică arma, îi trage siguranța, o încarcă lent, dar atent și metodic. Nu face greșeli. Ridică privirea spre Cal.

— Bravo, spune Cal.

Trey îl privește mai departe, fără să clipească.

— Iepurii n-au ieșit încă.

— Bine, spune Cal.

Se așază în iarba udă, ia pușca de la Trey și o pune pe genunchi. Nu voia să-i spună lui Trey că Brendan avea un plan până ce nu afla care, dar se pare că nimeni nu vrea să-i spună, așa că trebuie să facă singuri săpături.

— Am vorbit cu oamenii. Ce înțeleg este că Brendan era frustrat de sărăcia în care trăia, așa c-a făcut un plan ca să rezolve situația. Se potrivește cu ce mi-ai zis despre faptul că ți-a promis o bicicletă de ziua ta. Când e ziua ta?

— Pe 3 mai.

Puștiul îl fixează pe Cal din priviri, de parcă e un preot care urmează să-i transmită Cuvântul Domnului. Asta-l agită pe Cal și îl face să-și tempereze vocea.

— Deci se gândea că banii vor veni curând. Ai idee ce plan avea?

— Uneori dădea meditații. Să fie oare și mai multe meditații? Se apropiau examenele.

— Mă îndoiesc. A pomenit ceva că merge în Ibiza și le arată oamenilor de ce este el în stare. Niște meditații în plus nu i-ar fi adus banii de care avea nevoie pentru asta. Se gândea la ceva mai bănos.

Trey ridică din umeri, uimit.

— Nicio idee?

Copilul clatină din cap.

— Ce am mai auzit, spune Cal, este că fratele tău era agitat din cauza poliției cu o săptămână înainte să dispară.

— Bren nu e tip dubios, spune imediat Trey, cu înverșunare, aruncându-i o privire urâtă. Doar fiindcă-i un Reddy, toată lumea crede...

— Nu zic c-ar fi, puștiule. Zic doar ce-am auzit de la oamenii cărora le pasă de el. Te poți gândi la vreun motiv pentru care se teme de poliție?

— Poate c-avea haș la el. Sau altceva.

— Era mai speriat de-atât. Nu era vorba de o chestie măruntă. Ți-am zis că fratele tău visa mai sus. Dacă marele lui plan era legal, de ce nu-mi spune nimeni nimic?

— Poate c-a vrut să ia oamenii prin surprindere, zice Trey după o clipă. Un fel de „na, ați crezut că sunt un ratat, la naiba cu voi".

— Ai crezut vreodată că e vreun ratat?

— Nu.

— Atunci de ce ar fi vrut să te surprindă pe tine?

— Poate așa a simțit.

— Să te întreb ceva. Când Brendan plănuia ce voia să facă la facultate, ți-a zis?

— Da.

— Când se gândea să dea meditații?

— Da.

— Ți-a zis despre planul de a-i lua lui Caroline bilete la un concert de Crăciun?

— Da. La Hozier. S-au despărțit, așa că i-a vândut biletele lui Eugene.

— Deci Brendan ți-a zis despre planurile lui când n-avea niciun motiv să nu-ți zică.

— Da.

— Adică, oricare ar fi fost ideea lui de data asta, exista un motiv pentru care nu trebuia să știi.

Trey tace. Cal tace și el, lăsându-l să sucească informația pe toate părțile și să și-o fixeze în minte. La liziera pădurii, crengile se lasă până jos, îngreunate de ploaie. Deasupra lor, rândunelele se rotesc, ciripind asurzitor

După câteva minute, Trey spune brusc și furios:

— Nu l-aș fi turnat.

— Știu. Pariez că știa și el asta.

— Atunci, de ce nu...

— Voia să fii în siguranță, spune Cal, cu blândețe. Orice avea în minte, știa că poate cauza probleme. Probleme urâte.

Trey tace iar. Trage de o ață care-i atârnă din materialul blugilor.

— Cred că putem presupune că Brendan a plecat de acasă în ziua aceea, purtându-se de parcă avea ceva important de făcut, ca să-și îndeplinească planul. Nu zic că-i sigur, însă o să iau asta în calcul deocamdată. Ori pleca din oraș fiindcă se speriase, ori voia să facă ceva care ar fi făcut planul să avanseze.

Puștiul încă-și face de lucru cu blugii, dar îl privește pe Cal și-l ascultă.

— Ți-a promis bicicleta în aceeași după-masă, iar cu niște zile înainte a împrumutat bani de la Fergal, promițându-i că îi va înapoia. Așa că nu voia să plece definitiv. Poate că plănuia să stea la cutie câteva zile, până ce dispărea amenințarea, dar în cazul ăsta m-aș fi așteptat să-și ia încărcătorul, deodorantul și niște haine. A luat doar bani cu el, așa că mi se pare mai probabil că voia să cumpere ceva sau să i-i dea cuiva.

Trey spune încet:

— Și l-au răpit.

— Poate, spune Cal. N-am ajuns prea departe încât să tragem concluzia asta. Poate c-a ieșit prost ceva și el a trebuit să plece. Unde s-ar fi întâlnit cu cineva? Avea un loc unde-i plăcea să meargă?

— O crâșmă?

— Nu. Un loc intim. Ai zis că se ducea în munți când avea nevoie de intimitate. Undeva anume?

— Da. Într-o zi a zis că se duce la plimbare și l-am urmărit, fiindcă mă plictiseam. Dar, când l-am găsit, ședea acolo și atât. M-a certat și mi-a zis s-o tai dracului, că voia să fie singur. Ceva de genul ăsta?

— Da. Unde era?

Trey arată cu bărbia spre munți.

— Coliba veche. Gen, goală.

— Acum câtă vreme?

— Câțiva ani. Dar s-a dus iar acolo apoi. Că l-am urmărit de câteva ori, când iar mă plictiseam.

Pentru o clipă, Cal și-l imaginează urcând dealurile bătute de vânt, ținându-se după unica persoană din viața lui care merita urmărită.

— Ai fost acolo de când a plecat?

— Am căutat peste tot.

— Vreo urmă?

— Nimic. Gunoaie și atât.

Ochii puștiului alunecă. Amintirea e dureroasă. S-a dus acolo sperând că-și va găsi fratele sau un semn de la el, un mesaj, cu teama că va găsi ceva neplăcut.

— De ce nu mi-ai zis de locul ăla?

Trey îl privește din nou ca pe un tâmpit.

— De ce să-ți zic? Nu acolo s-a dus.

— Așa, spune Cal. Vreau să arunc o privire. Îmi spui cum ajung?

— Treci de casa noastră și mai urci vreo doi kilometri. Apoi ieși de pe drum și urci un pic pe munte, printre copaci.

— Aha! Trimiți o patrulă să mă caute, dacă nu mă întorc în câteva zile?

— Știu drumul. Pot să te duc eu acolo.

Copilul s-a ridicat într-un genunchi, aproape în poziție de sprint, de parcă un cuvânt de la Cal l-ar putea face să țâșnească.

— Aș prefera ca noi doi să nu fim văzuți împreună, spune Cal. Și mai ales nu acolo.

Chipul lui Trey se luminează.

— Mă duc eu, atunci. Îmi împrumuți telefonul tău. Fac poze, ți le aduc.

— Nu, spune Cal, mai aspru decât voia. Stai departe de coliba aia, ai auzit?

— De ce?

— Așa. M-ai auzit?

— N-o să mă las răpit. Nu sunt prost.

— Foarte bine. Să stai departe de ea, oricum.

— Dar vreau să *fac* ceva.

— Asta m-ai convins pe mine. Să fac lucruri. Deci lasă-mă să le fac.

Copilul deschide gura să-l contrazică.

— Dacă vrei să faci ceva util, fă-ne rost de cină.

Îi pune pușca în mâini și arată spre liziera pădurii. Au ieșit iepurii la masă.

După o secundă de nehotărâre, Trey renunță. Se așază ușurel în poziție, își pune pușca pe umăr și mijește ochii prin cătare.

— Nu te grăbi, îi spune Cal. Nu plecăm nicăieri.

Privesc și așteaptă. Iepurii sunt curajoși. Câțiva pe jumătate adulți se fugăresc prin iarbă, sărind în razele lungi de lumină aurie care se scurg de sub nori. P. J. le cântă oilor, veghindu-le: niște balade vechi, de jale, greu de înțeles, plutesc peste câmpuri.

— Ăla mare, de acolo, spune încet Cal.

Un iepure e întors spre ei, în timp ce ronțăie un pâlc de buruieni cu floricele albe. Trey mută ușor pușca, aliniindu-și cătările. Cal aude șoapta lungă a respirației sale și pocnetul armei.

Iepurii se răsucesc și se ascund și se pornește un vaiet prelung. Sună ca un copil torturat.

Trey se întoarce spre Cal, cu gura deschisă, dar nu scoate niciun sunet.

— L-ai nimerit, spune Cal, ridicându-se și luându-i pușca. Trebuie să-l ucidem.

Pe drum își scoate cuțitul de vânătoare din buzunar. Trey aproape că fuge în urma lui ca să țină pasul. Are ochii cuprinși de o panică sălbatică, cauzată de ce a pus în mișcare.

— Putem să-l facem bine, zice el.

— Nu putem, puștiule, spune Cal încet. Trebuie să-i curmăm suferința. O fac eu.

— Nu, spune Trey, alb ca varul. Eu l-am împușcat.

Una dintre labele din față ale iepurelui a fost retezată și sângele țâșnește cu putere din ea. Zace pe o parte, tremurând, cu spatele arcuit. Are gura deschisă, dezvăluind dinții puternici și o spumă însângerată. Țipetele lui umplu aerul.

— Ești sigur?

— Da, spune Trey, și întinde mâna după cuțit.

— În spatele gâtului, spune Cal. Aici. Trebuie să-i desprinzi capul de spinare.

Trey poziționează cuțitul. Își strânge buzele de parcă ar încerca să nu vomite. Inspiră și expiră ca atunci când se pregătește să tragă. Asta-i calmează mâna care-i tremură. Apasă cuțitul cu toată greutatea și țipetele încetează. Capul iepurelui atârnă.

— OK, spune Cal.

Caută punga de plastic în buzunar, ca să ia iepurele de sub ochii puștiului.

— S-a terminat. Te-ai descurcat bine.

Ia iepurele de urechi și-l pune în pungă.

Trey șterge cuțitul în iarbă și i-l dă înapoi lui Cal. Încă respiră greu, dar panica i s-a stins din priviri și începe să-și recapete culoarea în obraji. E o suferință pe care n-a putut-o îndura.

— Întinde mâinile, spune Cal, după ce găsește sticla cu apă.

Trey își privește palmele. Pline de linii subțiri de sânge.

— Vino aici.

Toarnă apă peste mâinile lui Trey pentru ca puștiul să scape de tot sângele ăla.

— Atât, ajunge. Poți să te speli ca lumea după ce terminăm partea murdară.

Trey își șterge mâinile de blugi. Se întoarce spre Cal, încă uluit, de parcă ar avea nevoie să i se spună ce să facă mai departe.

— Uite, spune Cal, întinzând punga de plastic. E al tău.

Trey privește punga și înțelege.

— Ha, reacționează el cu un sunet între o expirație și un hohot triumfător. Am reușit!

— Așa este, spune Cal, și rânjește spre el.

Simte nevoia să-l bată pe umăr.

— Haide, spune în schimb și o iau către casă.

Peretele e luminat într-un auriu palid de soarele care apune, așa că se profilează pe cerul cenușiu.

— Să-l ducem acasă.

Eviscerează iepurele pe blatul din bucătărie. Cal îi arată lui Trey cum să taie picioarele, cum să facă o despicătură pe spate și să-și vâre degetele sub piele ca să jupoaie animalul, răsucindu-i și capul în același timp, apoi cum să-i desfacă burta și să scoată organele. E încântat că încă se pricepe, după atâția ani. Mintea lui nu prea-și mai amintește ce să facă, dar mâinile lui încă știu.

Trey privește atent și urmează instrucțiunile lui Cal, cu aceeași organizare metodică de care a dat dovadă când a lucrat biroul și a învățat să tragă cu pușca, când bărbatul îi arată cum să ciupească fără probleme vezica urinară și să verifice ficatul de puncte de boală. Jupoaie animalul împreună, scot tendoanele și elimină piciorul distrus, apoi taie cele trei picioare rămase, burta și vintrele.

— Asta-i carnea de mâncat, spune Cal. Data viitoare, mă ocup și de restul, dar azi vom pune o parte înapoi de unde a venit.

Asta au făcut el și bunicul cu prima lui veveriță, demult: au dat părțile de care nu aveau nevoie înapoi naturii. Pare a fi lucrul potrivit de făcut pentru primul animal ucis.

Duc ofranda în fundul grădinii și o lasă pe o buturugă pentru ciori sau vulpi sau cine-ajunge primul. Cal fluieră după ciori, dar ele se așază în copac și îl ignoră, deși unele îi aruncă niște croncăneli.

— Noi le-am oferit, zice. Ți-e foame? Sau ți s-a dus pofta?

— Mor de foame, spune Trey prompt.

— Bine.

Cal privește cerul. Fâșia de galben palid a devenit verde limpede.

— Voiam să fac tocană, dar durează. O să-l frigem.

Vrea ca Trey să ajungă cât mai devreme acasă.

— Îți place usturoiul?

— Bănuiesc că da.

Cal își dă seama, privind fața lipsită de expresie a puștiului, că poate nu știe.

— Să aflăm. Gătești?

— Uneori, gen.

— Bine. Azi gătești.

Se spală, apoi Cal îl lasă să cânte pe Waylon Jennings, să aibă mai mult spor. Trey rânjește.

— Ce?

— Muzică de moși.

— Bine, DJ Cool. Ce asculți tu?

— Nimic din ce ai putea știi tu.

— Deșteptovici, reacționează Cal, adunând ingredientele din dulăpiorul cu balamaua stricată. Operă, cu siguranță.

Trey pufnește.

— One Direction.

Asta-i atrage o privire furioasă, care-l face să rânjească.

— Atunci, mulțumesc Cerului. Nu te mai plânge și ascultă. Poate că te învăț să apreciezi muzica adevărată.

Trey își dă ochii peste cap, iar Cal dă mai tare muzica.

Îi arată lui Trey cum să scuture bucățile de carne într-o pungă de plastic umplută cu făină, sare și piper, apoi cum se prăjesc în ulei, cu fâșii de ardei, ceapă și usturoi cumpărat din oraș.

— Dacă aveam roșii și ciuperci, le puteam pune și pe alea, dar roșiile lui Noreen nu mi s-au părut grozave, săptămâna asta. Merge și așa. Le mâncăm cu orez.

Pune la microunde un pachet de orez, în timp ce Trey, concentrat, întoarce carnea care se prăjește în tigaie. În bucătărie se face din ce în ce mai cald, condensul se prelinge pe geam și începe să miroasă bine a mâncare. Cal se gândește la amurgul care se îngroașă afară și la teama din ochii Sheilei și ai lui Caroline, dar și le scoate din minte.

Cal așteaptă ca Trey să pomenească iar de Brendan sau de colibă, dar băiatul nu o face. Pentru o vreme, Cal e supărat. E mai degrabă înclinat s-o ia drept semn că puștiul își face singur planuri. Apoi se uită să vadă cum pregătește mâncarea. Copilul plimbă bucățile prin tigaie, dând din cap pe melodia „I Ain't Living Long Like This“, cu buzele strânse într-un fel de fluierat stângaci și îmbujorat de la flacăra aragazului. Pare cu câţiva ani mai mic decât e şi complet în largul lui. Cal îşi dă seama că, pentru prima dată, puştiul nu se gândeşte la Brendan. S-a recompensat pentru iepure şi şi-a permis să uite pentru o vreme.

Trey se uită cam pieziş în farfurie, când se aşază amândoi la masă, dar, după ce ia o gură, dubiile lui dispar. Înfulecă de parcă n-a mai mâncat de câteva săptămâni. Aproape că s-ar băga cu faţa în farfurie.

— Se pare că-ţi place usturoiul, face Cal, zâmbind larg.

Puştiul încuviinţează, înghiţind o îmbucătură generoasă.

— Cina asta e făcută de tine, spune Cal. Fără fermier, fără măcelar, fără fabrică, fără Noreen. Doar de tine. Cum te simţi?

Trey zâmbeşte diferit, un zâmbet aparte, pe care Cal a ajuns să-l recunoască: înseamnă că e foarte bucuros.

— Nu-i rău.

— Dacă era după mine, aşa aş face cu fiecare bucată de carne pe care o consum. E mai greu şi mai murdar decât să cumperi hamburger, dar pare mai potrivit aşa. Să mănânci o creatură n-ar trebui să fie uşor.

Trey încuviinţează. Mănâncă amândoi fără să vorbească, o vreme. Afară, amurgul se instalează complet, iar norul a început să se destrame, lăsând să se vadă petice de cer într-un albastru-indigo luminos, mărginit de linia întunecată, dantelată, a lizierei pădurii. O vulpe scoate undeva departe zgomote ascuţite.

— Ai putea trăi în munţi, spune Trey.

S-a gândit la asta.

— Dacă te-ai pricepe suficient. N-ar trebui să mai cobori.

— Nu poţi împuşca blugi, spune Cal. Sau tenişi. Doar dacă nu vrei să-ţi faci haine din piei de animale, mai trebuie să şi cobori.

— O dată pe an, să faci stocul.

— Probabil. Dar ai fi singur. Mie îmi place să vorbesc cu oamenii, din când în când.

În timp ce curăță farfuria, puștiul îi aruncă o privire care spune că au păreri complet diferite.

— Nu, spune el.

Cal se ridică să-i mai pună o porție.

— Vrei să aduci un prieten cu noi data viitoare când vânăm?

Ultimul lucru pe care și-l dorește sunt și alți puști care să colcăie în jurul casei, dar i se pare că-i în siguranță și doar vrea să-și confirme o bănuială. Trey se uită la el de parcă tocmai a sugerat să invite un bizon la cină și clatină din cap.

— Tu decizi, spune Cal. Dar ai prieteni, nu?

— Ha?

— Prieteni. Amici. Tovarăși. Oameni cu care-ți petreci timpul.

— Am avut. Cândva o să ne reîmprietenim.

Cal pune farfuria în fața lui Trey și revine la propria porție.

— Ce s-a întâmplat?

— Nu mai au voie să stea cu mine. Nu le pasă, ar sta oricum cu mine. Doar că...

Ridică din umeri și taie o bucată de iepure.

— Nu acum.

Corpul pare să-i fie din nou tensionat.

— De ce nu mai au voie cu tine?

— Am făcut lucruri împreună, gen am furat câteva sticle de cidru și ne-am îmbătat, explică Trey, cu gura plină. Chestii din astea. Eram patru, cidrul n-a fost ideea mea, dar părinții lor au crezut că a fost, fiindcă eu sunt rău.

— Mie nu mi se pare că ești un puști rău, spune Cal, chiar dacă Trey nu pare supărat de asta. Cine a zis că ai fi?

— Toți.

— Care toți?

— Noreen. Profii.

— Ce ai făcut atât de rău?

Trey se strâmbă. Are multe exemple.

— Zi ceva.

— M-a certat azi profa fiindcă nu-s atent. I-am zis că mă doare-n cur.

— Nu e ceva *rău*. E nepoliticos și n-ar fi trebuit s-o spui. Dar nu e o chestiune de morală.

Copilul îl privește din nou ca pe un tâmpit.

— Nu înseamnă că-s nepoliticos. Să mesteci cu gura închisă înseamnă să fii politicos.

— Aia e etichetă.

— Care-i diferența?

— Eticheta sunt lucrurile pe care trebuie să le faci, fiindcă așa le face lumea. Cum ar fi să ții furculița în mâna stângă sau să zici „Noroc“ dacă strănută cineva. Să fii politicos înseamnă să tratezi oamenii cu respect.

— Eu nu sunt politicos mereu.

— Poftim, spune Cal. Poate că la asta trebuie să lucrezi. Ai putea și să ții gura închisă când mănânci.

Trey îl ignoră.

— Atunci care-i faza cu morala?

Cal se simte incomod în discuția asta. Îi amintește de lucruri neplăcute. În ultimii ani, a înțeles că limitele dintre morală, etichetă și maniere nu sunt la fel pentru toți, chiar dacă lui i se păreau mereu limpezi precum cristalul. Aude că se discută despre imoralitatea tinerilor, dar lui i se pare că Alyssa, Ben și prietenii lor petrec mult timp concentrându-se la ce e bine și ce e rău. Din câte vede Cal, iau poziții foarte ferme în privința cuvintelor care ar trebui sau nu să fie folosite în funcție de problemele pe care le au unii oamenii, rasă sau preferințe sexuale. Cal este de acord că e bine să te adresezi oamenilor așa cum își doresc ei, dar consideră că ține de buna-creștere, nu de morală. Asta l-a înfuriat pe Ben într-atât de mult, încât a plecat în trombă din casa lui Cal și a Donnei, când se servea desertul de Ziua Recunoștinței, în timp ce Alyssa fugea după el, în lacrimi. După o oră și-a revenit și s-a întors.

În opinia lui Cal, morala implică mai mult decât terminologie. Ben aproape că și-a pierdut mințile referitor la importanța folosirii termenilor adecvați pentru persoanele în scaun rulant și cu siguranță s-a simțit mândru că a reacționat așa, dar nu a menționat niciodată c-ar fi făcut un lucru bun pentru o astfel de persoană, iar Cal ar fi putut paria un an de pensie că nenorocitul ar fi pomenit ceva dacă chiar o făcuse. În plus, termenii corecți se schimbă la fiecare câțiva ani, așa că o persoană care gândește ca Ben trebuie să asculte mereu de alții, care-i spun ce este moral și ce este imoral. Lui Cal i se pare că nu așa dobândește cineva simțul binelui și al răului.

A încercat să dea vina pe faptul că ajunsese la vârsta mijlocie și că era morocănos în privința tinerilor de azi, dar apoi politica secției se schimbase în aceeași direcție. Organizaseră o sesiune de pregătire obligatorie pentru sensibilizare, care fusese OK pentru Cal, fiindcă unii dintre colegi tratau foarte rău martorii din cartierele rău famate și victimele violurilor, doar că sesiunea s-a dovedit a fi despre ce cuvinte să folosească și ce cuvinte să nu folosească. Dincolo de toate cuvintele, nu venise vorba despre ce făceau și despre cum puteau face lucrurile mai bine. Toată lumea se referea mereu numai la vorbe, iar cea mai morală persoană era cea care le certa pe celelalte că au folosit niște cuvinte nepotrivite.

Se teme să-i răspundă lui Trey, ca să nu-l învețe greșit și să-l vâre în vreo încurcătură, dar nimeni altcineva n-o va face.

— Morala este ceva ce nu se schimbă, explică el într-un târziu. Ce faci tu, indiferent ce fac alții. Dacă se poartă cineva aiurea cu tine, s-ar putea să nu fii politicos cu respectiva persoană. S-ar putea să-i spui să se ducă dracului sau să-i dai una. Dar, dacă vezi persoana aia prinsă într-o mașină care arde, tot vei deschide portiera și o vei trage afară, indiferent cât de ticăloasă e. Asta înseamnă moralitate.

Trey se gândește.

— Și dacă e un psihopat ucigaș?

— Atunci poate că nu l-aș ajuta dacă ar cădea și și-ar rupe piciorul. Dar nu l-aș lăsa în mașina care arde.

Trey se mai gândește puțin.

— L-aș lăsa, zice. Depinde.

— Eu am un cod, spune Cal.

— Nu-l încalci niciodată?

— Dacă nu ai un cod, nu ai nimic care să te rețină. Poți pluti departe, în orice direcție bate vântul.

— Care e codul tău?

— Puștiule, nu vrei să mă asculți vorbind despre chestiile astea, spune Cal, simțindu-se brusc obosit.

— Cum așa?

— Nu vrei să asculți pe nimeni vorbind despre asta. Trebuie să îți faci propriul cod.

— Dar cum e al tău?

— Încerc să mă port corect cu oamenii. Atât.

Trey tace, dar Cal simte că își formulează mai multe întrebări în minte.

— Mănâncă, spune bărbatul.

Trey ridică din umeri și ascultă. Când termină a doua porție, pune jos furculița și cuțitul, se lasă pe spate, cu mâinile pe burtă, și scoate un oftat satisfăcut.

— Sunt plin, zice.

Cal nu vrea să-l facă să se gândească iar la Brendan, dar, dacă nu vine cu un plan, Trey va născoci el însuși unul. După ce strânge masa, găsește un pix și o pagină nouă în carnețel și le așază în fața băiatului.

— Desenează-mi o hartă. Cum ajung la cabana unde stătea Brendan?

Copilul încearcă sincer, dar Cal își dă seama, într-un minut, că e lipsit de speranță. Toate reperele sunt niște nimicuri precum „TUFĂ MARE DE GROZAMĂ“ și „ZID CARE COTEȘTE SPRE STÂNGA“.

— Las-o baltă, zice, în cele din urmă. Va trebui să mă duci acolo.

— Acum?

Puștiul se ridică pe jumătate de pe scaun.

— Nu acum. Mergem mâine. Până aici – spune Cal, arătând spre o cotitură a drumului de munte – pot să urmăresc direcția. Ne vedem acolo la 15:30.

— Mai devreme. Dimineața.

— Nu. Te duci la școală. Asta înseamnă că acum trebuie să mergi acasă și să-ți faci temele.

Se ridică și închide carnețelul, ignorând privirea care spune că puștiul n-are de gând să facă nimic din ce-i spune.

— Ia o brioșă cu tine, ca desert.

În drum spre ușă, Trey se întoarce pe neașteptate și rânjește larg spre Cal, peste umăr, cu tot cu jumătate din brioșă deja îndesată în gură. Cal rânjește și el. Vrea să-i spună puștiului să aibă grijă, dar știe că nu va ajuta la nimic.

14

Se întâmplă ceva în timpul nopții. O tulburare, un blocaj familiar ajunge la Cal prin somn. Se trezește și aude, departe, peste câmpuri, un urlet sălbatic, de durere, de furie, sau poate amândouă.

Se duce la geam, îl deschide puțin și privește afară. Norul s-a mai risipit, dar luna e subțire și el nu prea vede mare lucru, decât întunericul care-și schimbă ici-colo densitatea. Noaptea e rece și lipsită de vânt. Urletul a încetat, dar încă se simte mișcare, departe, în ritm spasmodic, deranjându-l.

Așteaptă. După unu sau două minute, zgomotele cresc, devin mai clare, iar Cal vede o siluetă în iarba de pe terenul din spatele casei. Se îndreaptă spre drum, în viteză, dar cu un mers ciudat, dezechilibrat, de parc-ar fi rănită. Ar putea fi un animal mare sau o ființă umană adusă de spate.

Când nu o mai vede, Cal își trage blugii pe el, își încarcă pușca și iese pe ușa din spate. Aprinde luminile pe drum. Mart are pușcă, probabil și P. J., iar forma aceea poate avea sau poate fi orice. Cal nu vrea să ia pe nimeni prin surprindere.

Luminează cu lanterna peste câmp, dar nu e suficient de puternică încât să spargă bezna. Forma cocârjată nu se vede nicăieri.

— Sunt înarmat! strigă el.

Vocea i se întinde pe distanță mare.

— Ieși cu mâinile unde le pot vedea.

Urmează o tăcere acută. Apoi o voce veselă strigă înapoi, de undeva de pe pământul lui P. J.:

— Nu trage! Mă predau!

O rază de lumină subțire clipește și saltă peste câmpuri, apropiindu-se. Cal rămâne pe loc, cu pușca lăsată în jos, până ce o siluetă iese în lumina palidă a ferestrelor și ridică brațul, în chip de salut. E Mart.

Cal se duce spre el pe terenul din spate, în timp ce-l atenționează cu lumina de mai multe ori.

— Doamne feri, băiatule, lasă pușca, zice Mart, arătând din cap spre ea.

Are un aer vesel imprimat pe chip și ochii îi sclipesc de parc-ar fi beat, deși Cal își dă seama că e treaz ca ziua. Ține lanterna într-o mână și un băț de hurling în cealaltă.

— Știi cum ai făcut? Ca unul din serialul ăla, *Cops*. Ai fi un polițai pe cinste, să știi. Vrei să mă arunc la pământ?

— Ce se petrece? spune Cal.

Trage siguranța, dar ține degetul pregătit. Orice era creatura aia, s-a dus undeva.

— Am avut dreptate că va veni după oile lui P. J., asta se petrece. Și tu te-ai îndoit de mine. Data viitoare o să știi, nu?

— Ce era?

— Ah, spune cu tristețe Mart, asta-i problema. N-am reușit să văd bine. Am fost ocupat, cum s-ar spune.

— Ai nimerit-o? întreabă Cal, gândindu-se la fuga dezechilibrată a creaturii.

— I-am dat câteva șuturi, ce-i drept, spune Mart bucuros, lovindu-și piciorul cu bățul. Ședeam în păduricea ta și credeam că iar n-am avut noroc. Să fiu sincer, aproape că ațipisem. Atunci am auzit agitație între oile lui P. J.. Nu vedeam niciun căcat pe întunericul ăsta, dar m-am strecurat acolo, încetișor, și o oaie era doborâtă, iar ceva se afla peste ea. Nici măcar nu m-a auzit venind. Am lovit-o zdravăn și a scos un urlet ca un spirit al morții. Ai auzit?

— Asta m-a trezit, spune Cal.

— Voiam s-o dobor, dar nu cred c-am nimerit bine. Am luat-o însă prin surprindere. Am reușit s-o mai lovesc o dată, înainte să se dezmeticească.

Ridică bâțul, estimându-i cu satisfacție greutatea în palmă.

— M-am temut că mi-am pierdut îndemânarea cu bâțul, după toți anii ăștia, dar e ca mersul pe bicicletă și nu te părăsește niciodată. Dacă aș fi putut s-o văd, aș spune că-i retezam capul. Ți-l trimiteam plocon la ușă.

— Ți-a făcut ceva?

— Nici n-a încercat, spune Mart, disprețuitor. E bună doar să nenorocească oi, căci în clipa-n care a dat de ceva care i se opune s-a întors și-a fugit. M-am dus după ea, dar trebuie să recunosc că nu-s T.J. Hooker[1]. Am reușit doar să-mi rup spatele.

— Trebuia să fi aruncat cu bâțul în ea.

— Când am văzut-o ultima dată, venea spre tine.

Mart ridică privirea spre Cal, cu ochii mijiți.

— N-ai reușit să vezi ce era, nu?

— Nu s-a apropiat destul, spune Cal.

Ceva din privirea lui Mart îl deranjează.

— Mi-am dat seama că nu era ceva mic. Poate un câine.

— Știi cum mi s-a părut mie? întreabă Mart, îndreptând bâțul spre Cal. Dacă n-aș ști că nu se poate, aș fi zis că-i o felină. Nu vreo pisică, ci un soi de pumă.

În mișcările pe care le văzuse Cal nu i se păruse nimic ce ține de o felină.

---

[1] Polițist din serialul american cu același nume, celebru în anii 1980 (n. red.).

— Cred c-am observat doar că șchiopătează. Bănuiesc c-ai lovit-o zdravăn.

— Dacă se întoarce, o voi lovi mai bine. Dar nu se va întoarce. A încasat-o.

— Cum de-ai decis să iei ăla? întreabă Cal, arătând din cap spre băț. Eu mi-aș fi luat pușca.

Mart chicotește.

— Barty are dreptate cu voi, yankeii. V-ați aduce puștile și la slujbă. Ce să fac cu pușca? Sunt aici încercând să salvez oile lui P. J., nu să le împușc fiindcă nu văd nimic pe întuneric. Chestia asta și-a făcut treaba.

Examinează bățul, mulțumit. Aproape de vârf e o pată mare, întunecată, care-ar putea fi noroi sau sânge. Mart scuipă pe ea și o șterge de pantaloni.

— Probabil că ai dreptate. Cum e oaia?

— A murit. I-a scos beregata.

Mart își arcuiește spatele.

— Ar trebui să-i dau vestea lui P. J., înainte să înțepenesc. Ar trebui să mergi înapoi în pat. S-a terminat distracția.

— Mă bucur că așteptarea a dat rezultate. Transmite-i lui P. J. condoleanțele mele.

Mart își atinge basca și pleacă, iar Cal se întoarce spre casă. Stinge lanterna și trece prin întunericul dens, pe sub copacul ciorilor.

Noaptea e atât de liniștită, că pâlcurile de stele și norii stau nemișcați pe cer, iar frigul taie prin bluza de trening pe care o poartă Cal când doarme. După câteva minute se aprinde o lumină acasă la P. J. Un minut mai târziu, două raze de lanternă se încrucișează peste câmpuri, se opresc și se concentrează la ceva de pe jos. Cal aude – sau își imaginează că aude – foarte slab discuția lor cu cuvinte apăsate pline de furie și agitația oilor. Apoi cele două raze ale lanternelor se întorc spre casa lui P. J., mai lent. Mart și P. J. târăsc oaia moartă, fiecare de câte un picior.

Cal rămâne pe loc și privește. Câteva molii întârziate se rotesc în lumina de la ferestrele lui. Nu prea mișcă altceva, doar viețățile mici, obișnuite, pe lângă garduri. Se mai aude, când și când, chemarea unei păsări de noapte, o bufniță poate, dar el așteaptă și privește, pentru orice eventualitate. Orice a întâlnit Mart, s-ar putea să se fi ascuns când Cal a ieșit și poate așteaptă cu răbdare.

Neliniștea provocată la început de privirea întrebătoare și inocentă a lui Mart a sporit și a ieșit la suprafață. Mart a știut că, dintre toate oile din Ardnakelty, creatura le va ataca pe ale lui P. J.

Cu cât se gândește Cal mai bine, cu atât îi place mai puțin bățul acela de hurling. Doar un nesăbuit ar risca să se apropie atât de mult de ceva care sfâșie oi, când are o pușcă în regulă, care l-ar ține la o distanță sigură. Mart nu e nesăbuit. Singurul motiv pentru care și-ar fi lăsat pușca acasă ar fi că se aștepta să întâlnească ceva ce n-ar fi împușcat. Mart aștepta în pădure un om.

Cal se teme. Simte mai întâi teama, apoi o înțelege treptat. E legată de puști, de felul în care oamenii din zonă îi tratează atât de neplăcut familia și în care plecarea fratelui său l-a aruncat în brațele disperării. Are legătură cu nonșalanța și neclintirea precisă – atunci i s-au părut calități – cu care a ucis și a tranșat iepurele. N-a putut suporta să pricinuiască suferință, dar oile acelea n-au suferit, poate doar câteva clipe.

Cal gândește că Trey e un copil bun și nu ar face așa ceva. Dar știe și că nu i-a explicat nimeni vreodată lui Trey care e diferența între bine și rău sau cât de important e să facă diferența între ele și să rămână de partea corectă.

După o vreme, o singură rază de lanternă își face drum peste câmpuri, de la casa lui P. J. spre cea a lui Mart. După o vreme, luminile de la P. J. se sting și apoi și cele de la Mart. Pământurile se scufundă în beznă.

Cal se duce mai departe spre casă. Luminează buturuga cu lanterna. Rămășițele de iepure au dispărut, n-a mai rămas nici urmă.

Când ajunge în punctul de întâlnire, la 15:20, după un drum lung și întortocheat, Trey nu e acolo. Muntele e atât de pustiu, că se simte ca un intrus. Pe drum, niște oi care pășteau și-au întors capetele să-l privească, în timp ce trecea pe lângă fragmente de ziduri acoperite din loc în loc cu licheni. Dar aici, sus, singurele urme de existență umană sunt cărarea de pământ pe care a urmat-o, năpădită de buruieni și cicatricea vizibilă pe alocuri prin vegetație, de unde a mai luat cineva turbă, când și când.

Neliniștea de noaptea trecută sporește. Puștiul ar rata întâlnirea numai dacă ar fi rănit prea grav ca să poată veni.

Cal dă târcoale și privește atent muntele. Vântul suflă prin buruieni și grozamă, cu un foșnet prelung, necontenit. Mirosul are o dulceață aproape prea rece încât Cal s-o poată surprinde. Cerul e de un cenușiu granulat și de undeva din înalturi o pasăre trimite un tril de o sălbăticie pură.

Când se întoarce, vede silueta copilului pe drum, undeva mai sus, de parc-ar fi fost mereu acolo.

— Ai întârziat.

— Mi-am făcut temele, răspunde Trey, cu o urmă de rânjet obraznic.

— Sigur, spune Cal.

Nu vede nicio vânătaie, nicio tăietură.

— Ai ajuns cu bine aseară?

Trey îi aruncă o privire bănuitoare, de parc-ar fi o întrebare ciudată.

— Mda.

— Am auzit zgomote, mai târziu. Un animal rănit, poate.

Copilul ridică din umeri, semn că e posibil, dar că nu e problema lui, și se întoarce spre drum. Cal îl privește în timp ce merge. Are același pas lung, săltat. Nu șchiopătează și nici nu pare să-l doară ceva.

Cal reușește să nu mai fie așa îngrijorat, dar nu de tot. E mulțumit, mai mult sau mai puțin, că nu puștiul e cel care rănește oile, dar asta nu mai pare să fie principala preocupare sau, cel puțin, nu pare singura. A înțeles că încă nu îi e limpede de ce e sau nu e capabil Trey.

Trey se îndepărtează de cărare, urcând prin iarba neagră.

— Ai grijă, spune el, peste umăr. E și noroi.

Cal se uită unde pune Trey piciorul și încearcă să-i calce la propriu pe urme, simțind cum cedează solul, din loc în loc. Puștiul cunoaște terenul și i se potrivește mai bine decât lui Cal.

— Rahat, zice Cal când cizma i se afundă în noroi.

— Trebuie să mergi mai repede, spune Trey. Nu-i da șansa să te înhațe.

— Mai repede de atât nu pot. Nu toți avem constituție de iepure.

— Mai degrabă de elan.

— Ții minte ce ți-am zis despre maniere?

Trey pufnește și merge mai departe.

Trec de tufe de grozamă, înconjoară cicatrici vechi de unde s-a tăiat turbă, merg pe sub o stâncă ascuțită, unde smocuri de iarbă apar din crăpăturile dintre bolovani. Cal e atent dacă-i urmărește cineva, dar aici nu se mișcă nimic, cu excepția buruienilor care foșnesc în vânt. Nu e un loc peste care să dai accidental. Indiferent ce făcea Brendan aici voia să nu fie deranjat.

Trey merge pe o pantă suficient de abruptă cât să-i taie respirația lui Cal și ajunge într-un desiș de molid. Copacii sunt înalți și aranjați ordonat, iar pe jos e un covor de ace care au căzut în ultimii ani. Aici nu ajunge vântul, dar crengile se scutură cu un foșnet permanent. Lui

Cal nu-i plac diferențele de relief. Sunt ca vremea – de o imprevizibilitate calculată în mod deliberat pentru a te ține cu un pas în urmă.

— Aici, zice Trey, când ies dintre copaci.

Ascunzătoarea lui Brendan e mai jos de ei, adăpostită de vânt într-o mică depresiune. Nu la asta se aștepta Cal. Își imagina niște rămășițe de zid de piatră, poate cu câte o urmă de acoperiș, ici și colo, lăsată la mila naturii de generații. Aici e o colibă pitică, albă, nu mai veche decât casa lui, și e cam în aceeași stare în care fusese a lui, când a ajuns. Pervazurile și ușa au încă mare parte din vopseaua roșie intactă.

Cal consideră că-i mai rău decât își imaginase. O casă veche de două sute de ani e lăsată în voia naturii: lucrurile își duc traiul și apoi se descompun. O casă relativ nouă abandonată presupune ceva nefiresc, cu muchii ascuțite ca de ghilotină. Locul are un aspect care nu-i e pe plac.

— Stai, spune el, cu o mână blocându-l pe Trey.

— De ce?

— Așteaptă un minut. Să ne asigurăm că n-a avut cineva aceeași idee ca fratele tău.

— De aia venea Bren aici. Fiindcă nimeni...

— Așteaptă.

Cal se duce din nou spre pâlcul de copaci. Trey își dă ochii peste cap, dar îl urmează.

Nu se aude nimic din colibă. Nicio mișcare, niciun sunet. Buruienile cresc înalte pe lângă pereți, dar au fost culcate la pământ pe drumul spre ușa din față. Are geamurile în mare parte sparte și îi lipsesc multe țigle de pe acoperiș, dar cineva a încercat s-o repare, nu cu multă vreme în urmă. A fost trasă o prelată peste o parte din acoperiș, iar ferestrele sunt astupate cu plută.

— Ai zis că ai mai fost aici după ce a plecat Brendan, nu?

— Da. Câteva zile mai târziu.

Asta înseamnă că nu vor da peste cadavrul lui. Două drepnele țâșnesc de sub streșini, apoi încetinesc și fac acrobații în aerul rece.

— Arată bine, spune Cal, în cele din urmă. Să vedem.

În depresiune, sunetul se condensează într-un fel care pare tulburător, după spațiul deschis de deasupra. Pașii lor se aud ca un scrâșnet pe pietrișul potecii. Drepnelele încep să ciripească furios și se ascund.

Ușa are o adâncitură mare, plină de așchii, în partea de jos, unde cineva a lovit și cu precizie, și cu hotărâre, nu demult. Lemnul spart abia începe să se decoloreze. Un ivăr de oțel, cu lacătul încă atașat, atârnă în gol, iar în ușă sunt găuri, de unde a fost smuls. Cal își trage mâneca gecii peste mână înainte să împingă ușa.

— Așa era ultima dată când ai venit?

— Așa cum?

— Lovită. Cu lacătul spart.

— Da. Am intrat direct.

Trey e chiar lângă el, ca un câine de vânătoare încă nepregătit, care arde de nerăbdare.

Înăuntru nu se mișcă nimic. Undeva, în camera din spate, se vede o lumină slabă, dar, în afară de ea, pluta creează un întuneric aproape perfect. Cal își scoate lanterna de buzunar și privește în jur.

În partea din față a casei e o cameră mijlocie. Nici țipenie de om. Este curată, observă Cal. Prima dată când a intrat în propria casă era plină de pânze de păianjen, praf, gâze moarte, șoareci morți, gogoloaie neidentificate. Aici podelele sunt goale, cu un strat fin de praf. Tapetul, coloane de floricele roz și aurii, este pătat de umezeală, dar bucățile cojite au fost smulse.

Într-un colț se află un aragaz de camping cu propan, nou-nouț, și câteva butelii de rezervă alături. Sub o fereastră prinsă în scânduri e un răcitor, nou-nouț și el. Lângă peretele din spate e o comodă din PAL, deloc nouă. Mai vede o mătură și un făraș, un mop cu găleată, un şir de sticle de plastic mari. Se văd urme de târâre pe podele, ca şi cum lucrurile au fost cărate înăuntru sau afară.

Nu se clinteşte nimic când intră ei.

— Stai aici, spune Cal.

Se duce repede în spate. Aici au fost cândva bucătăria şi un dormitor, dar nu s-a obosit nimeni să facă ordine. Podelele sunt pline de bucăţi de rigips şi de mobilă aruncate la întâmplare şi peste tot sunt pânze de păianjen, ca nişte perdele dantelate şi prăfuite care cad din tavan. Ferestrele din spate nu sunt bătute în scânduri, iar buruienile cu flori galbene se clatină în spatele lor, însă muntele e suficient de aproape cât să împiedice lumina.

— Vezi? spune Trey, lângă umărul lui. Nu e nimeni.

— Am pierdut două minute, spune Cal. E mai bine decât să dăm de bucluc.

Se duce înapoi în camera din faţă, se lasă pe vine lângă răcitor – în timp ce puştiul îl priveşte peste umăr – şi-l deschide, cu mâneca trasă peste mână. E gol. Examinează aragazul, care e pregătit de folosire, dar pare să nu fi fost niciodată aprins. Clatină fiecare dintre buteliile de propan: una plină, două goale. Se duce la comodă, deschide uşile apucând de colţuri şi îndreaptă lanterna spre interior.

În comodă sunt trei pachete de mănuşi de cauciuc, trei sticle de detergenţi pentru menaj, o grămadă de bureţi de curăţat murdari şi cârpe, câteva caserole, un pachet mare de filtre de cafea, un furtun de cauciuc încolăcit, două seturi de ochelari de laborator, un pachet de măşti de protecţie şi o baterie care s-a rostogolit într-un colţ.

Inima lui Cal începe să bată mai tare. Pentru o secundă, nu se poate mişca. Voia ceva care să-i distrugă toate neclarităţile şi să-i arate o probă solidă. Acum, că a obţinut aşa ceva, îşi dă seama că nu şi-l doreşte deloc.

Şi-a făcut o părere greşită despre Brendan. Şi-a imaginat un puşti haotic, în goană după prima şi cea mai uşoară idee pe care o avea în minte, plin de resentimente și de speranța de a le arăta tuturor că îl subestimaseră. Dar Brendan a făcut totul metodic, sistematic, fără grabă, punând toate piesele la locul lor. Un copil furios poate intra în bucluc. Un copil organizat nu se va băga în rahat, dar, dacă se întâmplă, rahatul va fi mult mai adânc.

Îl simte pe Trey ghemuit lângă el, privindu-l și surprinzându-i momentul de împietrire.

— Ha, pufnește, ridicându-se. Ține asta, te rog.

Îi dă lanterna.

— De ce? întreabă Trey.

E încordat și abia se abține. Cal își găsește telefonul și deschide camera.

— Când investighezi, documentezi. Să fie acolo.

Trey nu se mișcă. Îl privește fix pe Cal.

— Începe aici, spune Cal, arătând din cap spre podea. Apoi trece-o prin cameră, încetișor.

După o clipă, Trey face întocmai, fără comentarii. Mișcă lanterna, în timp ce Cal filmează camera, apoi o ține fix pentru fotografii cu răcitorul, comoda, butelia, canistrele de propan, sticlele de apă. Cal filmează camerele din spate, fără lanternă. Fereastra fără scânduri din spate a fost o decizie bună. Dacă faci ce urma să facă acolo Brendan Reddy, ai nevoie de aerisire.

Locul miroase a umezeală, ploaie și molid. Brendan n-a apucat să înceapă ce-și propusese. Adusese totul, sau aproape totul, și ceva n-a mers.

Când termină cu fotografiile, Cal își ia înapoi lanterna și se duce în camera din față, cu raza îndreptată spre podea.

— Ce cauți? întreabă Trey.

— Orice găsesc, răspunde Cal. Dar nu e nimic aici.

Caută pete de sânge. Nu vede nimic, dar nu înseamnă că nu sunt prezente. Podeaua a fost curățată nu de mult, deși n-are cum să știe dacă s-a întâmplat înainte sau după ce a dispărut Brendan. Luminolul ar revela sângele, dar nu are substanța.

— Privește atent în jur. E ceva diferit față de când ai fost ultima dată?

Trey scanează fiecare cameră, fără grabă. Clatină apoi din cap.

— OK. Să mergem să aruncăm o privire în jur.

Trey încuviințează, îi dă lanterna lui Cal și se îndreaptă spre ușă. Cal n-are idee ce pricepe copilul din toate acestea. Nu-și dă seama dacă simte asta fiindcă puștiul are felul lui de a fi sau fiindcă își ține gândurile pentru sine, în mod deliberat.

Se duc în zona cu buruieni înalte care a fost cândva curtea, dar nu vede niciun fel de provizii și niciun semn de săpături. Tot ce găsesc e o amintire a zilelor în care casa era locuită: o grămăjoară de vase și pahare sparte, pe jumătate îngropate sub ani de pământ și buruieni.

Trey găsește un băț și lovește urzicile.

— Termină.

— De ce?

— Aș vrea să nu se afle că a fost cineva aici.

Trey îl privește, dar nu spune nimic. Aruncă bățul în morman.

Sus e o tăcere care separă locul de câmpii. Acolo, jos, e mereu un amestec generos de păsări care se agită și comunică, de oi și vite care conversează, de fermieri care strigă. Dar aici, sus, aerul e gol. Doar vântul e prezent și câte un ecou al pietrelor care se lovesc unele de altele, încontinuu.

Urcă pe marginea depresiunii, căutând prin pâlcuri de iarbă înaltă, atenți la tot ce văd, să se asigure că nu le scapă nimic. Găsesc o sapă de grădină ruginită și niște sârmă ghimpată. Când ajung în vârf, trec prin crângul de molizi, lovind grămezi de ace căzute și privind printre crengi după ascunzători. Câteva cuiburi vechi îi fac să se uite de două ori.

Cal a știut de la început că e degeaba. Aici e prea mult spațiu pe care un bărbat și un copil să-l poată acoperi. Are nevoie de o echipă de investigații la locul faptei, care să colcăie prin casă, și de o unitate de intervenție care să parcurgă muntele. Se simte cel mai mare prost din lume, căci e într-o țară străină și se joacă de-a polițistul, fără acte și fără pistol, cu un puști de treișpe ani și cu polițistul Dennis ca întăriri. Încearcă să-și imagineze ce ar spune Donna, dar adevărul e că n-ar spune nimic. L-ar privi doar, nevenindu-i să creadă, fiind în primul rând uimită, și ar ridica brațele spre cer, plecând. Nici măcar paleta extravagantă de cuvinte și zgomote a Donnei n-ar fi suficientă să acopere ce se petrece aici.

— Păi, spune, în cele din urmă, cred c-am văzut tot ce era de văzut.

E timpul să plece. Lumina începe să se schimbe, iar umbrele molizilor se întind către casă.

Trey îl privește întrebător. Cal îl ignoră și pătrunde mai adânc între rândurile de copaci. Se bucură să plece de acolo.

După un minut sau două observă că merge prea repede, iar copilul e obligat să țină pasul cu el.

— Deci – zice, încetinind – ce-ai înțeles?

Trey ridică din umeri. Sare să apuce o creangă de molid. Cal ar vrea să înțeleagă ce se petrece în mintea lui.

— Îl cunoști pe Brendan, iar eu, nu, continuă Cal. Casa aia ți-a dat vreo idee ce punea la cale?

Trey lovește creanga de un trunchi, în trecere. Șuierul și plesnitura sunt comprimate de copacii din jur. Nicio mișcare drept răspuns.

— Când m-am dus acolo, după ce a dispărut Bren, m-am gândit că poate locuia în acel loc. Am văzut c-a reparat acoperișul, am văzut butelia și răcitorul. Nu erau acolo înainte. M-am gândit că s-a săturat de noi și s-a mutat acolo. Am așteptat toată noaptea să vină. Voiam să-l întreb dacă pot să stau și eu cu el.

Lovește creanga de alt trunchi, mai tare, dar zgomotul abia se aude.

— Am priceput abia dimineață că-s prost și că nu locuia acolo, fiindcă nu existau nicio saltea sau sac de dormit sau altceva.

E prima dată când vorbește așa mult. Nu e surprins că Trey n-a pomenit mai devreme de colibă, după noaptea aceea lungă și dezamăgirea care a urmat.

— Într-adevăr, nu pare să locuiască aici, spune Cal.

După o tăcere mai scurtă, Trey îl privește pieziș.

— Toate chestiile alea din comodă.

Cal așteaptă.

— Detergenți. Brendan poate că voia să se ocupe de restul locului. Să-l închirieze, gen. Ălora de fac drumeții. Doar că poate oamenii care au casa au aflat și s-au supărat. Și cu ei voia să se vadă Bren. Gen, să le dea cash.

— Poate, spune Cal, în timp ce se ferește de o creangă.

Simte privirea puștiului.

— Și ei l-au luat.

— Știi cine deține casa? Cine a locuit acolo înainte?

Trey clatină din cap.

— Dar unii dintre oamenii munților sunt duri.

— Se pare că va trebui să mă uit în registrele de cadastru.

— Îl vei găsi, nu? întreabă Trey.

— Asta intenționez.

Nu mai vrea să-l găsească pe Brendan Reddy.

Trey vrea să spună altceva, dar se oprește și începe iar să lovească trunchiurile cu creanga. Își croiesc drum printre molizi și coboară în tăcere.

Când ajung înapoi la cărare, unde s-au întâlnit, Cal încetinește.

— Unde stă Donie McGrath? întreabă el.

Trey lovește o piatră din fața lui, dar ridică privirea.

— De ce?

— Vreau să vorbesc cu el. Unde stă?

— De partea asta a satului. Casa cenușie cu ușa albastru-închis.

Cal o știe. Sătenii se mândresc cu casele lor, cu geamurile curate, cu alămurile lustruite și dungile trase cu vopsea corect. O casă dărăpănată e o casă goală. Cu excepția casei lui Donie.

— Singur?

— Cu maică-sa. Tatăl lui a murit. Soră-sa e căsătorită în altă parte și cred că frate-su a emigrat.

Drumul e liber de pietre. Copilul lovește un pâlc de iarbă neagră cu piciorul.

— Donie și frate-su se luau de Bren când erau la școală. Până la urmă l-au bătut și mama și maică-sa lui Donie au intervenit. A zis, gen, băieții mei n-ar face asta, sunt băieți buni, noi suntem o familie *decentă*, chit că toți știau că taică-su era bețiv și un târâie-brâu. Mă-sa se credea grozavă fiindcă-i din oraș și fratele ei e preot. Școlii nu i-a păsat, oricum, că era vorba despre noi.

Ridică privirea.

— Acum, Bren l-ar putea bate de s-ar căca pe el. Nu l-a răpit Donie.

— N-am zis asta, ci doar că vreau să vorbesc cu el.

— De ce?

— Așa. Și vreau să stai deoparte de el. Cât mai departe.

— Donie e un căcănar, spune Trey, cu dispreț.

— OK, dar stai departe de el.

Trey lovește piatra din buruieni. Se oprește în fața lui Cal, blocându-i drumul. Are picioarele depărtate și bărbia în afară.

— Nu sunt un nenorocit de *copil*.

— Știu.

— „Stai departe de asta, stai departe de el, nu fă nimic, nu trebuie să știi"...

— Ai vrut să fac asta fiindcă știu cum se face. Dacă nu poți să stai deoparte cât timp...

— Vreau să vorbesc eu cu Donie. Nu-i va zice nimic unui străin.

— Crezi că va vorbi cu un copil?

— Da. De ce nu? Și el crede la fel ca tine, că-s un mucos. Că poate să-mi zică orice, că nu pot lua atitudine.

— Eu îți zic că, dacă aflu că te-ai apropiat de Donie, am terminat cu povestea asta. Fără alte discuții. Clar?

Trey îl privește. Pentru o clipă, Cal crede că o să-și iasă din pepeni, ca atunci când a lovit biroul. Se pregătește.

Dar copilul se închide în el.

— Mda, clar.

— Sper să fie clar. Vorbesc mâine cu el. Vino poimâine și îți zic ce și cum.

Vrea să-i spună puștiului să evite să fie văzut pe drum, dar sună prea dubios.

Trey nu se mai ceartă cu el, nu mai pune întrebări. Pornește prin iarba înaltă și dispare după un colț de munte.

Cal înțelege că puștiul știe. Știe că s-a întâmplat ceva în casă. Ceva a prins greutate și limpezime, iar miza a crescut. Știe că acela a fost momentul în care situația s-a înrăutățit.

Cal vrea să-l cheme înapoi și să-l ia din nou la vânătoare, să-i ofere o cină ori să-l învețe să construiască ceva. Dar nimic din toate acestea nu poate repara situația. Se întoarce și pornește spre casă pe aceeași rută complicată pe care a venit. Toamna a îngălbenit câmpurile, iar umbra muntelui se împrăștie pe cărare și îl cuprinde un fior când o traversează. Se întreabă dacă puștiul îl va urî în câteva săptămâni.

Cel puțin acum știe ce echipamente de la fermă au fost furate în martie. Brendan a plecat cu un furtun și o butelie de propan într-o noapte, sau în câteva nopți, și a sifonat un pic de amoniac anhidru de la P. J. Doar c-a fost prins. Poate c-a devenit neglijent și a lăsat o bucată de bandă adezivă lipită de rezervorul de care-și prinsese furtunul sau poate că P. J. văzuse țeava de alamă înverzindu-se. În orice caz, a chemat poliția. Cal ar vrea să știe ce i-a zis Brendan ca să renunțe.

Probabil c-ar putea obține formarea unor echipe de investigație, dacă s-ar duce la poliție – nu la amabilul Gardaí Dennis, ci la detectivii din Dublin. L-ar lua în serios, după ce ar vedea pozele. Brendan nu punea la cale o găinărie în colibă. Se apucase de o operațiune pe bune, cu tehnică de capacitate mare, și avea cunoștințele de chimie necesare s-o facă să funcționeze. I se părea o presupunere corectă că avea și conexiunile potrivite să vândă metamfetamina după ce o distila. Detectivii n-aveau să piardă vremea.

Cal ar putea aprinde fitilul unei explozii care ar zgudui Ardnakelty în moduri imprevizibile.

Indiferent ce face sau nu, nu vede cum ar putea fi o situație care să iasă bine. Asta însemna neliniștea pe care au simțit-o el și Trey când s-au lăsat pe vine lângă comodă, o schimbare de aer implacabilă, rece, care-i e familiară dintr-o sută de cazuri: că nu există un final fericit.

15

Pierderea unuia dintre iepuri nu i-a speriat pe ceilalți. De dimineață, vreo zece țopăie pe câmpul din spatele casei, de parc-ar fi al lor, luând micul-dejun – trifoiul plin de rouă. Îi privește de la geamul dormitorului, simțind cum se strecoară frigul prin sticlă. Orice ar face oamenii, inclusiv când ucid, natura absoarbe, se închide peste fisură și continuă să-și vadă de treabă. Nu-și dă seama dacă e reconfortant sau melancolic. Stejarul ciorilor e scăldat în toate nuanțele de auriu, iar frunzele se răsucesc în jos, plutind spre un morman ca o reflexie de la rădăcina lui.

Este miercuri, dar Cal e convins că Donie McGrath nu își va petrece ziua muncind. Se gândește și că Donie nu se trezește devreme, așa că nu se grăbește nici el. Își face un mic-dejun copios, cu șuncă, cârnați, ouă și *black pudding*[1] – nu și-a dat încă seama dacă-i place sau nu, dar simte că trebuie să-l mănânce, din când în când, din respect pentru obiceiurile locale. S-ar putea să dureze, așa că trebuie să fie pregătit pentru o așteptare lungă și un salt peste prânz.

Puțin după ora unsprezece se îndreaptă spre sat. Casa lui Donie e la marginea străzii principale, poate la vreo treizeci de metri de magazin și cârciumă. Este o casă îngustă și strâmbă, cu etaj, cu ferestre înghesuite, care dau spre trotuar, aflată la capătul unui șir de alte case

[1] Un fel de sângerete, tradițional în Marea Britanie și Irlanda (n. red.).

similare. Spoiala grunjoasă se cojește pe alocuri și un pâlc zdravăn de buruieni crește din horn.

Vizavi de casa lui Donie se află o alta roz, cu ferestre bătute în scânduri și un zid jos de piatră. Cal se așază pe zid, își ridică gulerul hainei groase împotriva vântului umed și așteaptă.

Pentru o vreme, nu se întâmplă nimic. Perdelele de dantelă care atârnă la geamurile din față nu se clintesc. Pervazul este decorat cu bibelouri mici de porțelan.

Un bătrân slăbănog, pe care l-a văzut la cârciumă de câteva ori, trece pe lângă Cal, cu un salut scurt din cap și o privire atentă. Cal răspunde la fel, iar tipul se îndreaptă spre magazin. La două minute după ce iese, apare Noreen cu o stropitoare pe care o îndreaptă spre coșul cu petunii. Când își întoarce capul peste umăr să se uite la Cal, el îi face din mână și rânjește.

Până seara, întregul Ardnakelty va ști că-l căuta pe Donie. Cal s-a săturat de discreție. Se gândește că e timpul să bage puțin bățul prin gard și să vadă ce se întâmplă.

Așteaptă. Trec tot felul de oameni, și câteva mame cu copii și bebeluși, și o pisică grasă, portocalie, care-l privește insolent. Pisica se așază pe trotuar și se spală în zone de preferat a nu fi menționate, ca să-i arate cât respect are pentru el. Ceva se mișcă în spatele perdelelor mamei lui Donie, iar faldurile se clatină, dar nu se dau la o parte și ușa nu se deschide.

Un Fiat 600 galben apare pe stradă și se oprește în fața magazinului lui Noreen, iar din mașină coboară o femeie, probabil Belinda. Are părul bogat vopsit roșcat și ciufulit în toate direcțiile și o mantie mov pe care și-o înfășoară în jurul umerilor înainte să intre. Când pleacă, încetinește când trece cu mașina pe lângă Cal, flutură din degete și îi zâmbește larg. El dă din cap scurt și își scoate telefonul de parcă ar suna, înainte ca ea să se oprească și să decidă să se prezinte. Se pare că Noreen s-a răzgândit și nu mai vrea să-l combine cu Lena.

Mișcarea din spatele perdelelor devine mai frecventă și mai agitată. După ora paisprezece, Donie cedează. Deschide ușa din față și traversează spre Cal.

Donie poartă același trening alb, lucios, pe care-l purta și la Seán Óg. Vrea să adopte o atitudine amenințătoare, doar că șchiopătează nițel. Are și un cucui negru-albăstrui, cu o tăietură în mijloc, deasupra sprâncenei.

Cal nu se îndoiește că Donie McGrath ar fi putut să-și atragă niște scatoalce în mai multe feluri, dar n-a fost așa. Mart, marele expert în Ardnakelty și în toți locuitorii săi, a înțeles greșit, de data asta. Cal își dorește să-i vadă fața lui Mart când o să afle, dar șansele sunt infime să nu fi aflat deja.

— Ce dracu' vrei, omule? întreabă Donie, oprindu-se în mijlocul drumului, la o distanță sigură de Cal.

— Ce-ai pățit? întreabă Cal.

Donie îl evaluează.

— Dispari, mârâie el.

— Nepoliticos, spune Cal. Nu deranjez pe nimeni. Doar stau aici și mă bucur de priveliște.

— Îmi deranjezi mama. Se teme să meargă la magazin. Stai aici și te holbezi ca un pervers.

— Îți jur că nu mă interesează maică-ta, Donie. Sunt convins că e o doamnă adorabilă, dar pe tine te așteptam. Dacă șezi aici și vorbești cu mine, plec apoi.

Donie îl privește lung pe Cal. Are o față ternă și ochi mici, deschiși la culoare, care nu reflectă prea bine expresiile.

— N-am ce să-ți zic.

— Eu pot să stau aici până poimarți, spune Cal, prietenos. N-am unde să mă duc. Dar tu? Ai liber azi?

— Mda.

— Serios? Cu ce te ocupi?

— Câte puțin din toate.

— Nu sună cât să țină ocupat un om, spune Cal. Te-ai gândit să te apuci de agricultură? Se practică serios prin împrejurimi.

Donie pufnește.

— Ce, nu-ți plac oile?

Donie ridică din umeri.

— Mi se pare că tu ai ceva cu ele. Te-a refuzat vreuna?

Donie îl măsoară din priviri, dar Cal e mult mai mare decât el. După o clipă scuipă pe jos.

— De unde ai căpătat aia? arată Cal din cap spre sprânceana lui.

— Bătaie.

— Dar stai să-l văd pe celălalt, nu?

— Exact.

— Donie, să știi că mi s-a părut OK. De fapt, era vesel nevoie mare, ceea ce e destul de trist ținând cont că are jumătate din greutatea ta și de două ori vârsta.

Donie îl privește lung pe Cal. Apoi rânjește cu dinții lui prea mici.

— Te-aș putea pune jos.

— Sunt convins că lupți murdar. Dar și eu. Din fericire pentru amândoi, am chef de vorbă, nu de bătaie.

Vede cum operează mintea lui Donie, în două direcții odată. Doar puțin ia în considerare această conversație, mai mult sau mai puțin. În schimb, odată cu experiența, analizează ce-i iese din această situație și dacă există amenințări. Deși este domolit acum, că e treaz, tot scoate zumzetul acela neplăcut, imprevizibil, care l-a făcut pe Cal să-l remarce: e o privire ca și cum n-ar exista niciun proces obișnuit între ideile și acțiunile lui și că ideile nu sunt oricum cele care ar putea încolți în mintea cuiva. Cal e gata să parieze că, în timp ce conceptul general de oi n-a fost, poate, ideea lui Donie, detaliile au fost.

— Dă o țigară, spune Donie.

— Nu fumez.

Donie lovește cu palma zidul.

— Ia loc.

— Sunt arestat?

— *Ce* să fii?

— Dacă sunt, nu zic nimic fără avocat. Și dacă nu-s, atunci mă duc înăuntru. Nu mă poți opri. Oricum ar fi, du-te-n mă-ta din fața casei mele.

— Crezi că-s polițist?

Donie chicotește, bucurându-se de expresia lui.

— Ah, pe bune? Toți știm că ești de la Droguri. Ai fost trimis din America să-i ajuți pe polițiștii noștri.

Cal ar trebui să se fi obișnuit deja cu radio-șanțul din sat, însă tot îl mai poate lua prin surprindere. Nu e o poveste pe care s-o vrea răspândită din gură în gură.

— Fiule, rânjește el, te supraestimezi. Niciun polițist din toată America nu-i interesat de voi și de treaba voastră de doi bani.

Donie îi aruncă o privire uimită.

— Atunci ce cauți aici?

— Aici, în Ardnakelty, sau aici, în fața casei tale?

— Ambele.

— Sunt în Ardnakelty fiindcă peisajul e frumos, fiule. Și sunt în fața casei tale fiindcă locuiesc în cartier și sunt curios de niște lucruri care se întâmplă.

Îi zâmbește lui Donie și-l lasă să se hotărască. Cu barba și părul și tot tacâmul, arată mai mult a motociclist sau a supraviețuitor decât a polițist. Donie îl privește și se gândește care dintre variante îi place mai puțin.

— Dacă aș fi în locul tău, aș sta jos și aș răspunde la câteva întrebări fără să mă agit, apoi mi-aș vedea de treabă.

— Nu știu nimic despre droguri.

Este exact genul de conversație de rahat, cu exact aceleași remarci fără rost, pe care Cal se felicita că nu mai trebuie s-o îndure.

— Deja ai recunoscut că știi, tâmpitule, zice el. Dar e OK, fiindcă mă doare-n cur de treaba voastră. Sunt doar un băiat bun, din sud, care a fost crescut cu respectul pentru vecini și se întâmplă lucruri prin jur pe care vreau să le înțeleg.

Donie ar trebui să intre acum, dar n-o face. Poate e prost, plictisit sau încă mai caută o cale prin care ar putea profita de situație. Sau poate fiindcă vrea să afle ce știe Cal.

— Tre' să fumez, spune. Dă una de zece.

— Mi-am lăsat portofelul acasă, spune Cal.

Chiar dacă ar fi dispus să-i dea bani lui Donie, ar căpăta doar rahaturi inventate în schimb și alte noi solicitări, săptămâni la rând.

— Stai jos.

Donie îl mai privește un minut, cu gura deschisă într-un rânjet mic și feroce. Apoi se așază pe zid, departe de Cal. Donie miroase a mâncare gătită cu câteva zile înainte, varză și chestii prăjite în mult ulei.

— Ucizi oile vecinilor mei.

— Dovedește.

Donie scoate un pachet de țigări din buzunarul treningului și își aprinde una, fără să se obosească să sufle fumul în altă direcție.

— Ai niște înclinații nefirești, fiule, dar, fiindcă nu-s psihiatru, mi se rupe de ele. Singura mea întrebare este, când te apuci să tai părțile intime ale oilor, e pentru plăcerea personală sau ai un plan mai măreț?

— Nu-ți face griji, omule. N-o să mai moară oi.

— E bine de știut. Dar întrebarea mea rămâne.

Donie ridică din umeri și fumează. Noreen își udă petuniile, din nou. Cal se întoarce cu spatele la ea, de parcă nu l-ar recunoaște oricum și așa.

— Am aceeași întrebare despre Brendan Reddy, continuă Cal.

Donie întoarce capul brusc. Se uită fix la el, iar Cal îl privește și el, prietenos. Chiar și bretonul sârmos al lui Donie, pe care-l ține mereu lipit de frunte, astfel încât nu mai pierde timp să-l aranjeze, îl calcă pe nervi.

— Ce întrebare?

— Păi, începe Cal, nu prea îmi pasă ce a pățit. Dar mi-ar plăcea să știu dacă a fost o problemă personală sau dacă era vorba despre acea schemă grandioasă.

— „Schemă grandioasă", pufnește Donie.

— Cred că e termenul potrivit. Dacă ai altul mai bun, te ascult.

— Ce-ți pasă ție de ce a pățit Brendan?

— Oricărui om inteligent îi pasă cu ce are de-a face. Sunt convins că simți la fel. Când nu știi ce te așteaptă, devii agitat, așa-i, Donie?

— Ești implicat în treaba asta?

— În ce sunt implicat eu n-are legătură, fiule. Ideea e că-mi place să nu mă amestec în ce fac alții. Îmi place mult. Dar, ca să pot face asta, vreau să știu ce fac alții.

— Pescuiește și tu, îi spune Donie, suflându-i fum în față. Ia-ți niște găini. Asta te va ține departe de ce fac alții.

— Toată lumea de pe-aici pare să creadă că am nevoie de un hobby.

— Ai. Și Bren Reddy avea.

— Ce-i drept, ador să pescuiesc. Dar ce vreau de la tine e să-mi limpezești mai mult situația.

— Da? Cât de mult?

— Depinde și cum e limpezimea asta.

Donie clatină din cap, rânjind.

— Donie, spune Cal, hai să-ți fac eu o parte din treabă. Brendan Reddy a făcut-o de oaie.

N-are nicio intenție să-i spună că știe despre laborator. Nu vrea să fie arsă casa. E posibil să fie de folos, cândva.

— Amicii tăi din Dublin au scăpat de el. Vecinii mei au aflat. Și tu ai primit misiunea de a-i avertiza să-și țină gura.

Donie se uită la Cal.

— Cum mă descurc până aici?

— Vrei multe pe gratis, omule.

— Întreb frumos. Deocamdată. Ar trebui să conteze în ziua de azi.

Donie se ridică și își scoate pantalonii din fund.

— Du-te naibii, zice.

Își aruncă țigara pe jos, se fâțâie șchiopătând înapoi spre casă și trântește ușa după el.

Cal așteaptă câteva secunde, face din mână către perdelele de dantelă și se duce acasă. N-are sens să insiste. Pe Donie îl mișcă doar durerea sau plăcerea. Orice e mai complicat de atât are același efect asupra lui ca și asupra unui jder.

Oricum nu credea că va obține prea multe de la Donie. Scopul lui principal era să afle dacă Donie are legătură cu ce i s-a întâmplat lui Brendan. Și are. Și a mai vrut și să bage bățul prin gard. Și cu siguranță a făcut-o.

Conversația l-a agitat. Pentru Cal, să îndepărteze oameni ca Donie era cândva una dintre părțile preferate ale meseriei. Tipii ca Donie nu-și doresc cal și pușcă și o turmă de vite. Le poți da toate astea și într-o săptămână ar fi împușcați fiindcă au trișat la cărți, fiindcă au furat cai ori fiindcă au violat nevasta cuiva. Singurul lucru util pe care-l poți face este să-i închizi unde nu pot face rău nimănui, decât altora ca ei. Cu opțiunea asta eliminată, Cal are aceeași senzație ca la cârciumă, când Donie se rățoia la Mart, senzația că nu poate să-și înfigă picioarele în pământ. Ar trebui să facă ceva, dar contextul îl împiedică să înțeleagă ce.

În cele din urmă, ascultă sfatul lui Donie și se duce la pescuit. Neliniștea pe care o simte face casa apăsătoare și tulburătoare, plină de lucruri pe care trebuie să le facă, dar neputând să se hotărască ce să facă mai întâi. În plus, nu vrea nici să fie acasă când Trey devine nerăbdător și vine după noutăți.

Cal nu mai e interesat să afle unde s-a dus Brendan. Polițistul din el nu suportă ideea de a abandona un caz încă foarte interesant, dar prioritatea este ca, măcar în viitorul apropiat, Trey să nu mai caute.

Râul e leneș azi și se mișcă răsucindu-se învolburat. Frunzele cad pe apele lui, plutesc o clipă și sunt trase dedesubt, dispărând fără urmă. Cal se gândește să-i spună puștiului că Brendan a sfârșit aici, accidental. Ar putea inventa o poveste credibilă, poate chiar să pretindă că fratele lui căuta locuri pentru o firmă care organiza excursii de pescuit pentru turiști aflați în pelerinaje de comuniune cu natura sau pentru locuri în care te retragi dacă ești corporatist și îți cauți sălbaticul din tine. Oricare dintre aceste variante ar fi fost bună ca Trey să o aibă în vedere încă de la început.

S-ar putea să-i iasă. Trey are încredere în el. Deși s-ar împotrivi sugestiei că Brendan a murit, ar fi recunoscător pentru faptul că n-a plecat intenționat, abandonându-l. Ar fi bucuros să se gândească la Brendan ca la un antreprenor în devenire. S-ar putea chiar să fie atât de bucuros încât să nu se mai gândească de ce și-ar fi luat Brendan economiile la el, cât căuta locuri potrivite în care hipsterii de la oraș să poată construi forturi în copaci sau se întreba de ce ar avea hipsterii nevoie de măști de protecție.

Cal nu-și dă seama dacă ar trebui s-o facă. Pare genul de lucru pe care ar trebui să-l știe imediat, din instinct, dar n-are idee dacă ar fi bine sau rău. Asta-l agită teribil. Pare că și-a ieșit din mână și nu mai simte cum să facă lucrul potrivit, nu mai știe nici dacă-l vede.

Senzația asta e unul dintre lucrurile care l-a scos pe Cal din teren. O asociază, chiar dacă știe că, în realitate, nu e atât de simplu, cu un puști slăbănog de culoare pe nume Jeremiah Payton, care, cu câteva luni înainte să plece Cal, a furat dintr-un magazin, înarmat cu un cuțit, și s-a făcut nevăzut. Cal și O'Leary l-au găsit acasă la iubita lui, dar Jeremiah a sărit pe geam și a fugit.

Cal era mai în vârstă și mai greoi decât O'Leary. Era la trei pași în urma lui, când a cotit pe lângă o clădire. L-a auzit pe O'Leary strigând „Să-ți văd mâinile!", apoi l-a văzut pe Jeremiah întorcându-se spre ei cu o mână sus și alta jos. Pistolul lui O'Leary s-a descărcat și Jeremiah a căzut cu fața lipită de trotuar.

Cal era deja cu mâna pe stație și chema ambulanța, în timp ce ei alergau spre el, iar când au ajuns, Jeremiah a strigat cu o voce îngrozită:

— Nu mă împușca!

Cal îi dusese mâinile la spate și i le încătușase pe loc. Cineva începuse să urle.

— Ești rănit? îl întrebase Cal pe Jeremiah.

El clătinase din cap, iar Cal l-a întors într-o parte. Nici urmă de sânge.

— L-am ratat? întrebase O'Leary.

Era verde ca varza și curgea sudoarea de pe el. Încă ținea Glockul în mâini.

— Mda, răspunsese Cal, apoi s-a întors către Jeremiah. Ești înarmat?

Jeremiah îl privise doar. Cal pricepuse, după un minut, că nu putea vorbi fiindcă era convins că moare. O'Leary a continuat:

— Și-a îndreptat mâna spre buzunar. L-ai văzut doar.

— Am văzut c-a lăsat mâna în jos, spusese Cal. Spre buzunarul de la pantaloni, futu-i mama mă-sii. Jur pe Dumnezeu...

O'Leary se aplecase, gâfâind, și băgase mâna în buzunarul lui Jeremiah. Era un briceag.

— Am crezut că-i pistol, spusese O'Leary. La dracu'!

Se așezase în fund, brusc, de parcă-i cedaseră picioarele. Cal voia să se așeze lângă el, dar femeia țipa tot mai tare și începeau să se strângă tot mai mulți oameni.

— O să fie bine, spusese, într-o doară, și-l lăsase pe O'Leary acolo. Voia să anuleze apelul către ambulanță și să securizeze locul.

Cal era sensibil atunci, fiindcă Donna tocmai ce-l părăsise. Își petrecuse mare parte din ultimii ani bâjbâind în beznă și încercând să clarifice situații complicate și complicațiile din spatele complicațiilor. Nu părea să știe cum să se oprească. Era absolut sigur că O'Leary crezuse că Jeremiah are un pistol în buzunar și pentru mulți ar fi fost suficient. Dar pentru Cal asta părea să aibă atât de multe chestii ascunse, că nu-și mai dădea seama dacă era sau nu important. Ce era important era că el și O'Leary trebuiau să apere oamenii. Se consideraseră mereu polițiști buni, care încercau să facă lucrurile corect pentru toți cei pe care-i întâlneau. Munciseră din greu să fie așa, chiar dacă mulți îi detestau cum îi vedeau, chiar dacă unii dintre colegi deveneau tot mai răi și alții fuseseră așa de la început. Făcuseră nenorocitul de training pentru sensibilizare. Și totuși ajunseseră aproape să ucidă un puști de optsprezece ani. Cal știa că era extraordinar de nedrept că Jeremiah fusese cât pe ce să zacă mort pe trotuar și că îi privise în ochi așteptându-se să moară. Dar, indiferent câtă vreme-și petrecea gândindu-se la asta, nu putea găsi un moment în care ar fi putut schimba lucrurile. Ar fi putut să se posteze sub geamul lui Jeremiah, ca să-l împiedice să fugă, dar nu înseamnă c-ar fi rezolvat mare lucru.

Le zisese celor de la Afaceri Interne că Jeremiah dusese mâna la buzunar. Avea un dosar curat și mai puține plângeri împotriva lui decât majoritatea colegilor. Cei de la Afaceri Interne îl crezuseră. O fi fost adevărat, Cal crede că este, crede că probabil asta a văzut. Dar nu schimbă faptul că nu a zis asta celor de la Interne fiindcă a crezut că așa văzuse. A făcut-o fiindcă știa că toată lumea din jurul lui așa credea, iar el n-avea idee. Era atât de asurzit de zumzetul ăla al furiei și al complicațiilor din jur, că nu putea auzi pulsul ritmat al principiilor sale. Așa că se trezise că trebuie să apeleze la ideile altora, lucru care, în sine, era o încălcare fundamentală, de neiertat, a propriului cod de principii.

Când își dăduse demisia și sergentul îl întrebase de ce, nu pomenise de Jeremiah. Sergentul ar fi crezut c-o luase razna, pierzându-și cumpătul pentru un incident unde cea mai gravă rană fusese un genunchi zdrelit. Cal n-ar fi știut cum să spună că motivul nu era că nu-și mai putea face treaba. Era că ori el, ori treaba nu mai erau de încredere.

Râul hotărâse să fie fermecător azi. Bibanii sunt mici, dar în jumătate de oră Cal are suficienți cât să-și pregătească o cină consistentă. Dar continuă să pescuiască, chiar și când frigul își înfige colții în încheieturi și-l face să se simtă bătrân. Își strânge lucrurile numai când lumina care pătrunde printre crengi începe să devină neclară și slabă, făcând apa verde-închis și tulbure. Nu simte că poate merge acasă pe întuneric, azi.

Pe drum, îl vede pe Mart sprijinit de poartă, privind peste gardurile vii și peste câmpurile pline de baloți de fân, spre auriul cerului. Un fuior subțire de fum îi iese din gură și se înalță spre cer. Lângă el, Kojak se caută de purici.

Cal se apropie, iar Mart se întoarce și-și strivește mucul de țigară cu talpa cizmei.

— Iaca și pescarul curajos, face el, rânjind. Ai prins ceva?

— O groază de bibani, ridică el punga. Vrei?

Mart flutură din mână.

— Nu mănânc pește. Mă deprimă. Am mâncat pește în fiecare vineri, până ce a murit mama. Mi-a ajuns.

— Ar trebui să simt și eu la fel pentru crupe, spune Cal. Dar nu-i așa. Aș mânca terci de crupe zi de zi și duminica de două ori, dacă aș găsi.

— Ce mama dracu' sunt crupele astea? întreabă Mart. Le mănâncă toți cowboyii din filme, dar n-are unul decența să explice. E griș cu lapte sau ce naiba?

— E un terci din porumb, spune Cal. Fierbi mălaiul și mănânci cu ce-ți place mai mult. Mie-mi place cu crevete. Dacă aș putea găsi, te-aș invita să guști.

— Noreen poate să comande, pentru tine. Dacă bați din gene cum se cuvine.

— Poate, spune Cal.

Și-o amintește pe Belinda, făcându-i cu mâna din mașină. Nu crede că Noreen are chef să preia comenzi speciale de la el acum.

— Te ia dorul de casă? întreabă Mart, privindu-l atent. Am pus douăzeci pe tine, la cârciumă, că rămâi aici măcar un an. Nu mă face să pierd.

— Nu plec nicăieri. Cu cine ai pariat?

— Lasă asta. Sunt o gașcă de nătărăi. N-ar recunoaște un pariu bun nici dacă i-ar strânge în brațe.

— Poate c-ar trebui să pun și eu ceva în buzunar, spune Cal. Care-i cota?

— Nu contează. Dacă mă ajuți să câștig, îți dau și ție.

— Arăți bine, spune Cal.

Așa este. Mart n-are ce-i trebuie ca să se împrospăteze la față, dar vioiciunea și mișcările nu-i mai sunt pline de efort, ca-n ultimele zile. Pare să nu dorească să-și explice prezența la poarta lui Cal.

— Ți-ai făcut somnul de frumusețe azi-noapte?

— Și încă cum. Am dormit neîntors. Ce-o fi fost chestia aia, nu va mai supăra oile nimănui.

Mart împunge punga cu bibani și continuă:

— Te-ai descurcat bine. Ce faci cu ce nu mănânci?

— La asta mă gândeam și eu. Congelatorul nu e suficient de mare. Dac-aș ști unde-l găsesc pe Malachy, i-aș da lui câțiva, pentru noaptea aia.

Mart se gândește și încuviințează.

— N-ar fi rău. Dar Malachy locuiește în munți. N-o să găsești locul. Dă-mi-i, mă ocup eu s-ajungă la el.

Mart și Kojak îl însoțesc pe Cal în casă, de unde ia o pungă pentru pește, dar nu intră. Mart se sprijină de cadrul ușii, o siluetă neregulată profilată pe fundalul apusului. Kojak se întinde la picioarele lui.

— Conacul arată bine, zice Mart, inspectând livingul.

— Progresez încet, spune Cal. Mai am de făcut câte ceva, înainte să se lase iarna.

— Văd că ți-ai luat ucenic, spune Mart, scuturând blana lui Kojak. Asta va grăbi lucrurile.

— Cum adică?

— Trey Reddy te ajută.

Cal așteaptă remarca de săptămâni, dar momentul ales e interesant.

— Da, zice el, găsind în dulap o pungă cu fermoar. A venit să caute de lucru și m-am gândit că-mi prinde bine.

— Nu te-am avertizat în privința lor? întreabă Mart, plin de reproș. O să-ți fure și nasul și a doua zi ți-l vând înapoi.

— M-ai avertizat. Puștiul nu mi-a zis numele de familie și mi-a luat o vreme să fac legătura. Deocamdată nu-mi lipsește nimic.

— Fii cu ochii la unelte. Se vând frumușel.

Cal se duce la minifrigider, după tava cu gheață.

— Pare un băiat OK. Ajunge gheața să țină peștele rece, până ce-l duci la Malachy?

— Băiat? întreabă Mart.

— Trey.

— Trey Reddy e fată, dragul meu. N-ai remarcat?

Cal se ridică iute, cu tava în mâini, și îl privește lung.

Mart începe să râdă.

— Îți bați joc de mine? întreabă Cal.

Mart clatină din cap. Nu poate vorbi. Râde atât de tare, că se îndoaie, izbind cu bastonul în podea.

— Trey e un nenorocit de *nume de băiat*.

Remarca ultragiată a lui Cal îl face pe Mart să chicotească iar.

— E o prescurtare de la Theresa, reușește să explice, printre hohote. Ce față ai!

— Cum dracu' era să știu asta?

— Doamne sfinte, face Mart, îndreptându-se și ștergându-și ochii cu încheietura, încă chicotind.

Se pare că-i cel mai amuzant lucru care i s-a întâmplat de câteva săptămâni.

— Așa se explică. Eu mă întrebam ce naiba faci de lași o fătucă să stea cu tine, dar tu habar n-aveai că e fată. Asta le întrece pe toate.

— Copilul arată ca un *băiat*. Hainele. Nenorocita de tunsoare.

— Cred că-i lesbiană, zice Mart, luând în serios această posibilitate. A ales momentul potrivit, dacă e. Acum se poate căsători și tot tacâmul.

— Da, spune Cal, ce bine.

— Am votat pentru, îl informează Mart. Preotul din oraș făcea ca toți dracii la slujbă, jurând că va excomunica pe oricine e de acord, dar m-a durut în cot de el. Voiam să văd ce se întâmplă.

— Și ce s-a întâmplat?

Acum, că a trecut șocul inițial, nu simte că vrea să-i spună lui Mart cât de supărat e pe Trey. De fapt, nu e sigur de ce e atât de supărat, că doar Trey n-a zis niciodată că e băiat. Dar este supărat.

— Nu mare lucru, recunoaște Mart, cu regret. Nu pe aici. Poate că-n Dublin s-or căsători homosexualii între ei, însă pe-aici n-am auzit.

— Na, ca să vezi, spune Cal.

Îl ascultă doar cu o ureche.

— Ai supărat degeaba popa.

— Să-l ia dracu'. E doar un țap bătrân. Prea s-a obișnuit să facă lumea ce vrea el. Nu mi-a plăcut niciodată, zici că-i Jabba the Hutt[1]. E mai sănătos pentru bărbați să locuiască cu alți bărbați, așa nu-și sparg capetele. N-au decât să se și căsătorească, să fie tot tacâmul.

— Nu strică.

Cal trântește tava de gheață pe blat și aruncă niște cuburi în pungă. Mart îl privește.

— Dacă Trey Reddy nu te fură, spune el, ce vrea de la tine? Familia aia vrea mereu ceva.

— Vrea să învețe tâmplărie. N-a cerut bani. Mă gândeam să-i dau câțiva bănuți, dar nu știu cum ar interpreta. Ce zici?

— Un Reddy o să ia mereu bani. Dar să ai grijă. Nu vrei să creadă că te impresionează ușor. Ai de gând s-o lași să vină în continuare, acum, că știi că-i fată?

Cal n-ar fi lăsat în veci o fată în curte, darămite în casă.

— Nu m-am gândit la asta.

— De ce-ai vrea să fie aici? Nu-mi spune că ai nevoie de ajutor cu biroul ăla.

— E pricepută. Mi-a plăcut compania.

— Da, sigur, copila aia e vorbăreață nevoie mare! Mai degrabă discuți cu scaunul. Ai reușit să scoți două vorbe de la ea?

— Nu prea vorbește, așa e. Dar îmi spune din când în când că-i e foame.

---

[1] Personaj negativ din *Războiul stelelor* (n. red.).

— Alung-o de-aici, spune Mart, cu o fermitate-n glas care îl face pe Cal să-l privească atent. Dă-i niște bani și zi-i că nu mai ai nevoie de ea.

Cal deschide punga și scoate câțiva bibani.

— Poate, zice el. Câți ar mânca Malachy? Are familie?

Mart lovește ușa cu bastonul și ecoul răsună tare în camera pe jumătate goală.

— Ascultă-mă, omule. Eu am grijă de tine. Dacă se află că Theresa Reddy se învârte prin zonă, oamenii o să clevetească. Le zic eu că ești om de treabă și c-ai crezut că e băiat, dar nu m-or asculta la infinit. Nu vreau să văd că pleci și-mi pierzi pariul sau cine știe ce pățești.

— Ai zis să nu-mi bat capul, că nu-s probleme pe aici.

— Nu sunt. Decât dacă le cauți.

— Te temi că pierzi ăia douăzeci?

Dar Mart nu zâmbește.

— Și copila? Vrei să arunce lumea cu ocări dacă află?

Cal nu s-a gândit la asta.

— E un copil care învață meserie, spune el, pe același ton. Atât. Dacă niște nenorociți idioți ar prefera ca ea să fie pe străzi, creând probleme...

— Dacă nu-ți bagi mințile în cap, pe străzi o să fie. Or s-o alunge de aici până la Crăciun. Unde crezi că se poate duce?

— Fiindcă a reparat un birou și-a fript un iepure? Ce dracu'...

— Îmi crește tensiunea cu tine, zău. Sau îmi dai palpitații. Voi, yankeii, nu vreți să ascultați ce vi se spune, ca să avem cu toții liniște?

— Poftim, zice Cal, întinzând punga. Cu toate cele bune pentru Malachy.

Mart ia punga, dar nu pleacă.

— Celălalt motiv pentru care am votat căcatul cu căsătoria, zice el, e că frate-miu era gay. Nu Seamus, care-a locuit aici, cu mine.

Celălalt, Eamonn. Era ilegal, pe atunci, în tinerețe. S-a dus în America din cauza asta. I-am zis să se facă popă, că ei pot să facă tot ce vor și nu le zice nimeni nimic. Cred că jumate se călăresc oricum între ei. Dar Eamonn n-a vrut să audă. Îi detesta pe toți. S-a dus. Asta a fost acum treizeci de ani și n-am primit nicio vorbă de la el de atunci.

— Ai încercat pe Facebook?

Cal nu e sigur încotro se îndreaptă discuția.

— Da. Sunt niște Eamonn Lavin. Unul n-are poză, deci i-am trimis un mesaj. Nu mi-a răspuns.

Kojak adulmecă punga. Mart îi dă peste bot.

— M-am gândit că, dacă avem legea aia, se întoarce acasă, dacă-i viu. Dar nu s-a întors.

— Poate că va veni. Nu se știe.

— Nu va veni, spune Mart. N-am priceput atunci. Nu legile erau problema.

Se uită peste câmpuri, spre cerul în nuanțe de roz.

— E un loc dur, ăsta. Cel mai frumos din lume, nici caii sălbatici nu m-ar târî de aici. Dar nu e blând. Iar dacă Theresa Reddy nu o știe deja, va afla curând.

16

Cal a neglijat câteva lucruri. De exemplu, ciorile, dar și plimbările zilnice. Și biroul. Când vede cum arată dimineața – fără prihană, scăldată în soarele aspru al toamnei, rece cât să-i înghețe cerul gurii când respiră – își dă seama că e un moment potrivit să își reia obiceiurile. Asta-l va face să stea afară – și acolo vrea să fie când reapare Trey. Trebuie să-și mâne mintea departe de vechiul traseu ruginit al detectivului, înapoi la cel frumos și arătos, de care se bucura până când a apărut copila.

Mai întâi, merge până-l dor picioarele. Apoi trece la ciori, care-l supraveghează de suficientă vreme cât să se simtă confortabil în preajma lui. Alyssa avea o carte despre copii care făcuseră lucruri surprinzătoare și printre ei era o fetiță care se împrietenise cu o cioară. Erau fotografii cu cadourile pe care i le aducea pasărea: ambalaje de bomboane, chei de la mașină, cercei rupți și figurine Lego. Alyssa a petrecut mai multe luni încercând să își facă o relație cu porumbeii din cartier, care, din câte-și dădea seama Cal, erau prea proști chiar și s-o identifice drept o vietate, și nu un dispersor de mâncare de formă ciudată. I-ar fi plăcut să-i trimită poze cu ciorile care-i aduceau daruri.

Pune o mână de căpșune pe buturugă și apoi le înșiră până la pragul din spate, unde se așază și așteaptă. Ciorile coboară din copac, se ceartă pe buturugă, ajung la jumătatea drumului, apoi îi aruncă lui Cal o privire și pleacă să-și vadă de treabă.

Cal încearcă să-și regăsească răbdarea, dar pare să nu reușească. Pragul e rece. După un timp mult prea scurt, decide că ciorile n-au decât să crape și se duce înăuntru, după birou și unelte. Când iese iar, au dispărut toate căpșunile și ciorile sunt iar în copac, parcă râzând pe seama lui.

Biroul are încă depuneri de vopsea albă în crăpături și Trey a mai crăpat un raft, când a lovit biroul. Să desfacă raftul rupt de structură i se pare dificil, așa că se apucă de curățat vopseaua cu o periuță de dinți și un pahar cu apă și săpun, treabă care începe să-l irite aproape imediat. Nu s-a atins de o picătură de alcool ieri și totuși parcă-l încearcă o migrenă și o lipsă de chef apăsătoare și iritantă față de tot ce-l înconjoară. Vrea să se termine ziua și atât.

Renunță la vopsea, desface raftul și începe să-i deseneze conturul pe o bucată de lemn. Tocmai termină când aude foșnet de pași în iarbă.

Trey arată ca întotdeauna, în geaca jerpelită și cu privirea fixă. Cal nu vede fata din copilul ăsta. Probabil c-o avea un început de sâni, dar n-a avut ocazia să se uite la pieptul ei și nici n-are de gând s-o facă acum. Își dă seama că un motiv pentru care e supărat este că i-ar fi plăcut ca măcar o persoană din locul ăsta să fie ceea ce pare.

— M-am dus la școală, îl informează ea.

— Felicitări. Sunt impresionat.

Puștoaica nu zâmbește.

— Ai vorbit cu Donie?

— Vino-ncoa', spune Cal. Hai să reparăm ăsta. Vrei să tai cu fierăstrăul?

Trey stă nemișcată o secundă, privindu-l. Apoi dă din cap și se apropie.

Știe că el are să-i spună ceva ce nu vrea să audă. N-ar fi avut nevoie de câteva minute de amânare, dacă nu știa, dar fata le acceptă când el i le oferă. Stoicismul ei, complet și pe nepregătite, aproape animalic, îl face pe Cal să se simtă păcălit.

Vrea să se răzgândească. Dar, oricât de mizerabil e planul lui, oricare altul la care s-a gândit pare mai rău. Pare o mare și implacabilă nereușită a caracterului său, că nu e-n stare să găsească măcar o soluție bună pentru copila asta slăbănoagă, dar neînfricată.

Îi dă fierăstrăul și se dă la o parte, ca ea să poată ocupa locul din fața mesei.

— Ai mâncat ceva după școală?

— Nu, zice Trey, mijind ochii la linie.

Cal se duce înăuntru și iese cu un sandvici cu unt de arahide, un măr și un pahar cu lapte.

— Zi mulțumesc, spune el, mecanic.

— Da, mersi.

Copila se așază turcește pe iarbă și atacă sandviciul de parcă n-ar fi mâncat nimic azi.

Cal revine la vopsea. Nu vrea să spună ce e pe cale să spună. I-ar plăcea să nu tulbure după-amiaza, ci s-o lase să se rostogolească încetișor peste câmpurile arate, în ritmul muncii lor și pe aripile vântului din vest și în soarele jos, de toamnă, până în clipa în care trebuie să distrugă totul.

Dar, dincolo de teoria lui Mart, Cal se gândește că există câteva motive pentru care o fată nu și-ar dori să arate a fată. Dacă cineva îi face ceva, planul lui se schimbă.

— Am o palavră cu tine, zice Cal.

Trey mestecă și îl privește fără nicio expresie pe chip. Cal nu-și dă seama dacă nu se simte confortabil cu subiectul sau dacă fata nu a mai auzit o astfel de exprimare până acum.

— Nu mi-ai zis că ești fată.

Fata lasă jos sandviciul și îl privește fix. În ochi i se derulează o succesiune rapidă de lucruri. Încearcă să citească pe chipul lui ce vrea să spună. Pare gata să fugă, cum n-a mai părut de ceva vreme.

— N-am zis nici că sunt băiat.

— Dar știai că așa cred.

— Nu m-am gândit la asta.

S-a încordat ca și cum ar vrea să fugă.

— Ți-e teamă că ți-aș face rău?

— Ești supărat?

— Nu sunt, spune Cal. Doar că nu-mi plac surprizele. Ți-a făcut cineva rău fiindcă ești fată?

— Cum ar fi?

— Orice. Orice te-ar putea face să te simți mai bine dându-te drept băiat.

E atent la orice semn de tensiune sau reținere, dar copila doar clatină din cap.

— Nu. Tata era mai puțin sever cu noi, fetele.

N-are idee unde bate Cal. Bărbatul se simte ușurat, dar urmează ceva mai spinos și mai greu de identificat. Fata nu trebuie salvată. N-are niciun motiv să-și schimbe planul.

— Atunci nu mă mai privi de parcă o să arunc cu periuța în tine.

— De unde știi? Ți-a zis cineva? întreabă Trey.

— Care-i faza cu părul?

Trey își trece o mână prin păr și apoi se uită la ea, de parcă ar vrea să găsească în palmă o frunză sau ceva.

— Ha?

— Tunsoarea. Te face să pari băiat.

— Am avut păduchi. M-a ras mama în cap.

— Grozav. Mai ai?

— Nu. S-a întâmplat anul trecut.

— De ce e tot scurt?

— Scap de bătăi de cap.

Cal încearcă încă să suprapună o fată peste băiatul cu care s-a obișnuit.

— Cât de lung era înainte?

Trey arată cu mâna în zona claviculei. Cal nu-și poate imagina.

— Când eram eu la școală, copiii și-ar fi bătut joc de o fată cu părul tuns așa. Cum de nu o fac?

Puștoaica ridică din umeri, se strâmbă și-și dă ochii peste cap, iar Cal interpretează că-i cea mai mică dintre problemele ei.

— Cei mai mulți mă lasă în pace. Fiindcă l-am bătut pe Brian Carney.

— Cum așa?

Trey ridică iar din umeri. Înseamnă că nu merită să dea detalii. După o clipă zice, cu o privire rapidă pe sub sprâncene:

— Îți pasă?

— Că l-ai bătut pe Brian ăla? Depinde de ce. Uneori, n-ai de ales decât să îndrepți lucrurile.

— Pentru că sunt fată.

— La vârsta ta, un copil e un copil. Nu prea contează sexul.

I-ar plăcea să fie adevărat. Trey dă din cap și mănâncă. Cal nu-și dă seama dacă pentru ea s-a încheiat subiectul.

— Ai copii? întreabă ea după o vreme.

— Da.

— Băiat sau fată?

— Fată. E mare acum.

— Unde-i maică-sa? N-ai fost căsătorit?

— Ba da, dar nu mai sunt.

Trey asimilează informația în timp ce mestecă.

— Cum așa? Ești și tu gagicar, ca taică-tu?

— Nu.

— O băteai?

— Nu. N-am lovit-o niciodată.

— Atunci, cum de ați divorțat?

— Copilă, n-am idee.

Trey ridică sceptică din sprâncene, dar nu spune nimic. Mușcă din măr, își vâră în gură ultima bucată de sandvici și testează combinația, dar, după expresia ei, nu-i prea convinsă. Cal se înmoaie când își amintește cât de mică pare uneori.

— Fiică-ta știe că ești aici?

— Da. Vorbim săptămânal.

— Biroul e pentru ea?

— Nu. Ea are casa și mobila ei. Ăsta rămâne aici.

Trey încuviințează. Termină mărul și aruncă în grădină cotorul, spre ciori. Își trece palmele peste blugi și se apucă de tăiat.

Zgomotele produse în timp ce lucrează au un echilibru care ar putea continua la nesfârșit. Drepnelele se încrucișează pe cerul albastru, rece, iar mieii se strigă unii pe alții, cu o ușoară ezitare în țipăt. Pe terenul lui Dumbo Gannon, un tractor roșu, mic cât un gândac de la distanța asta, merge agale, înainte și înapoi, lăsând o bandă lată de pământ răscolit în urmă.

Cal trage de timp cât poate. Trey taie raftul, măsoară și verifică, dăltuiește și netezește, mijește ochii și măsoară iar. Cal freacă unele crăpături, le șterge și scobește cu o lamă, când e necesar. Trey trece la șmirghel.

Lumina începe să se condenseze, așezându-se, aurie precum mierea, peste câmpuri. Cal trebuie s-o facă.

— Am vorbit cu Donie, spune, auzind cuvintele ca niște așchii de lemn.

Trey își încordează umerii. Pune jos raftul și șmirghelul, cu grijă, și se întoarce spre el.

— Aha!

Cal îi simte privirea și observă cum îi tremură nările. Știe că inima îi bubuie fetei în piept.

— Nu sunt vești proaste, bine?

Ea expiră scurt și își șterge gura cu mâneca.

— OK.

E la fel de palidă ca după ce a împușcat iepurele.

— Vrei să stai jos? E o poveste lungă.

— Nu.

— Cum vrei.

Cal îndepărtează praful de vopsea de pe birou și se sprijină de el, cu mișcări lente și ușoare, ca în preajma unui animal speriat. Cum a făcut primele dăți când a venit puștoaica, acum câteva săptămâni.

— Ai vrut să știi de ce voiam să discut cu Donie. M-am gândit așa: Brendan plănuia să utilizeze coliba aia ca să facă bani. Avea ceva dubios în minte, altfel ți-ar fi zis ce era. Asta înseamnă că trebuia să discute cu niște oameni cu relații dubioase. Singurii de pe-aici sunt băieții care vin din Dublin să vândă droguri. L-am văzut pe Donie cu ei, în cârciumă.

Trey dă din cap scurt. Îl urmărește. E încă palidă, dar nu mai are privirea aia sălbatică.

— Așa că m-am dus la Donie. Știam, cum ai zis, că nu va dori să stea de vorbă cu un străin, mai ales că, așa cum tu ai auzit c-am fost polițist, așa a auzit și el. Dar ne-am înțeles.

— L-ai bătut?

— Nu. Nu e nevoie. Trebuie să-l întâlnești o singură dată să-ți dai seama că nu e cine știe ce de capul lui. Nu face decât să-i pupe pe alții în cur și e speriat de ei mai tot timpul. Așa că tot ce a trebuit să fac a fost să pară că știu mai multe decât știu de fapt și să-i zic lui Donie că, dacă nu umple golurile de informații, mă asigur că prietenii lui de la oraș vor auzi c-a vorbit cu un polițai.

Trey încuviințează.

— Și a vorbit?

— A ciripit ca o păsărică. Donie nu e tocmai un geniu, așa că unele detalii nu-s poate corecte, dar cred c-a trasat bine ideile de bază. Dar a vorbit. Știi chestiile alea din ascunzătoarea lui Brendan?

Trey încuviințează.

— Uneori, oamenii iau lucruri care nu le aparțin și le vând.

— Brendan nu e hoț.

— Taci și ascultă, copilă. N-am zis că ar fi. Am zis că uneori oamenii ăștia nu găsesc repede cumpărători. Au nevoie de un loc unde să-și țină lucrurile, între timp. Un loc sigur, departe de priviri iscoditoare, ca să nu dea cineva peste el accidental și să nu-l găsească poliția, decât dacă vine la punct ochit, punct lovit. Dacă găsesc locul potrivit și de el se ocupă o persoană de încredere, care le ține lucrurile în siguranță, vor plăti o chirie bunicică.

— Ca un depozit.

— Exact. Un loc ca ăsta, nu departe de graniță, e un teren excelent. Brendan a văzut că nu există așa ceva în jur și și-a dat seama că ascunzătoarea lui era locul perfect. Trebuia doar s-o repare și să ia legătura cu oamenii care vor s-o folosească.

Trey se gândește. Se pare că îi poate atribui personalității lui Brendan caracterul dubios al întregii acțiuni. Dă din cap.

— Brendan a început să repare locul. Poate că l-ar fi oferit câtorva localnici, când și când, dar ar fi însemnat prea puțini bani. Avea nevoie de un pește mai mare.

— Băieții din Dublin.

— Există părți în care Donie n-a oferit detalii, spune Cal. Nimeni n-o să-i spună unui prost ca el mai mult decât e necesar. Și-a făcut doar o idee. Brendan a așteptat ca băieții din Dublin să vină în oraș și le-a cerut să-l pună în legătură cu oameni care ar avea nevoie de ceea ce oferea el. Au fost interesați, dar s-au certat între ei. Unii credeau că Brendan le va fi de folos, alții, că mai degrabă nu. Din câte înțeleg, plănuiesc și ei o treabă în munți și nu voiau ca Brendan și clienții lui să atragă atenția poliției.

— Pe tipi de genul..., dar Trey nu-și duce gândul până la capăt.

— Da. Nu vrei să-i superi. Brendan probabil c-ar fi trebuit să se gândească, dar avea tendința de a se lăsa purtat de val și de a uita de reacțiile altora. Ți se pare corect?

Trey încuviințează. Cal și-a petrecut jumătate de noapte netezind colțurile poveștii și privind-o din toate unghiurile, să se asigure că stă în picioare și conține toate piesele pe care le cunoaște Trey. Există lacune, ici și colo, dar povestea nu s-ar nărui sub presiune. Are suficient adevăr care să funcționeze ca liant. Există chiar și șansa, și ce frumos ar fi, ca povestea lui să fie adevărată, cu niște mici schimbări.

— Deci, zice el, Brendan a stabilit o întâlnire cu ei, crezând c-o să plătească pentru niște numere de telefon și toată lumea va fi mulțumită. Când a venit momentul însă, cei care credeau că Brendan este o bătaie de cap închiseseră gura celorlalți. I-au zis să plece și să rămână acolo.

— Deci doar i-au zis să plece, spune Trey respirând iute, sacadat. Nu l-au luat de tot?

— Nu. Ce să facă ei cu el? Tot ce voiau era ca el să dispară, iar Brendan s-a conformat imediat. Știa că nu e cazul să i se spună de două ori.

— De aceea a plecat. Nu că și-a dorit.

— Așa e. N-a avut de ales.

Trey expiră lung și privește în toate direcțiile. Gândul că Brendan a plecat fără o vorbă, fiindcă așa a vrut, a ros-o de vie luni întregi. Acum, că a aflat că nu a fost așa, nu știe ce să facă cu golul lăsat.

Cal o lasă în pace. După o clipă, fata întreabă:

— Unde s-a dus?

— Donie nu știe. Crede că-n Scoția. Spune că băieții nu i-au luat banii, așa c-ar fi trebuit să aibă cât să ajungă undeva și să fie bine. Dacă are minte, nu se va întoarce, o vreme.

Trey spune, apăsând cuvintele:

— Dar trăiește.

— Din câte știm. Nu există garanții, că poate a căzut de pe barcă sau l-a lovit o mașină. Ca pe oricine. Dar nu există nici motive să-l credem mort.

— De ce nu a sunat? Măcar o dată, să ne anunțe că e OK?

Întrebarea iese fără ca fata să-și fi dorit s-o pronunțe. E cealaltă parte care o roade. Voia ca Brendan să fi fost răpit, căci asta se putea repara.

— Sunt niște băieți înfricoșători, puștoaico, spune Cal cu blândețe. Cred că Brendan te cunoaște suficient să știe că, dacă prinzi o idee despre ce s-a întâmplat, s-ar putea să încerci să repari situația, ca el să revină. Asta ar fi înrăutățit lucrurile. Pentru amândoi. Te proteja, nu?

— Da.

— Asta a făcut și acum. Dacă vrei să faci la fel și tu, cel mai bine-ar fi să ai încredere și să respecți ce a vrut el să faci. Ține-ți gura și vezi-ți de treabă, până ce se gândește el că-i OK să vină acasă.

Trey îl privește încă un minut lung.

— Mersi.

Se întoarce la masă și începe să dea din nou cu șmirghelul, lucrând atent și curat.

Cal își reia lucrul cu periuța de dinți și apa cu săpun, chiar dacă biroul e deja cât se poate de curat. Trey nu mai spune nimic, așa că și el tace. Partea asta de munte s-a întunecat, iar umbra lungă a masivului se scurge spre ei, peste câmpuri. Fata îi aduce raftul lui Cal.

Fiecare muchie e netedă ca hârtia. Cal îi dă lui Trey ciocanul și ea potrivește raftul la locul lui, cu grijă, cu o lovitură într-o parte, apoi în cealaltă. Se dă înapoi și îl privește pe Cal.

— Bună treabă, spune. Te-ai descurcat foarte bine cu asta. Acum du-te acasă.

Trey încuviințează, ștergându-și palmele de blugi.

— Ai primit un răspuns, am încercat să mă apropii cât mai mult de adevăr. Mă bucur că te-am ajutat.

Cal îi întinde mâna. Trey se uită când la mână, când la Cal uimită.

— Am închis cazul, fetițo, spune Cal. Sper să vină acasă frate-tu, când se mai așază lucrurile. Ne vedem pe la Noreen, dacă te mai lasă să vii.

— Dar mă întorc oricum, să termin ăla, spune Trey și face un semn din bărbie spre birou.

— În niciun caz. N-am nimic cu tine. Te pricepi și ești o companie plăcută, dar eu am venit aici tocmai ca să scap de companie.

Trey îl privește palidă, oarecum șocată. Cal își dă seama, cu o durere atât de cruntă și de extenuantă, că vrea să cadă în genunchi și să-și lipească fruntea de iarba rece, de cât de mult își dorește ea să vină mai departe pe la el.

Are deja experiență cu ce se întâmplă dacă încerci s-o faci pe Trey Reddy să renunțe la ceva ce i-a intrat în minte. Singura cale e s-o facă să nu-și dorească să se mai întoarcă.

Dacă ea nu-și dă seama ce va zice lumea, Cal nu poate s-o convingă de asta. În schimb, spune:

— Ai vrut să afli ce a pățit fratele tău. Am aflat. Ce mai vrei de la mine?

Trey îl privește mai departe. Pare să vrea să spună ceva, dar nu reușește.

Cal permite unui zâmbet să i se strecoare pe chip.

— Hm, am fost avertizat despre familia Reddy și bani. Asta vrei? Să te plătesc pentru muncă? Probabil că am cincizeci, șaizeci de biștari, dar dacă te gândești să iei ce ți se cuvinte când nu-s atent...

Pentru o clipă, crede c-o să atace iar biroul sau poate pe el. Nu-l sperie gândul. N-are decât să facă biroul țăndări, dacă asta vrea. Chiar se dă înapoi, îi face loc. Dar ea scuipă, repede, urât, ca un șarpe cu clopoței. Flegma aterizează pe cizma lui. Apoi se răsucește pe călcâie și pleacă spre drum, cu pași mari și apăsați.

Cal așteaptă un minut și se duce la poartă. Trey e deja departe, mișcându-se iute printre petele de lumină și umbră care pictează drumul, cu capul plecat și mâinile afundate în buzunare. O privește până ce ajunge la pantă și e îmbrățișată de amestecul de soare și crengi din capătul ei și multă vreme după. Nu e nimeni în urma ei.

Își duce uneltele în casă, apoi masa și în cele din urmă biroul. Îl pune în dormitorul pentru oaspeți, ca să nu-l vadă mereu. I-ar fi plăcut să-l termine împreună cu Trey, înainte s-o alunge.

Probabil c-ar trebui să-și pregătească restul de bibani la cină, dar își scoate o bere din frigider și iese cu ea în spatele casei. La est, cerul se colorează într-o nuanță profundă de lavandă. Aratul a adăugat un iz nou în aer, ceva mai bogat și mai întunecat, îngroșat de lucruri ascunse.

Vezi? îi spune Donnei îi minte. *Pot să las baltă un caz, dacă e mai bine așa.* Donna, refuzând să-i facă pe plac chiar și în imaginația lui, își dă ochii peste cap și pufnește cu ochii spre cer.

Cal i-a zis lui Trey adevărul. Nu știe de ce el și Donna s-au despărțit. Din câte-și dă seama, ceea ce s-a întâmplat a fost că în primul an de facultate Alyssa a fost jefuită și bătută rău, iar doi ani mai târziu Donna a plecat, și se pare c-ar exista o conexiune misterioasă între cele două evenimente, pe care Cal e prea prost să o priceapă.

Atunci nu a existat niciun indiciu că primul eveniment avea să ducă la celălalt. El și Donna au zburat la Seattle atât de repede, că au ajuns acolo când Alyssa era încă în recuperare, după o intervenție la umăr, unde-i fusese zdrobit osul. După ce s-a asigurat că va fi bine, Cal a lăsat-o pe Donna cu ea și s-a dus la secție. Știa precis că un jaf oarecare nu era prioritar, dar jefuirea fiicei unui polițist era altceva, iar dacă polițistul era și acolo și făcea urât, cu atât mai mult. În următoarele câteva săptămâni, Cal hărțuise secția, politicos, dar ferm, până ce obținuseră filmările de la toate camerele de pe raza cvartalului. Dobândiseră câteva imagini granulate cu atacatorul, de care Cal și tipii de la secție s-au folosit – muncind uneori chiar douăzeci de ore pe zi, cum făcea Cal – până ce-au ajuns la un drogat cu părul roșu pe nume Lyle, care încă avea cardul Alyssei în buzunarul gecii.

Când Cal i-a zis Alyssei, era încă sub șoc și nu se putea bucura. L-a privit și a întors capul. Cal a înțeles: sperase că va fi încântată, dar văzuse suficiente victime cât să înțeleagă că trauma modelează sentimentele în forme neașteptate.

În următoarea perioadă, el și Donna se preocupaseră de Alyssa. Nu-i lăsase să mai stea cu ea după câteva săptămâni, dar nu voia nici să vină acasă, așa că trebuia să se îngrijoreze de la distanță. Atacul fragmentase mintea fetei, ca pe o oglindă scăpată în care piesele sunt încă la locul lor, dar întregul nu mai funcționează. Cal nu și-a dat seama dacă fusese vorba despre răul fizic sau despre amenințările lui Lyle, căci Alyssa încercase să discute rezonabil cu el, ca niște oameni obișnuiți, dar Lyle nu reacționase deloc bine. Dar ea abia dacă se mai ridica din pat, nu mai mergea la cursuri, nu mai ieșea nici cu prietenii și nu făcea nimic din ce ar fi fost firesc pentru o fată de vârsta ei.

Treptat însă, mintea ei s-a vindecat. A reluat cursurile. Într-o seară, a râs la telefon. Câteva săptămâni mai târziu, când Cal a sunat-o să-i spună că Lyle pleda vinovat, era într-un bar cu Ben. Cal știa că fisurile erau încă acolo și încă fragile, dar mai știa și cât de puternic erau atrase de viață creaturile sănătoase și tinere. A crezut în asta cât putea.

Când Donna începuse să se poarte urât, o pusese pe seama aceluiași lucru: traumă întârziată care ieșise atunci la suprafață, odată ce el găsise cum să-i facă loc. Purtarea urâtă însemna, de obicei, o rafală de furie, dar, treptat, pe măsură ce Donna își formula mai clar gândurile, revenea la perioada lor din Seattle, mai ales la faptul că el își petrecuse mai tot timpul încercând să dea de Lyle. Donna simțea c-ar fi trebuit să stea în apartamentul fetei, cu ea, cu colegele de cameră, cu Donna și Ben și toți prietenii care apăruseră să îi ofere susținere morală și bârfe și rahaturi cu semințe de chia.

— Ce era să fac eu acolo?

— Să vorbești cu ea. S-o îmbrățișezi. Să *stai* dracului acolo. Orice era mai bun decât nimic.

— Am făcut ceva. M-am dus și l-am prins pe tip. Fără mine, ar fi...

— Nu avea nevoie să fii plecat ca să faci pe polițistul. Avea nevoie de tine acolo. Avea nevoie de tatăl ei.

— Nu mă voia acolo, zisese Cal, uluit. Te avea pe tine.

— Ai întrebat-o? se răstise Donna, cu mâinile sus în timp ce ridica din sprâncene. Ai *întrebat* măcar?

Cal nu întrebase. I se păruse evident ca un copil să aibă nevoie de maică-sa și ca Donna să se descurce mai bine la vorbe și îmbrățișări decât el. Se dusese și-i oferise Alyssei ce avea mai bun, anume scalpul păduchios al lui Lyle. Nu i s-a părut că n-a făcut nimic. Fără eforturile lui, Lyle ar fi fost pe stradă. De fiecare dată când ieșea pe ușă, Alyssa s-ar fi așteptat să apară de după colț. Acum, pentru următorii șapte până la zece ani, nu avea să-i fie teamă.

Nu păruse, oricum, un motiv de pus capăt căsătoriei. Dar în următoarele câteva luni ajunseseră, printr-o serie de salturi și alunecări pe care Cal abia dacă reușise să le urmărească, până și atunci, în locuri mult mai întunecoase și mai întortocheate. Se certau cu orele, până târziu în noapte, dincolo de punctul în care devenea prea extenuat să înțeleagă de ce se certau. În cele din urmă, Donna se enervase și plecase, iar asta îl șocase pe Cal. Se supărase de multe ori pe ea cât fuseseră împreună, dar niciodată n-a plecat.

Singurul lucru pe care-l înțelesese limpede în urma acelor certuri fusese că Donna credea că ar fi fost un soț și un tată mai bun dacă nu era polițist. Cal credea că e o tâmpenie, dar se trezise că și-o asimilase oricum. În fond, fusese douăzeci și cinci de ani în poliție, Alyssa terminase facultatea, iar slujba nu mai era ce fusese sau ce crezuse Cal că este. Nu-și dădea seama ce era, dar devenea tot mai clar că nu îi mai plăcea.

Nu-i spusese Donnei despre hotărârea lui decât după ce a predat hârtiile, i-au fost aprobate și a primit în scris data la care putea preda insigna. Voia să vină în fața ei cu ceva solid, ca să știe că nu își bătea joc. Poate că amânase prea mult, căci, atunci când i-a spus Donnei, și ea avea ceva să-i spună, și anume că se vedea cu un tip pe nume Elliott, de la clubul de carte.

Cal nu le spusese despre asta colegilor. Ar fi zis că Donna și-o trăgea cu Elliott de mult și că de aceea plecase, iar Cal știe că nu era așa. I-ar plăcea să creadă că așa era, pentru liniștea proprie, dar o cunoaște pe Donna. Are și ea principii. Poate că nici măcar nu-i trecuse prin minte să se combine cu Elliott cât mai era împreună cu Cal, altfel nu s-ar fi atins de el nici după ce s-au despărțit. Le-a zis băieților doar că Donna îi spusese că e prea târziu – și chiar îi spusese asta –, iar băieții îi cumpăraseră lui Cal mai multă bere și toți fuseseră de acord că nu ai cum să înțelegi femeile.

Dar asta ar fi trebuit să-l aline puțin. Însă l-a făcut doar să se simtă mai rău. Se simte ca un escroc, fiindcă celălalt lucru pe care l-a priceput din certurile cu Donna este că, fără nicio intenție, le-a dezamăgit pe ea și pe Alyssa. Cal a vrut doar să fie un om stabil, care să aibă grijă de familia lui și să se poarte corect cu oamenii din jur. Pentru mai bine de douăzeci de ani, și-a văzut de treabă, crezând că așa este. Doar că a dat-o în bară pe drum. A uitat de codul lui de principii, iar cel mai rău lucru e că nu pricepe ce a făcut. Tot ce a fost de atunci nu valorează nimic și nici măcar nu știe când a fost „atunci".

Cal își termină berea și pornește spre drumul scăldat în amurg. Mart și Kojak apar la ușă, într-un nor de abur cu ceapă și paprica.

— Ia te uită cine e aici, spune Mart. Un nătăfleț. Cum se descurcă fata?

— I-am zis lui Trey Reddy să plece, spune Cal. Nu se va mai întoarce.

— Bravo. Știam că banii mei îs în siguranță. Mă bucur c-ai făcut-o.

Îi face semn spre bucătărie.

— Așază-te și-ți aduc o farfurie. Fac paella cu pui și bacon – și e grozavă, dacă pot să mă laud singur.

— Am mâncat, mersi.

Îl scarpină pe Kojak după ureche și se duce acasă, prin aerul rece și întuneric și mirosul de lemn ars care vine din vreo casă.

17

Când se duce la Noreen a doua zi, se așteaptă la o privire de gheață, dacă are noroc, dar ea îl întâmpină cu o bucată de cheddar și o poveste lungă despre Bobby, care a venit să ceară din brânză. Dar ea i-a spus că n-are el manierele lui Cal Hooper și, când le va căpăta, va avea parte de aceleași privilegii ca el, iar idiotul a plecat în lacrimi. Îi amintește și că, în câteva săptămâni, cățeii Lenei vor fi suficient de mari încât să plece de lângă mamă.

Cal e în Ardnakelty de suficientă vreme încât să poată interpreta nuanțele discuției. Nu doar că Noreen știe că el a ajuns la capătul tunelului, lucru pe care îl aprobă din toată inima, dar se va asigura că și restul satului o știe. Cal se întreabă dacă Mart a mers până la a-și încălca termenii stabiliți de cearta cu Noreen pentru asta. Ca să confirme, testează în seara aceea la Seán Óg. Intră pe ușă și e întâmpinat de o rundă de urale ironice din colțul lui Mart.

— Iisuse, umblă morții, se aude Senan. Credeam că ți-a făcut felul Malachy.

— Noi credeam că ești cam firav și te-a doborât, de te-au îndepărtat de băutură pe viață câteva guri de *poitin*, zice tipul văzut gol pușcă la geam.

— Care *noi, kemosabe*[1]? întreabă Mart. Eu v-am zis că se-ntoarce. N-a vrut să se uite la mutrele voastre hâde câteva zile, atât. Nu pot să-l condamn.

Se dă la o parte ca să-i facă loc lui Cal pe banchetă și-i face semn lui Barty să-i aducă o halbă.

— Vino-ncoa', îi spune Bobby lui Senan. Întreabă-l. O să știe.

— De ce ar ști el?

— Că-i dintre rahații ăia de americani, de aia. Tinerii numa' americănește vorbesc, mai nou.

— Luminează-mă, atunci, îi spune Senan. Ce-i un „yeet“[2]?

— Un ce? întreabă Cal.

— Un „yeet“. Stau eu în seara asta pe canapea, după ceai, digerând ca omul, și vine băiatul meu cel mic, alergând, se aruncă pe burta mea ca din tun, urlă „Yeet!“ și dispare. Am întrebat ce-a vrut să zică pe unul dintre ceilalți băieți, da' a râs de mine și cu fundu' și mi-a zis că îmbătrânesc. Apoi mi-a cerut douăzeci de biștari ca să se ducă-n oraș.

— I-ai dat?

— Nu. I-am zis să-și ia de lucru. Ce-i un „yeet“?

— N-ai văzut niciodată unul?

Cal își dă seama că s-a săturat să fie subiectul bătăii de joc a tipilor ăstora.

— Sunt niște animale de companie. Ca hamsterii, doar că mai mari și mai urâți. Au fețe mari și grase și ochi mici, de porc.

— Eu n-am fața grasă. Spui că ăla micu' mi-a zis că-s hamster?

— Păi, spune Cal, se mai folosește pentru ceva cuvântul, dar sper că băiatul tău nu știe. Câți ani are?

— Zece.

— Are internet?

[1] Termen folosit de un personaj fictiv din serialul *Călărețul singuratic*, derivat din termenii Ojibwe și Potawatomi și tradus drept „prieten de încredere“ (n. tr.).

[2] Exclamație de entuziasm, bucurie, aprobare sau triumf (n. tr.).

Senan se înroşeşte.

— Dacă nătărăul se uită la porno, să-și ia adio de la setul de tobe, de la Xbox, de la... tot. Ce-i un „yeet"? A zis că taică-său e vreo sculă?

— Te prosteşte, boule, zice tipul gol puşcă de la geam. N-are idee ce sunt.

Senan se uită urât la Cal.

— N-am auzit de cuvântul ăsta, spune el. Dar eşti simpatic când te înfurii.

Toată lumea hohoteşte, iar Senan clatină din cap și îi spune lui Cal unde-și poate băga hamsterii. Băieții mai comandă un rând, iar Mart insistă să-l învețe pe Cal regulile jocului „Cincizeci și cinci", în ideea că plănuieşte să rămână acolo, deci trebuie să se facă util. Nimeni nu pomeneşte de Trey, Brendan, Donie sau oi moarte.

Niciunul dintre cei pe care Cal îi întâlneşte nu pomeneşte nimic. Cal înțelege că e un semn că s-a terminat de-a binelea, iar dacă puştoaica ar fi făcut o prostie, auzea el cumva. Dar nu e complet sigur.

Trey a dispărut. Cal e pregătit de orice, de la cauciucuri tăiate la o cărămidă prin geam. Și-a mutat salteaua într-un colț, departe de raza de acțiune, și se păzeşte de proiectile când intră și iese din casă. Nu se întâmplă nimic. Seara, când șade pe treapta din spate, nu foşneşte nimic în gardurile vii, în afara unor păsări și animale mici. Când lucrează în casă sau își pregăteşte cina, ceafa nu-l atenționează. Dacă n-ar şti, ar crede că și-a imaginat totul.

Se apucă temeinic de casă. Face rost de la Noreen de numele coşarului local, termină de vopsit pereții din camera din față și se apucă de scos tapetul din dormitorul mai mic. Locky, amicul lui Mart, vine să-i repare instalația și îi oferă o maşină de spălat, la un preț despre care Cal nu se mai interesează. Locky e înclinat să vorbească mult, aşa că profită de ocazie și se duce la oraş, să-și ia dulapuri de bucătărie și un frigider cu congelator ca lumea. Cu ele instalate și foc în cămin, camera din față se schimbă. Își pierde aerul rece și neprietenos și devine un bârlog plin de căldură. Îi trimite Alyssei o poză pe WhatsApp. „Uau, arată grozav!" răspunde ea.

„Da, sunt pe drumul cel bun", scrie Cal. „Ar trebui să vii să vezi." Alyssa răspunde „Da! Când rezolv la muncă", urmat de un emoticon cu ochii dați peste cap. Chiar dacă se aștepta la asta, Cal se supără și se deprimă și are chef s-o sune pe Donna și s-o enerveze.

Dar iese în pădurea lui și câteva ore adună crengi căzute, pentru foc. Frigul s-a instalat și o perdea fină de ploaie coboară din cer. Când Cal iese din casă, chiar și doar ca să ducă gunoiul, nu simte nici măcar o picătură, dar revine complet ud. Cumva, umezeala se strecoară în casă: oricât ține el focul aprins și radiatorul cu ulei pornit, sacul de dormit și pilota sunt mereu umede. Mai cumpără un radiator pentru dormitor, care ajută, dar nu prea mult.

Încearcă să profite că poate asculta muzică la maximum, dar renunță. Începe bine, pregătind cina cu o doză sănătoasă de Steve Earle, mimând și bătaia la tobe în aer, ca și cum n-ar fi venit nimeni să privească pe ferestre cum se face de râs. Dar la finalul serii se trezește în prag, cu o bere, privind cerul întunecat și simțind cum i se așază burnița pe piele și-n păr, în timp ce Jim Reeves cântă o melodie veche și tristă despre un tip care aproape că ajunge acasă, pe furtună.

Unul dintre lucrurile care încă-l bucură zilele astea să descopere că mai știe să tragă cu pușca. Vremea înclină mai degrabă spre pescuit, dar n-are răbdare acum. Ar dori să petreacă mai mult timp cu carabina, cu sau fără burniță, dar există o limită și la carnea de iepure. Face un stoc în noul congelator și îi duce doi lui Daniel Boone, care-l răsplătește cu un preț redus la gloanțe și cu un tur al puștilor sale favorite, și doi lui Noreen, să fie clar că vede și apreciază că ea îl susține. Știe c-ar trebui să-i ducă unul lui Mart, dar nu se poate convinge.

Ar putea să-i ducă unul și Lenei, doar că o evită atât de hotărât, că se simte ca un prost, în timp ce păzește magazinul, asigurându-se că ea nu e înăuntru, înainte să-și facă curaj să intre. Ar vrea să-și facă toate cumpărăturile în oraș, pentru câteva săptămâni, dar nu poate risca s-o supere pe Noreen într-un moment delicat. Înseamnă și că nici nu poate intra în magazin și ieși în fugă. Trebuie să asculte veștile despre problemele pe care le are cu inima Angela Maguire, dar și explicațiile despre cum sunt Noreen și Angela verișoare doar pe jumătate sau despre o străbunică despre care se știe că poate și-a otrăvit primul bărbat, și să discute despre ce ar însemna pentru Ardnakelty noul parc acvatic de dincolo de oraș. De obicei, i-ar surâde să-și petreacă jumătate de zi așa, dar, dacă-l vede Lena, va vrea să vorbească despre cățel, iar Cal nu va lua cățelul.

Pentru prima dată de când a ajuns, Irlanda i se pare mică și înghesuită. Cal are nevoie de mii de kilometri de șosea deschisă, pe care să-i parcurgă zi și noapte, privind soarele și luna trecând peste deșertul ocru și tufele încurcate. Dacă ar încerca asta aici, ar parcurge cincizeci de metri înainte să dea peste o cotitură nejustificată, o turmă de oi, o groapă cât cada lui de baie sau un tractor din sens opus. Așa că se duce și se plimbă, dar câmpurile sunt atât de îmbibate de apă, că parcă ar avea numai noroi sub tălpi, iar marginile drumului sunt de fapt niște gropi și dâmburi de noroi, care-l împiedică să-și găsească ritmul. Inconvenientele astea nu l-ar supăra, dar acum le simte ca pe afronturi personale: pietricele în încălțări, mici, dar numai una și una, fiindcă au muchii ascuțite.

Cal refuză să lase senzația că e afectat. E firesc, după tulburarea adusă de Trey. Dacă lasă lucrurile în voia lor și muncește din greu, o să-i treacă. Asta a făcut când, de exemplu, căsnicia sau slujba i-a dat bătăi de cap și a funcționat: lucrurile s-au schimbat suficient cât să se simtă iarăși confortabil. Când va fi casa gata pentru iarnă, crede că îl va părăsi și neliniștea.

Dar nu apucă. La mai puțin de două săptămâni după ce a alungat-o pe Trey, șade în camera din față, lângă foc. E o noapte temperamentală, cu vânt puternic care să-l facă pe Cal să se întrebe dacă acoperișul lui e pe cât de solid îl crezuse. Citește ziarul local subțirel, ascultând cum se lovesc țiglele, când aude o bătaie în ușă.

E ciudată, brutală și nesigură, seamănă cu lovitura unor labe de animale. Dacă n-ar fi fost o pauză între două pale de vânt, Cal ar fi spus că-i vântul care lovește o creangă de ușă. E zece seara, trecut de ora de culcare a fermierilor, doar dacă nu s-a întâmplat ceva foarte rău.

Cal lasă jos ziarul și se ridică, întrebându-se o clipă dacă să-și ia pușca. Bătaia nu se mai aude. Se duce la ușă și o întredeschide.

Trey stă în prag, tremurând din tot corpul ca un câine bătut. Are un ochi vânăt, umflat și aproape închis de tot. Are sânge pe față, care i se scurge pe bărbie. Ține o mână ridicată ca o gheară.

— Of, la naiba, la naiba, fetițo!

Fetei îi cedează genunchii. Vrea s-o ia în brațe și s-o ducă înăuntru, dar se teme s-o atingă, ca să nu-i facă mai rău.

— Intră repede, zice Cal.

Ea se încurcă în picioare și rămâne pe loc, gâfâind. Pare să nu știe unde se află.

Cal nu vede pe nimeni venind după ea, dar încuie oricum ușa.

— Uite, zice el. Hai aici.

O conduce spre un fotoliu, ținând-o de umeri. Când se așază, sâsâie scurt a durere.

— Stai aici, spune Cal.

Își aduce sacul de dormit și pilota din dormitor și le înfășoară în jurul ei, cât de blând poate. Mâna ei teafără se agață de pilotă atât de strâns, încât i se albește mâna.

— Așa, spune Cal. O să fii bine.

Găsește un prosop curat și se lasă pe vine în fața fotoliului ca să-i șteargă sângele de pe bărbie. Trey tresare și se ferește, dar când încearcă din nou nu se mai împotrivește. Tamponează până vede de unde vine sângele. Are buza de jos spartă.

— Cine ți-a făcut asta?

Gura i se deschide larg, de parcă va urla ca un animal frânt. Dar afară nu iese decât mai mult sânge.

— E OK, spune Cal.

Duce din nou prosopul la gura ei și apasă.

— Nu trebuie să spui nimic. Stai doar potolită, o vreme.

Trey privește dincolo de el și tremură. Respiră superficial, sacadat, de parcă ar durea-o. Cal nu-și dă seama dacă știe ce se petrece sau dacă a primit o lovitură în cap și a rătăcit încoace, derutată. Nu-și dă seama cât de rău e rănită la mână sau dacă îi lipsesc dinți sau ce alte lovituri ascunde hanoracul. Sângele de la gură e întins peste tot.

— Fetițo, spune el blând, nu trebuie să zici nimic. Vreau doar să știu ce te doare mai tare. Îmi arăți?

Pentru o clipă, nu e convinsă că l-a auzit. Apoi fata ridică mâna îndoită și arată spre gură și într-o parte.

— OK.

Măcar înțelege ce-i spune.

— O să te duc la doctor.

Ochiul teafăr se deschide mare, de panică, și fata începe să se zbată să se ridice în picioare.

— Nu, spune cu un mârâit aspru, neclar din cauza buzei umflate. Fără doctor.

Cal ridică mâinile, încercând s-o blocheze în fotoliu.

— Copilă, ai nevoie de o radiografie. Copci la buză...

— Nu. *Pleacă*, plea...

Îi lovește mâinile și reușește să se ridice, clătinându-se.

— Ascultă-mă. Dacă ai mâna ruptă...

— Nu-mi pasă. Du-te dracului...

E gata să se lupte s-ajungă la ușă și să se piardă iar în noapte.

— OK, spune Cal, dându-se înapoi și ridicând mâinile. OK. Fără doctor. Dar stai jos.

N-are idee ce va face dacă ea nu se așază, dar, după un minut, când cuvintele ajung la ea, renunță la încăpățânare și se prăbușește înapoi în fotoliu.

— Așa, spune Cal, e mai bine.

Îi duce iar prosopul la gură.

— Îți vine să vomiți?

Trey clatină din cap. Durerea o face să icnească.

— Nu.

— Să nu înghiți sânge, altfel o să vomiți. Scuipă-l aici. Ești amețită? Vezi dublu?

— Nu.

— Ți-ai pierdut cunoștința?

— Nu.

— Atunci e bine. Nu pari să ai o contuzie.

Sângele se îmbibă în prosop și devine o pată roșie. Îl întoarce pe partea curată și încearcă să apese mai tare. Observă în cel mai întunecat colț al minții sale că, după ce va avea situația sub control, va ucide pe cineva.

— Ascultă, spune el, când nu mai curge atât de mult sânge. Eu o să ies un minut. O să fiu chiar lângă ușă. Stai cuminte, da?

— Fără doctor.

Se încordează iar.

— Nu-l sun pe doctor, jur.

Îi desface mâna teafără de pilotă, îi pune degetele în jurul prosopului și-l aranjează pe buza ei.

— Ține aici. Apasă cât de tare suporți. Mă întorc.

Fata are încă încredere în el. Ori poate n-are încotro. Cal nu știe care dintre ele îl doare mai tare. Șade acolo, ținând prosopul și privind în gol, în timp ce el iese și închide ușa din față după el.

Se lipește cu spatele de ușă, își șterge mâinile pline de sânge de pantaloni și încearcă să privească grădina. Noaptea e imensă și sălbatică, cu vânt și stele. Frunzele se leagănă, iar umbrele freamătă în iarbă. Ar putea fi orice.

Lena răspunde greu la telefon, iar „alo"-ul ei are o răceală limpede ca cristalul. Nu i-a scăpat c-a tras-o pe sfoară cu cățelul și nu apreciază deloc asta.

— Am nevoie de ajutor, spune Cal. Cineva a bătut-o rău pe Trey Reddy. Trebuie să vii la mine și să mă ajuți.

Mare parte din el se așteaptă ca Lena să rămână fidelă principiului ei de a nu se implica în treaba altora, care ar fi cel mai inteligent răspuns. Dar, după o tăcere lungă, zice:

— Ce-ai vrea să fac eu?

— Să vezi cât de rău e și dacă are alte răni. Eu nu pot.

— Nu sunt medic.

— Ai văzut destule animale rănite. E mai mult decât am făcut eu. Doar află dacă are ceva care necesită îngrijiri medicale.

— S-ar putea să nu se vadă. Poate sângerează intern. Trebuie s-o duci la doctor.

— Nu vrea. Trebuie doar să știu dacă trebuie s-o iau cu forța sau dacă supraviețuiește fără medic. Dacă trebuie s-o iau cu forța, am nevoie de tine s-o ții cât conduc.

Urmează altă tăcere lungă, iar Cal nu poate decât să aștepte. Apoi Lena spune:

— Ajung în zece minute.

Închide înainte să poată adăuga el ceva.

Trey tresare violent când Cal se întoarce în casă.

— Sunt eu, spune. O prietenă vine încoace și știe să aibă grijă de animale rănite. Cred că un copil rănit nu e foarte diferit.

— Cine?

— Lena. Sora lui Noreen. Nu-ți face griji. Din tot satul, ea știe să-și țină gura.

— Ce-o să facă?

— O să se uite la tine. O să te curețe pe față, mai blând decât mine. Poate-ți pune un plasture din ăla șmecher, care arată ca niște copci.

Trey vrea să-l contrazică, dar nu mai are forță. Căldura de sub pilotă și de la foc i-au calmat tremurul și acum e moale, învinsă. Pare că abia mai are putere să țină prosopul la gură.

Cal își trage un scaun din bucătărie ca să stea lângă ea și s-o prindă, în caz că se prăbușește. Ochiul e mai rău acum, negru-vinețiu și umflat atât de tare, încât pielea e întinsă și lucioasă.

— Să vedem tăietura, spune el.

Trey nu reacționează. Cal întinde un deget și îi îndepărtează mâna de la gură. Nu mai curge așa mult sânge. Sunt doar picături care se adună lent. Dinții sunt toți la locul lor.

— Mai bine. Cum te simți?

Trey ridică din umeri. Nu-l privește în ochi. Când încearcă, ochiul ei alunecă, de parcă privirea lui i-ar provoca dureri.

Trebuie să-și clătească tăietura cu ser fiziologic și cineva să vadă dacă are nevoie de copci. Cal a făcut manevre de prim ajutor pe bebeluși, pe drogați și pe te miri cine, dar nu poate risca acum să facă o mișcare greșită și mai mult rău. Doar să fie atât de aproape de ea și tremură agitat.

— Copilă, zice. Ascultă-mă. Nu pot ști că totul e bine dacă nu știu cu ce am de-a face. Nu voi spune o vorbă nimănui fără permisiunea ta, însă trebuie să știu cine ți-a făcut asta.

Trey își lasă capul pe spătar.

— Mama, spune.

Furia îl lovește atât de intens pe Cal, că nici nu mai vede pentru o secundă. Când îi mai trece puțin, zice:

— Cum așa?

— I-au zis ei. Au zis s-o facă ea sau o fac ei.

— Cine i-a zis?

— Nuş. Eram plecată. Am ajuns acasă şi a zis să vin în spate, că are o vorbă cu mine.

— Aha!

Se asigură că şi-a luat atitudinea şi vocea de poliţist, liniştit şi interesat de ce spune.

— Ce-a folosit?

— Cureaua. Şi m-a lovit. Cu piciorul, de câteva ori.

— Nu e bine.

Atât de tare îşi doreşte ca Lena să ajungă mai repede, că abia mai poate sta liniştit.

— Ai idee de ce?

Trey tresare spasmodic. Cal presupune că a încercat să ridice din umeri.

— Ai furat de la cineva care s-a supărat?

— Nu.

— Ai pus întrebări despre Brendan, spune Cal. Aşa-i?

Trey încuviinţează. N-are starea potrivită să mintă.

— La naiba, copilă, începe Cal şi apoi se opreşte. Pe cine-ai întrebat?

— Am fost la Donie.

— Când?

Îi ia o vreme să-şi dea seama.

— Alaltăieri.

— Ţi-a zis ceva?

— Mi-a zis să mă duc naibii. Mi-a râs în faţă.

Vorbeşte lent, cuvintele îi ies cu greutate pe gură, dar ce spune are sens. Mintea ei este bine, dar depinde ce se înţelege prin „bine".

— A zis să mă păzesc, că ajung ca Bren.

— Donie poate spune ce vrea. Nu înseamnă că e adevărat.

Pentru că a vorbit, rana de la buză i s-a redeschis. Un firicel de sânge îi curge pe bărbie.

— Taci acum. Mă ocup eu de asta. Tu stai liniștită.

Vântul se izbește de geamuri și cântă cu furie în horn, făcând focul să pâlpâie sălbatic și trimițând fuioare de fum cu miros bogat în cameră. Lemnul trosnește și pârâie. Din când în când, Cal îi verifică buza lui Trey. Se ridică iar în picioare când se oprește sângerarea.

Mișcarea o sperie pe Trey.

— Ce faci?

— Mă duc după gheață pentru ochi și buză. Atât. Scade inflamația, scade și durerea.

Cal e în dreptul chiuvetei, scoțând cuburi de gheață într-un prosop curat, când vede farurile de la mașina Lenei pe geam.

— Vine domnișoara Lena, spune Cal în timp ce pune jos tava, ușurat. Mă duc să-i zic să nu te asasineze cu întrebări. Stai cuminte și ține asta pe față.

Lena tocmai iese din mașină când apare Cal. Trântește portiera și vine pe alee, cu mâinile în buzunarele unei geci bărbătești lucioase. Vântul îi desprinde șuvițe de păr din coadă, iar lumina stelelor le transformă într-un alb de basm. Când ajunge lângă el, ridică din sprâncene.

— Fata pur și simplu a apărut în pragul meu, spune Cal. Dacă-i pui întrebări, o să se sperie, așa că nu-i pune. Are un ochi vânăt, buza despicată și ceva la mână. Spune c-o doare rău într-o parte.

— Noreen mi-a zis că o întâlnire cu tine ar fi diferită de una cu un bărbat din zonă, spune ea. Mereu are dreptate.

Cal și Lena intră în casă.

Trey se agită ușor când o vede pe Lena. Scapă prosopul, iar cuburile de gheață se împrăștie și pare dornică să se ridice iar.

— Stai cuminte, spune Cal. Ea este domnișoara Lena și doar se va uita puțin la tine, da? Ori se uită ea, ori un doctor, așa că nu-i face probleme, OK?

Trey se lasă în scaun. Cal nu-și dă seama dacă e OK cu Lena sau pur și simplu e sleită de puteri.

— Așa, spune el. E mai bine.

Se duce la dulapuri și își găsește trusa de prim ajutor.

— În primul rând, trebuie să te curățăm, spune Lena în timp ce-și scoate jacheta și o aruncă pe spătarul unui scaun, ca să văd ce și cum. Ai altă cârpă, Cal?

— Sub chiuvetă, zice el. Aștept afară.

Îi pune Lenei îi mână trusa de prim ajutor și iese pe ușa din spate.

Se așază pe treaptă, se sprijină cu coatele pe genunchi și pentru o vreme stă cu palmele pe față.

Se simte amețit, sau poate bolnav, nu-și dă seama. Trebuie să facă ceva, dar nici de asta nu-și dă seama.

— La dracu'! spune el încet. La dracu'!

Vântul îl împinge, încercând să treacă de el și să intre prin ușă. Vârfurile copacilor se leagănă cu furie, iar grădina îi dă o senzație de pustiu, de parcă nicio creatură n-ar fi afară pe vremea asta, doar să fie disperată sau nebună.

Din casă nu se aude niciun sunet sau nimic din ce-ar putea auzi Cal peste zgomotul vântului.

După o vreme, mintea lui începe să-și revină, cel puțin cât să scotocească după ceva ca un plan. Știe că nu e cazul să meargă la Sheila Reddy, dar nimic nu-l poate ține departe de Donie.

Dar nu poate face nimic până nu află de ce are nevoie Trey și se gândește cum să facă. Poate să-i strecoare o doză mare de Benadryl și s-o care în mașină, când e destul de amețită.

Chiar și lăsând la o parte problematica apariției la spital cu o adolescentă drogată și bătută, nu se simte deloc comod cu o acțiune care, pe lângă multele sale consecințe mai puțin previzibile, cel mai probabil ar face puștoaica să ajungă în grija statului. Poate i-ar fi mai bine cu o familie adoptivă. Nu-și dă seama.

Dacă ar fi fost polițist activ, ar fi dat-o pe mâna autorităților fără ezitare și ar fi lăsat sistemul să-și facă treaba.

Lena iese, ștergându-și palmele de blugi. Închide ușa în urma ei și se așază pe treaptă, lângă Cal.

— N-o să fugă? întreabă Cal.

— Mă îndoiesc. E extenuată. N-are de ce însă. I-am zis că n-are nevoie de doctor.

— Și are?

Lena ridică din umeri.

— Nu cred să fie ceva urgent. Nu are abdomenul dureros sau umflat și n-are nici vânătăi în zonă. Spune că s-a ghemuit. Nu am motive să cred că are hemoragie internă. Zic că are o coastă fisurată, dar un doctor n-are ce face în privința asta. Mâna pare învinețită, nu ruptă, dar va trebui ținută sub observație zilele următoare. Are multe tăieturi și vânătăi pe spate și pe picioare, dar nimic grav.

— OK, spune Cal.

Imaginea lui Trey ghemuită îl doare.

— OK. Asta e. Crezi că buza are nevoie de copci?

— Ar merge, da, ca să nu lase o cicatrice prea urâtă. I-am zis și a spus că nu vrea copci, că o doare-n cot de cicatrici. Așa c-am făcut-o să se clătească cu ser fiziologic și i-am pus un plasture. I-am dat și un Nurofen, pentru durere. Mai bine decât nimic.

— Mersi, spune Cal. Apreciez.

— Ar trebui să o vadă un medic, oricum. Dar va trăi și fără.

— Atunci, va trăi și fără. Și-ar face mai mult rău agitându-se pe drum.

— Dacă i se face rău peste noapte, va trebui dusă. Fie că vrea sau nu.

— Mda.

Lena își trage mânecile puloverului peste mâini.

— Vrei s-o ții aici peste noapte?

Chiar dacă, înainte de ziuă, Sheila va observa că Trey a plecat, nu va chema poliția.

— Da. Pot să te rog să stai cu ea?

O spune abrupt pentru că nu vrea să mai aştepte. Apoi continuă:

— Eu trebuie să mă duc undeva. Dacă i se face rău, mă suni și vin.

— Întreba de tine.

— Spune-i că mă întorc dimineață. Și să nu-și facă griji, că nu mă duc după medic.

— Pe mine nu mă cunoaște. Pe tine te vrea.

— N-o să petrec noaptea singur cu o fetiță.

Lena își sprijină capul de cadrul ușii, ca să-l privească mai bine. Nu pare foarte impresionată de ce vede.

— Bine, spune ea. Rămân dacă rămâi și tu.

E o provocare.

— Ce să fac pentru ea aici?

— Ce fac și eu. Îi mai dai Nurofen sau un prosop curat, dacă i se deschide rana de la buză. N-are nevoie de operație pe creier. Ce vrei să faci pentru ea altundeva?

— Ți-am zis.

Își dorește să fi chemat pe altcineva, pe oricine – nu c-ar exista altcineva, doar dacă nu intra pe Facebook să-i scrie lui Caroline.

— Trebuie să merg undeva.

— Nu într-un loc deștept.

— Poate că nu. Dar...

— Dacă pleci, îl informează Lena, plec și eu. E problema ta, nu a mea. Nu stau aici toată noaptea așteptând să mă găsească baiurile tale.

Nu i se pare deloc agitată, dar nici c-ar plănui să dea înapoi.

— Problemele astea n-o să vină după nimeni, spune el. Nu în noaptea asta.

— Imaginează-ți cum te-ai simți să abandonezi o biată văduvă și o copilă rănită, ca să te duci să fii bătut de niște huligani.

— Am o pușcă. Ți-o pot lăsa.

— Felicitări. Așa fac mulți din zonă.

Încurcătura în care se află Cal o amuză mai degrabă. Bărbatul își trece mâinile peste față.

— Uite ce, spune el. Știu că îți cer multe. Ai putea s-o duci la tine, dacă...

— Crezi că ar veni?

Cal își freacă fața cu mai multă putere.

— Mintea mea nu funcționează bine acum. Chiar pleci, dacă plec și eu?

— Da. Nu mă deranjează să te ajut unde chiar ai nevoie, dar n-o să fiu lăsată să mă ocup de problema reală, cât ești tu plecat după niște idei fixe care ți-au intrat în cap. Ți-am zis că sunt o cățea fără suflet, rânjește ea.

Cal o crede.

— Bine, spune, de parc-ar avea de ales. Ai câștigat.

Nu o poate lăsa pe Trey singură în casă.

— Am un singur pat și acolo o să doarmă ea, iar tu poți sta în fotoliu.

— Na, ca să vezi, spune Lena și se ridică. N-au murit toți cavalerii.

Deschide ușa și-l împinge înăuntru.

După ce șocul și durerea s-au mai domolit, oboseala o lovește pe Trey ca o copită de cal.

Capul i-a căzut pe spate, mâna cu pachetul cu gheață i-a alunecat în poală, iar pleoapa teafără îi cade și ea.

— Hai să te ducem în pat, înainte să adormi aici, spune Cal.

Fata își freacă ochiul sănătos. Are urme adânci pe mână, de la cataramă.

— Stau aici?

— Noaptea asta. În pat. Eu și domnișoara Lena vom fi aici.

Buza lui Trey, curățată și reparată cu un plasture, arată altfel acum, mai liniștitor. Lena s-a descurcat bine.

— Acum, haide. N-o să te car, că îmi rup spatele.

— Ți-ar prinde bine niște sport, îi spune Trey.

Zâmbetul din colțul gurii aproape că-l sparge pe Cal în bucăți.

— Afurisită nerecunoscătoare, zice el. Ai grijă la maniere sau dormi în cadă. Acum, mișcă-te.

Locurile dureroase înțepenesc. Trebuie s-o tragă din fotoliu, s-o ridice pe picioare și s-o îndrepte spre dormitor. Mișcarea o face să se strâmbe de durere, dar nu se plânge. Lena ia pilota și sacul de dormit și-i urmează.

— Așa, spune Cal, aprinzând lumina. Lux exorbitant. O las pe domnișoara Lena să te ajute. Dacă ai nevoie de ceva, orice, sau te supără ceva, ne chemi.

Trey se ghemuiește pe saltea, coatele îmbârligându-se cu picioarele. Lena aruncă într-o parte lenjeria și îi desface șireturile.

Lui Cal, scena i se pare nelegiuită și de neînțeles: salteaua pătată pe podea, lumina aspră de la becul fără abajur, încâlceala de lenjerie ieftină, femeia în genunchi, la picioarele copilei pline de vânătăi și de sânge. Simte c-ar trebui să-i ofere puștoaicei ceva moale, un pat de puf, o lampă de citit cu lumină blândă și un tablou cu pisoi pe un perete.

Pornește radiatorul. Și pentru o secundă se simte ridicol când se gândește să-i pună oaia de jucărie pe pernă.

— Noapte bună. Somn ușor.

Ea îl privește peste umărul Lenei, cu ochiul deschis, fără nicio expresie pe chip. Cal închide ușa.

Cârpele pline de sânge sunt împrăștiate în jurul fotoliului. Cal le adună și le aruncă în noua mașină de spălat. Nu o pornește, să nu deranjeze fata. Pornește fierbătorul și pregătește două căni. Are nevoie de un shot de whiskey, dar poate că va trebui să conducă și a învățat deja că pe aici ceaiul e un răspuns corect în orice situație, la orice oră din zi și din noapte.

Sângele i s-a uscat în crăpăturile mâinilor și se spală în chiuveta din bucătărie. Lena iese din dormitor și închide încet ușa.

— Ce face?

— A adormit înainte s-o învelesc.

— E bine. Vrei ceai?

— Fă-l, da.

Lena se așază pe fotoliu, testându-i rezistența, și-și aruncă încălțările. Apa fierbe și Cal toarnă într-o cană pe care i-o aduce.

— Nu am lapte. E OK?

— Mmm, sălbaticule!

Ia cana și suflă în ea. Se simte confortabil în fotoliu, de parc-ar fi al ei. E un obiect mare și strâmb, cu o culoare stranie, care bate și în verde, dar și în mov, care o fi fost la modă un minut, acum multă vreme, sau poate c-o fi avut altă nuanță la început. E surprinzător de comod, dar Cal nu și-a imaginat vreodată că va invita pe cineva să doarmă în el. Are din nou senzația de imponderabilitate. Simte că plutește fără să se poată agăța de nimic.

Focul se stinge, așa că mai pune lemne.

— Ți-a zis ceva ce ar trebui să știu? întreabă.

— N-a zis nimic, în afară de ce ți-am zis deja. Nici n-am întrebat.

— Mulțumesc.

— N-ai de ce. În tine are încredere.

Lena soarbe din ceai.

— A venit des aici.

— Da, spune Cal, luându-și cana la masă.

Nu și-o imaginează pe Lena ținându-i o predică despre cât de nepotrivit a fost s-o lase pe Trey Reddy în casă, iar femeia doar dă din cap.

— O să ai probleme fiindcă m-ai ajutat?

— Mă îndoiesc. S-ar putea ca tu să ai, în funcție de ce faci mai departe. Vrei s-o duci acasă de dimineață?

— Are unde să meargă altundeva?

Simte că Lena înțelege aluzia. Se gândește și clatină din cap.

— Mătuși, unchi, bunici?

— Cele mai multe rude sunt emigrate, moarte sau inutile, în funcție de aspectul la care te referi. Sheila are veri în cealaltă parte de oraș, dar n-ar dori să fie amestecați în asta.

— Îi înțeleg, spune Cal.

— Sheila face tot ce poate. Noi doi nu credem că se descurcă prea grozav, dar n-am petrecut douășcinci de ani cu Johnny Reddy în Ardnakelty. Nu mai are vreo idee de reușită. Vrea doar să-și țină în viață și departe de închisoare copiii rămași.

Cal nu știe ce să spună, Nu-și dă seama dacă e furios pe Lena sau dacă furia lui împotriva Sheilei și a oricui a constrâns-o e atât de mare, încât se revarsă asupra ei.

— E obișnuită să facă orice e necesar. Bine sau rău. N-a prea avut de ales.

— Poate, spune Cal.

Nu e ca și cum ar primi o asigurare. Dacă Sheila a considerat că singura ei opțiune în seara asta a fost să-și ucidă fiica în bătaie, poate că va simți la fel, din nou.

— Să văd dacă pot rezolva niște lucruri, înainte să trimit puștoaica înapoi.

Lena ridică privirea din ceai.

— Cum ar fi?

— Ce-ar fi trebuit să fac noaptea asta.

— Treabă de *bărbat*, zice Lena, prefăcându-se uluită. Prea serioasă pentru urechile delicate ale unei doamne.

— Doar o treabă.

Lemnul din foc trosnește și aruncă scântei. Lena întinde piciorul să potrivească grătarul.

— Nu pot să te împiedic să faci o prostie, spune ea. Dar sper că, dacă trebuie s-o lași pe dimineață, o să te gândești mai bine.

Cal își dă seama doar după un minut sau două de ce-l tulbură comentariul ei atât de mult.

Presupunea că Lena îl obligase să rămână – pe lângă faptul că nu voia să se confrunte cu problemele lui, ceea ce i se pare corect – fiindcă fata îl voia aici.

Dar se pare că scopul ei fusese să-l împiedice să fie bătut sau ceva de genul ăsta.

Cal e impresionat.

Mart s-a străduit mult să facă același lucru, dar, când vine de la o femeie, e diferit.

A trecut ceva vreme de când o femeie și-a dat atâta interes pentru Cal.

— Apreciez și n-o să uit, spune el.

Lena scoate un *pfff* care-l mâhnește pe Cal, chiar dacă recunoaște că-l merită.

— Mi-e somn, spune ea, punând cana pe masă. Stingem lumina?

Cal stinge lumina și rămâne doar lumina focului. Se duce în dormitorul pentru oaspeți și aduce plapuma grea, pentru iarnă. N-a cumpărat încă o husă pentru ea, dar e curată.

— Îmi cer scuze, spune. Aș vrea să fiu o gazdă mai bună, dar atâta am.

— Am dormit și mai rău, spune Lena, desfăcându-și coada și prinzându-și elasticul la încheietură. Aș vrea să-mi fi adus periuța de dinți, atât.

Se ghemuiește într-o parte, pe fotoliu, și se învelește cu plapuma.

— Îmi pare rău. Nu te pot ajuta, spune el, în timp ce-și ia din cuier ambele haine.

— Să mă duc la Mart Lavin să văd dacă are una în plus?

Cal e atât de agitat, că se răsucește oripilat spre ea. Când o vede rânjind, începe să râdă, dar își duce repede mâna la gură, cu ochii la ușa dormitorului.

— Ar avea ce vorbi toți din Ardnakelty, zice el.

— Așa este. Aproape c-ar merita, doar că Noreen și-ar da una atât de tare, să se felicite, că s-ar sufoca.

— La fel și Mart.

— Iisuse, e și el băgat în asta?

— Da, da. A decis deja că Malachy Dwyer va asigura cateringul la petrecerea burlacilor.

— Ah, atunci dă-o dracu' de periuță. Nu-i putem lăsa pe ăștia doi să creadă că au mereu dreptate. Nu le face bine.

Cal se așază în fața căminului și se învelește cu ambele haine.

La lumina focului, camera e îmbrăcată în sclipiri aurii și calde, pulsând de umbre.

Situația pare să aibă o intimitate seducătoare, efemeră, de parc-ar fi ultimii oameni treji la o petrecere, prinși într-o conversație care nu va mai conta de dimineață.

— Nu știu dacă avem de ales, spune el. Dacă nu pleci înainte să se crape de ziuă, cineva tot o să-ți vadă mașina.

Lena se gândește.

— N-ar fi o idee rea, spune ea. Să le dăm oamenilor motiv de bârfă, ca să nu se mai gândească la chestia cealaltă.

Arată spre ușa dormitorului.

— Dar nu vei avea probleme?

— De ce? Pentru că aş fi o femeie uşoară? rânjeşte ea. Nu. Bătrânii vorbesc, dar eu nu-i ascult. Nu suntem în anii 1980 şi nu mă pot arunca într-o spălătorie Magdalenă[1]. O să treacă peste.

— Şi eu? O s-apară Noreen cu o puşcă, dacă nu mă însor cu tine apoi?

— Doamne, nu. O să dea vina pe mine fiindcă te-am scăpat printre degete. Eşti în siguranţă. Băieţii de la cârciumă s-ar putea să-ţi ia şi-o bere, să te felicite.

— Numai avantaje.

Cal se întinde pe spate, cu mâinile la ceafă, şi-şi doreşte să-şi fi adus şi alte haine din dormitor. Nu plănuieşte să doarmă, dacă poate, în caz că apar situaţii neprevăzute, dar după o noapte pe podea va merge ca Mart.

— Zi-mi ceva, spune Lena.

Lumina focului îi joacă în priviri.

— De ce nu iei căţeluşul?

— Fiindcă aş vrea să mă asigur că pot să am grijă de el cum trebuie şi că nu va păţi nimic rău. Şi nu par să fiu capabil.

Lena ridică din sprâncene.

— Ha, pufneşte. Şi eu care credeam că nu vrei să te lege nimic.

— Dimpotrivă, spune Cal, privind focul. Se pare că sunt mereu în căutarea a ceva care să mă lege. Doar că nu funcţionează aşa.

Lena încuviinţează.

Vântul bate în rafale, fără chef, şi tulbură focul. Arde din nou mocnit şi capătă o nuanţă de portocaliu profund.

---

[1] Instituţii conduse de Biserica Catolică între secolul al XVIII-lea şi începutul secolului XX, în Irlanda, în care erau „internate" femeile considerate de moravuri uşoare şi unde ele prestau diverse munci casnice. În urma descoperirilor recente, statul irlandez şi-a cerut scuze public pentru felul în care au fost tratate femeile în aceste „spălătorii" (n. tr.).

Dinspre dormitor se aud foşnete şi un ţipăt răguşit. Când îşi dă seama că e puţin probabil să fie vorba de un intrus ucigaş, Cal a ajuns deja la uşa dormitorului.

Se opreşte şi o priveşte pe Lena.

— Deja te-ai ridicat, spune ea. Mă duc eu data viitoare.

Apoi se întoarce, se aşază mai comod pe fotoliu şi-şi trage plapuma până sub bărbie.

Cal rămâne în picioare, la uşă. Alt ţipăt strangulat vine din dormitor. Lena nu se mişcă.

După o clipă deschide uşa. Trey se sprijină în cot, întorcând capul în toate părţile şi scheunând printre dinţii încleştaţi.

— Hei, e în regulă, spune Cal în şoaptă.

Fata tresare şi se răsuceşte spre el. Durează câteva secunde să-l vadă.

— Ai visat urât, atât. Acum e OK.

Trey expiră lung, întretăiat, şi se întinde pe spate, tresărind când îşi atinge coasta fragilă.

— Da, zice ea. Am visat.

— E OK, spune Cal. Te doare ceva? Mai vrei analgezice?

— Nu.

— OK. Somn uşor.

Când dă să plece, ea se mişcă şi scoate un icnet scurt. Cal se întoarce şi o vede privindu-l cu ochiul teafăr, care străluceşte în lumina ce vine prin uşă.

— Ce e?

Copila nu răspunde.

— Vrei să mai rămân o vreme?

Ea încuviinţează.

— Bine, spune Cal. Pot face asta.

Se lasă pe podea şi se sprijină cu spatele de perete.

Trey se foieşte în timp ce-l priveşte.

— Ce ai de gând să faci? întreabă după un minut.

— Taci, spune Cal. Vedem de dimineață.

O vede căutând următoarea întrebare. Ca s-o liniștească, începe să cânte, atât de încet, că-i pe jumătate mormăit, sperând ca Lena să nu-l audă și să-l acopere vântul. Cântecul care-i vine în minte e „Big Rock Candy Mountain", pe care i-l cânta Alyssei când era mică când nu putea dormi. Trey se relaxează treptat. Respirația ei se liniștește și devine mai profundă, iar sclipirea din ochi se stinge în umbre.

Cal continuă să cânte. Pentru Alyssa mai schimba cuvintele, din copaci de țigări făcea copaci de acadea, iar lacul de whiskey îl transforma într-unul de suc. Nu prea are sens să facă asta pentru Trey, dar o face oricum.

18

Vântul bate până ce a istovit, iar zorii se ivesc reci la geam, într-o nuanță de auriu cu verde. Cal a ațipit din când în când, privind cum se stinge focul și verificând-o pe Trey în lumina ecranului de la telefon. Din câte-și dă seama, nu s-a mișcat deloc peste noapte, nici când s-a apropiat cât să se asigure că încă respiră.

Când dă lumina, Lena prinde contur ghemuită în fotoliu, cu fața lipită de braț și părul ca o schiță palidă. Afară, păsările mici își încep conversația matinală, iar ciorile intervin în dialogul lor. Cal simte că-l dor toate oasele de la poziția de stat pe podea.

Se ridică încetișor și se îndreaptă spre chiuvetă ca să umple fierbătorul. E amețit din cauza oboselii, dar nu confuz. Răcoa-rea și zorii conferă spațiului și timpului luciditate. În grădină, iepurii se aleargă între ei în cercuri, prin iarba udă de rouă.

Lena se agită în fotoliu și se ridică în capul oaselor, arcuindu-și spatele în timp ce se strâmbă.

— Neața, o salută Cal.

— Iisuse, spune Lena, cu mâna la ochi. Dacă plănuiești să ai musafiri, îți trebuie perdele.

— Îmi trebuie mai mult decât perdele, spune el încet. Cum te simți?

— Prea bătrână pentru așa ceva. Tu?

— De parcă m-a lovit un camion. Îți amintești când dormeam pe podelele oamenilor, doar să ne distrăm?

— Da, îmi amintesc, dar pe atunci eram ultima idioată. Prefer să fiu în vârstă și să am mai multă minte.

Se întinde îndelung, simțindu-se apoi mai bine.

— Trey doarme încă?

— Da, m-am gândit că e mai bine dacă doarme mai mult. Să-ți pregătesc ceva pentru micul-dejun?

Cal speră că ea va spune „da". Lena nu e cea mai comodă persoană, dar schimbă echilibrul casei într-un mod plăcut.

— Am pâine prăjită cu ouă și șuncă sau pâine prăjită fără ele.

Lena zâmbește.

— Ah, nu. Ar trebui să plec. Trebuie să mă pregătesc de lucru și înainte de asta să hrănesc câinii și să-i las afară. Nellie deja a luat-o razna, probabil. Dacă nu mă întorc înainte de ora de culcare, își pierde mințile. Cred c-a mâncat deja juma' de mobilă.

Se ridică din fotoliu și începe să împăturească plapuma.

— Să trec pe aici când mă duc la muncă? S-o duc acasă pe Trey?

— Nu sunt sigur, spune Cal.

Se gândește cât de speriată trebuie să fi fost o mamă ca să-i facă asta propriului copil. Pentru o clipă, înainte să se poată gândi la altceva, se întreabă ce ar fi fost nevoie să se întâmple ca el sau Donna să-i facă asta Alyssei

— Aș prefera să clarific lucrurile întâi.

Lena aruncă plapuma împăturită pe spătarul fotoliului.

— Și eu care speram că noaptea va fi un sfetnic bun, spune ea.

— N-o să fac nicio prostie.

Privirea Lenei pare să spună că depinde cum privești problema, dar nu comentează. Își scoate elasticul de la încheietură și își răsucește părul înapoi în coadă.

— Deci nu o duc acasă.

— Poate mai târziu. E OK dacă văd cum decurg lucrurile și apoi te sun?

— Fie. Distracție plăcută!

— Dacă aș avea nevoie să rămâi aici încă o noapte, spune Cal, ai fi de acord? M-aș duce în oraș să cumpăr o saltea gonflabilă, ca să nu mai dormi în fotoliu.

Lena începe să râdă și-l ia prin surprindere.

— Tu chiar ești o figură, știai? întreabă, clătinând din cap. Și ai o sincronizare de tot rahatul. Vino la mine mai târziu, când mi-au trecut junghiurile, și mai vedem.

Se încalță, se îmbracă și se îndreaptă spre ușă.

Cal așteaptă să-i audă mașina plecând. Apoi face câțiva pași prin grădină. Nu găsește nici urmă de intrus, dar oricum n-ar fi găsit. Vântul de peste noapte a lăsat urme peste tot. Frunzele s-au împrăștiat în iarbă și sunt adunate grămadă lângă ziduri și garduri, iar copacii sunt goi, sfidători. Sub ferestre, pământul e complet curățat.

Se întoarce în casă și începe să pregătească micul-dejun. Mirosul de bacon prăjit o momește pe Trey afară din dormitor, desculță, cu fața boțită de somn. Buza i s-a mai dezumflat puțin, dar ochiul e și mai impresionant la lumina zilei, iar pe pomete are o vânătaie urâtă, pe care Cal nu o văzuse înainte. Hanoracul și blugii sunt pline de sânge uscat. Cal o privește și n-are idee ce să facă în privința ei. Gândul s-o trimită afară din casă îl face să vrea să baricadeze totul și să se așeze cu pușca la geam, în caz că vine cineva după ea.

— Cum te simți? întreabă el.

— Ca dracu'. Mă doare peste tot.

— Asta mi-am imaginat, spune Cal.

Se simte mai ușurat că merge și vorbește, dar îi îngreunează cumva respirația.

— În afară de asta. Ai dormit bine?

— Mda.

— Ți-e foame?

Fata pare gata să spună nu, dar nu rezistă mirosului.

— Da. Mor de foame.

— Micul-dejun o să fie gata într-un minut. Așază-te.

Trey face întocmai și cască, dar tresare când i se întinde buza. Se uită la Cal, care întoarce șunca în tigaie și unge pâinea prăjită cu unt. Așa cum stă ea pe scaun, cu umerii ridicați și prea multă greutate lăsată în picioare, îi amintește de poziția pe care o avea când a început să vină pe la el: gata să fugă.

— Mai vrei un analgezic? întreabă el.

— Nu.

— Nu? Te doare ceva mai rău decât aseară?

— Nu. Sunt bine.

Cu fața ei în halul în care e acum, lui Cal i se pare mai greu ca de obicei să-și dea seama ce se petrece în mintea ei.

— Uite, spune el, aducând farfuriile la masă. Taie în bucăți mici și nu atinge cu buza. Te va ustura din cauza sării.

Trey îl ignoră și atacă mâncarea, privindu-l atent. Mâna ei e mai bine. Ține cu stângăcie furculița și încearcă să nu îndoaie degetele, dar o folosește.

— Domnișoara Lena a plecat acum câteva minute, spune Cal. Are treabă. S-ar putea să revină. Depinde.

Trey spune brusc:

— Scuze c-am venit aici. Nu gândeam limpede.

— E OK. Nu-ți cere scuze. Ai procedat corect.

— Nu. Mi-ai zis să nu mai vin.

Toate relațiile lui Cal, care păreau perfect clare și armonioase aseară, par să fi deraiat când nu era atent. Dincolo de Brendan Reddy, adevăratul mister la care Cal ar dori un răspuns este cum, chiar dacă face totul corect, din punctul lui de vedere, tot reușește s-o dea în bară.

— Păi, a fost o urgență. E diferit. Ai luat decizia corectă.

— Plec după asta.

— Nu te grăbi. Înainte să pleci undeva, trebuie să decidem ce vrei să fac.

Trey nu știe ce să spună.

— Cu privire la noaptea trecută. Vrei să sun la poliție? Sau la protecția copilului, cum i s-o fi zicând aici?

— Nu!

— Asistența socială nu e bau-bau, copilă. Îți vor găsi un loc bun să stai, o vreme. Poate-ți vor ajuta și mama.

— N-are nevoie de ajutor.

Copila se uită urât, ținând cuțitul de parc-ar vrea să-l înjunghie cu el.

— Fetițo, ce ți-a făcut mama ta n-a fost OK, spune Cal încet.

— Nu a mai făcut-o niciodată. A fost doar fiindcă au obligat-o.

— Și dacă o obligă iar?

— Nu o vor face.

— De ce? Ți-ai învățat lecția și acum vei fi cuminte?

— Nu e treaba ta, spune Trey, cu o privire sfidătoare.

— Te întreb, copilă. Trebuie să știu ce să fac.

— Nu trebuie să faci nimic. Dacă suni la protecția copilului, le zic c-ai făcut-o tu.

Pare să vorbească serios.

— OK, spune Cal.

Răsuflă ușurat s-o vadă așa. S-a trezit de dimineață temându-se că o va vedea distrusă pe dinăuntru, o carcasă de fată care privește prin el, care trebuie să fie îndrumată, poticnindu-se, de colo-colo și care stă cu mâncarea în gură până ce i se amintește să mestece și să înghită.

— Fără protecția copilului, zice Cal.

Trey îl mai privește fix un minut. Îl crede, pare-se, căci continuă să mănânce.

— Știu că ce mi-ai zis au fost niște căcaturi. Că s-a dus Bren în Scoția. Ai zis doar ca să mă car și să te las în pace.

Cal renunță. Orice încerca să facă n-a funcționat.

— Da, spune el. Donie nu mi-a zis nimic. Doar că n-am fost sincer nici când ți-am zis să pleci. Ideea e că nu mă deranjează să fii aici. Îmi place compania ta.

Trey ridică privirea.

— Nu-ți vreau nenorociții de bani.

— Știu, copilă. Nici nu m-am gândit că i-ai vrea.

Ea se liniștește și cântărește cuvintele. Relaxarea de pe fața ei îl lovește direct în piept pe Cal.

— De ce ai zis toate rahaturile alea?

— Iisuse, fetițo! Crezi că n-a observat nimeni că punem ceva la cale? Am fost avertizat să renunț. Asta – arată el cu furculița spre fața lui Trey – încercam să evit.

Trey ridică din umeri, nerăbdătoare.

— Nu e mare lucru. Voi fi bine.

— De data asta. Au lăsat-o pe maică-ta să se ocupe și ea a făcut ce a crezut c-o să fie suficient pentru ei. Data viitoare or s-o facă chiar ei. Sau or s-o atace pe maică-ta. Sau pe fratele și surorile tale mai mici. Sau pe mine. Sunt indivizi periculoși, care fac chestii periculoase. Nu glumesc. Nu te-au ucis, fiindcă nu vor atenția pe care le-ar atrage-o un copil mort, dar, dacă trebuie, or s-o facă.

Ea clipește repede, cu fiecare cuvânt. Își vâră iar mâncare în gură, cu capul în jos.

— Doamne, măi fată, spune Cal brusc, pe cale să explodeze. Ce mama naibii te-ar face să te potolești?

— Să știu. Definitiv. Nu un căcat inventat de cineva ca să scape de mine.

— Atâta vrei? Să știi sigur?

— Da.

— Păi, nu merge așa. Dacă afli că Brendan a plecat din oraș, o să vrei să afli de ce și apoi să te duci după el. Dacă afli sigur că l-a ucis cineva, o să vrei să te răzbuni. Mereu va mai fi ceva de făcut. Trebuie să știi când să te oprești.

— Știu. Când...

— *Nu.* Te oprești acum, copilă. Uită-te la tine. Dacă vor veni iar după tine, ce-o să faci? Te oprești acum.

Se întoarce cu fața spre el, de parcă s-ar îneca.

— Vreau să mă opresc acum. Am obosit naibii. La început, când am venit aici, a fost cum ai zis: aș fi ținut-o tot așa, pentru totdeauna. Acum, vreau doar să se termine. Vreau să nu mă mai gândesc la el. Vreau să-mi văd de treabă. Dar, orice-a pățit Brendan, merită să știe cineva. Măcar o persoană să știe.

Cal nu era sigur, până acum, dacă ea pricepuse cât de mari erau șansele ca fratele ei să fie mort. Se privesc în timp ce cuvintele umplu toate crăpăturile din cameră.

— Atunci o să mă opresc, spune Trey. Când o să știu.

— Întrebai despre codul de principii. Așa începe, spune Cal.

Se uită la fața ei lovită: o fată care nu pricepe decât pe jumătate ce se întâmplă și Cal simte că se îneacă atunci când se gândește la toate lucrurile pe care ea abia începe să le descopere, toate râurile pe care va trebui să se zbată să le traverseze și nici măcar nu le intuiește prezența.

— Termină de mâncat, că se răcește.

Trey nu se clintește.

— Mă ajuți sau nu?

— Sincer, încă nu știu. Mai întâi, trebuie să aflu cine-a venit la maică-ta ieri și să vorbesc cu ei. După asta ar trebui să aflu ori ce a pățit fratele rău, ori dacă putem continua căutările fără să fim uciși.

— Și dacă nu putem?

— Nu știu. N-am ajuns încă acolo.

Trey nu pare mulțumită, dar continuă să adune gălbenuș cu o bucată de pâine.

— Spune-mi ceva, zice Cal. Crezi că Donie a făcut-o pe mama ta să te bată?

— Nu, pufnește Trey. Mama i-ar fi zis să se ducă dracului.

— Nici eu nu cred. Dar au venit la două zile după ce ai vorbit tu cu Donie. Nu e o coincidență.

— Ai zis că, dacă vorbesc cu Donie, mă lași baltă.

— Da, spune Cal, se mai schimbă lucrurile. Cum ai dat de el?

— Maică-sa se duce în fiecare zi la slujba de la opt jumate, în oraș, explică Trey, cu gura plină. Se duce cu Sfântul Mike. Am așteptat la gardul de lângă aleea lui Mike până ce am văzut c-a plecat mașina lui și m-am dus apoi peste câmpul lui Francie Gannon la ușa din spate a lui Donie.

— Ai văzut pe cineva pe drum?

— Nu. Dar de la geam m-ar fi putut vedea cineva. Nu prea puteam evita asta decât mergând repede.

— Ascultă, spune Cal, ridicându-se și ducând farfuriile la chiuvetă. Trebuie să plec un timp. Nu mult. O să fii OK singură aici?

— Normal.

Copila nu pare foarte încântată.

— Nu știe nimeni că ești aici, așa că nu-ți face griji. Dar voi încuia ușile, oricum. Dacă vine cineva și strigă după mine, nu răspunzi, nu te uiți pe geam. Doar stai cuminte până pleacă, da?

— Te duci să vorbești iar cu Donie?

— Da. O să te plictisești? Vrei o carte?

Trey clatină din cap.

— Poți face baie, dacă vrei. Să te cureți de tot ce a însemnat noaptea trecută.

Copila încuviințează. Cal nu crede c-o va face. Nu pare capabilă de ceva atât de complicat. Doar să se ridice să ia micul-dejun și a obosit. Dintr-odată, fața ei capătă un aspect extenuat, nefiresc pentru un copil, pleoapa îi coboară și șanțuri adânci se formează de la nas la gură. Pentru prima dată i se pare că seamănă puțin cu maică-sa.

— Odihnește-te, zice el. Mănâncă orice vrei din bucătărie. Vin repede.

Cal urmează același drum spre Donie pe care s-a dus și Trey, pe poteci lăturalnice și peste câmpul lui Francie Gannon. Vântul a smuls crengi din copaci și le-a aruncat bucăți împrăștiate, pe poteci. Lumina aurie de toamnă care se așază peste ele le face să pară aranjate cu grijă, dar într-un mod sinistru. Cal le aruncă pe cele mai mari în șanțuri, pe drum. Știe că ar trebui să fie obosit, dar nu o simte. Mersul și aerul proaspăt îl scapă de junghiurile din corp și pare să capete o oarecare limpezime. Se gândește doar la Donie.

Fermierii și-au încheiat turele de dimineață și s-au dus la micul-dejun, probabil. Cal nu se întâlnește decât cu niște oi de-ale lui Francie, care încremenesc mestecând și-l fixează cu priviri incerte când trece și continuă să se uite după el îndelung. Sare zidul din spate al casei lui Donie mai iute decât s-ar putea aștepta cineva rezonabil de la un tip de vârsta și gabaritul lui, în caz că vecinii se uită pe geam sau Francie decide să investigheze cine a captat atenția oilor.

Grădina lui Donie e un petic nelucrat, cu iarbă prea înaltă, cu mobilă de plastic împrăștiată de vânt, care pare să fi provenit de la un concurs într-un supermarket. Prin fereastră, bucătăria pare goală. Cal deschide ușa din spate cu un card de loialitate de la magazinul lui preferat de delicatese din Chicago, o împinge discret și intră.

Nimic nu se clintește. Bucătăria e veche, cam dărăpănată, dar incredibil de curată, linoleumul și mușamaua strălucind. Din robinet picură încet apa.

Cal străbate leneș bucătăria și holul. Casa e întunecoasă și miroase puternic a detergent cu aromă florală și a umezeală. Are prea multă mobilă, în mare parte de pin lăcuit, care devine, cu vârsta, de un portocaliu prăfuit, și prea mult tapet, cu exagerat de multe modele. Pe comoda din living, o lumină roșie, slabă, pâlpâie pe pieptul unui Iisus care arată cu degetul spre ea și îl privește plin de reproș pe Cal.

Cal rămâne pe o parte a scării și calcă încet, dar lemnul tot scârțâie sub pașii lui. Se oprește și ascultă. Singurul zgomot e un sforăit slab, dar vârtos, dintr-un dormitor.

Camera lui Donie n-are nimic în comun cu restul casei, cu excepția mobilei de pin. Peste tot sunt mai mult haine murdare și carcase de jocuri video. Un perete e ocupat de un televizor mare cât o fereastră. Altul, de un sistem de sunet in-surround, ale cărui boxe se văd la fiecare colț, ca niște bicepși bine conturați. Aerul e aproape irespirabil, din cauza mirosurilor ascuțite de sudoare, fum de țigară, bășini și cearșafuri murdare. În mijloc este Donie, cu fața în jos lipită de pat, îmbrăcat maieu și boxeri cu Minioni.

Cal traversează camera din trei pași mari, îi proptește un genunchi în spate lăsându-se cu toată greutatea, îl apucă de ceafa lată și-i vâră fața în pernă. Îl ține așa până ce zbaterile lui devin din ce în ce mai disperate, apoi îi trage capul pe spate ca să tragă o gură de aer. Apoi repetă mișcarea de câteva ori.

A treia oară, Donie scâncește. Cal îl apasă mai tare pe spinare, îi eliberează gâtul și îi sucește un braț la spate. Donie are consistența unui costum de scafandru umplut cu budincă.

— Ticălosule, îi spune la ureche lui Donie. Ai sfeclit-o.

Donie șuieră și se zvârcolește și până la urmă reușește să-și întoarcă fața spre Cal. Cum îl vede pare mai ușurat. Nu e ceea ce-și dorește Cal. Teama e unul dintre puținele lucruri care-l face să reacționeze. Dacă se teme de altcineva mai mult decât de Cal, e o problemă. Din fericire, Cal are dispoziția perfectă să rezolve asta.

— Brendan Reddy, zice Cal. Vorbește.

— Nu știu ce...

Cal deschide sertarul de la noptieră, vâră degetele lui Donie înăuntru și-l trântește peste ele cu toată forța. Când urlă, Cal îi vâră iar fața în pernă.

Așteaptă până ce e sigur că Donie nu mai urlă și slăbește strânsoarea, încât nenorocitul să poată întoarce capul.

— Știi ce vreau de Crăciun? îi urlă în ureche.

Donie gâfâie și scâncește.

— Vreau ca voi, toți idioții, să nu mai fiți *atât de previzibili*. M-am săturat până-n gât de „Ăăă, nu știu despre ce vorbești, n-am auzit". Știi precis despre ce vorbesc. Știu că știi. Știi că știu că știi. Dar, Donie, *tot* vii cu căcaturile astea. Uneori, simt că, dacă mai aud căcatul ăla *o dată*, nu voi reuși să mă controlez.

Îl eliberează, se ridică de pe pat și răstoarnă un scaun, lăsând niște treninguri urâte să cadă pe jos.

— Scuze că vin aici cu problemele personale, spune Cal prietenos, trăgând scaunul lângă pat. Dar, din când în când, se pare că se adună mai multe decât mă așteptam.

Donie se ridică în capul oaselor, ținându-se de degete și suflând peste ele, printre dinți. O burtă palidă și păroasă i se zărește între maiou și chiloți. Tăietura de la frunte, căpătată după întâlnirea cu bățul de hurling al lui Mart, e doar pe jumătate vindecată. Donie are niște săptămâni dificile, din punctul de vedere al bătăilor.

— Arăți bine, fiule.

— Nenorocita de *mână*, spune Donie, ultragiat.

— Scutur-o. Acu' tre' să vorbești.

— Ai *rupt-o*.

— Au, spune Cal, aplecându-se să privească mai bine degetele umflate ale lui Donie, care au căpătat culoarea mov și cute roșii adânci.

Cel mijlociu e îndoit într-un unghi interesant.

— Pun pariu că, dacă te-ar călca cineva pe ea, ar durea ca naiba.

— Ce mama dracului *vrei*, omule?

— Iisuse, fiule, dar ai ratat ziua când s-a predat engleza de bază la școală? Brendan Reddy.

Donie se gândește dacă să reintre în modul „nu știu nimic“, dar îl analizează pe Cal și se hotărăște că mai bine nu. Nu pare tocmai speriat, dar pare mai viu decât de obicei, ceea ce, pentru soiul lui, e totuna.

— Cine ești, omule? Ești implicat? Sau ești copoi, ori ce mama naibii?

— Așa cum am mai discutat, sunt un tip care are nevoie de un hobby. Nu voi turna mai departe ceea ce-mi spui acum, dacă asta te preocupă. Doar dacă nu mă scoți din sărite.

Donie își trece limba peste interiorul buzei lovite și îl privește pe Cal cu ochii lui palizi, lipsiți de expresie.

— Vrei să te mai conving puțin? îl întreabă Cal. Avem cam o oră. Pot fi foarte convingător.

— De ce vrei să știi despre Brendan?

— Să-ți explic. Brendan se pregătea de făcut metamfetamină pentru amicii tăi din Dublin. Să începem cu asta.

— Nenorocitul s-a crezut în *Breaking Bad*[1], spune Donie. „Voi n-aveți decât căcatul ăla simplu, eu pot să vă fac treaba curată...“ Un labagiu.

Cal îi urmărește privirea, în caz că are o armă undeva ascunsă, dar Donie se uită doar la degete. Le examinează din diverse unghiuri, încearcă să le îndoaie și se strâmbă.

— Nu erai vreun fan al lui, așa-i?

— Le-am zis de la început că-i un căcănar ratat care se crede buricul pământului. Că-i va lăsa baltă.

— Dacă te ascultau, viețile tuturor erau mai simple.

[1] Serial american de succes în care un profesor și unul dintre elevii lui prepară și vând metamfetamină (n. red.).

Donie se apleacă spre noptiera aglomerată. Cal îl împinge înapoi pe pat.

— Nu, nu.

— Trebuie să fumez.

— Mai așteaptă. Nu vreau să trag în piept căcatul tău de fum. Pute deja suficient de tare în camera asta. Faci și ceva util pentru ăștia din Dublin sau te țin de ornament?

Donie se ridică din nou, ferindu-și mâna rănită.

— Au nevoie de mine. Fără localnici nu poți.

— Sunt sigur că te și apreciază. Ai avut vreo treabă cu Brendan?

— A trebuit să-l ajut pe ticălos să curețe casa aia veche, când se pregătea. Să-i aduc ce voia.

Donie își dezvelește dinții prea mici, de parcă ar vrea să muște.

— M-au trimis cu lista de cumpărături, ca pe un servitor.

— Ce anume voia?

— Pseudoefedrină. Baterii. Propan. Generator. Da, domnule, nu, domnule, trei pungi, domnule.

— Anhidru?

— Nu. Ticălosul a zis că de ăla se ocupă el, că eu o s-o dau în bară. Și a dat-o el în bară.

— Cum?

— De unde să știu? A luat prea mult, cred. Dar P. J. Fallon l-a văzut și a chemat Gardaí. Ticălosul l-a convins să-i trimită din nou acasă, dar...

— Cum a făcut asta?

— P. J. e un molâu. Ar face orice.

Donie se miorlăie:

— „Sărmana mama, dacă mă înhață rămâne singură..." Doar că ticălosul i-o fi zis lui P. J. unde-a dus anhidrul.

— Unde? În laboratorul lui?

— Laborator, pe dracu', spune Donie. O casă veche, în munți. Ticălosul a jurat că nu știe nimeni de ea. P. J. și niște tovarăși s-au dus și au luat totul. Nu doar anhidrul, ci și generatorul, bateriile, tot ce merita luat. Valorau cinci, șase sute, pe puțin.

Cal nu trebuie să întrebe cine erau tovarășii lui P. J. Nenorocitul de Mart a știut totul, tot timpul – sau mare parte. Cal vorbea despre feline mari și se agita de colo-colo, întrebând de un electrician, și Mart știuse tot timpul exact pe cine căuta și de ce.

— Tipii din Dublin au aflat?

— Aha, rânjește Donie.

— Cum?

— Nu știu, omule. Poate că supravegheau casa, verificau și ei dacă era sigură cum zicea ticălosul.

Pare surprinzător de în largul lui cu discuția, acum, că a înțeles ideea. Cal a mai întâlnit oameni ca el: unii care abia dacă înregistrează durerea sau teama, darămite altceva, de parcă emoțiile nu li s-au dezvoltat corect. Niciunul n-adusese lumină în viața cuiva.

— Ticălosul se căca pe el. Aș spune că sperase că n-o să se afle, c-o să facă rost de cash să înlocuiască totul, înainte ca ei să afle.

— Ce au făcut?

— M-au pus să stabilesc o întâlnire – ei cu el.

— Unde?

— În casa aia veche.

— Ce să facă?

— Probabil să-i tragă vreo două, fiindc-a fost tăntălău și a atras atenția. Doar că n-a apărut. A fugit.

Ochii lui Donie rătăcesc spre pachetul de țigări de pe noptieră. Cal pocnește din degete în fața lui ca să-i atragă privirea.

— Concentrează-te, Donie. Asta-i tot ce i-ar fi făcut? Câteva peste bot?

— Câtă vreme le dădea banii înapoi, da. Voiau să le facă treaba.

— El știa?

— Idiotul ăla nu-și deosebea curul de ceafă. Îl depășea, pricepi? Dacă vrei să lucrezi cu ăștia, trebuie să fii deștept. Nu să știi chimie – să ai școala vieții.

— Ai fost la întâlnire?

— Nu. Aveam altă treabă de făcut.

Adică nu fusese invitat și deci nu știe dacă băieții din Dublin i-au spus sau nu adevărul despre Brendan și, mai ales, despre faptul că n-a venit. Brendan era optimist. Ar fi putut apărea la ușă țopăind și crezând că urma să repună lucrurile în mișcare și să fi aflat că nu era de fapt așa doar când era prea târziu.

— Băieții din Dublin te-au întrebat unde-ar fi putut dispărea?

— De unde să știu eu? Nu eram bona lui.

— S-au dus după el? L-au prins?

Donie scutură din cap.

— Nu-s prost, omule. N-am întrebat.

— Haide, Donie. Cât de furioși erau?

— Tu ce dracului crezi?

— Ai dreptate. Dar l-ar fi lăsat pe Brendan să plece?

— Nu vreau să știu. Tot ce știu e că mi-au zis să-i sperii pe moși. Să mă asigur că știu cu toții să tacă din gură, să nu se amestece în treaba noastră.

— Oile, spune Cal.

Donie rânjește iar, involuntar, ca un spasm.

— Cred c-a fost grozav, spune Cal. În sfârșit, ceva care să-ți pună talentele de la Dumnezeu în valoare.

— Mi-am făcut treaba, omule.

Cal îl privește, așa cum șade pe marginea patului, crăcănat, cu genunchii goi, atingându-și degetul rupt și strecurând câte o privire spre Cal. Donie îi ascunde ceva.

Nu-i plăcea deloc de Brendan, ceea ce-i de înțeles. Donie făcea treaba murdară pentru gașca asta cine știe de când și a apărut Brendan, un puști arogant, cu planuri mari, iar Donie a rămas la rangul de mesager. Voia să dispară micul ticălos și Cal are impresia că a ajutat ca el să dispară. Poate că i-a zis lui Brendan că întâlnirea va însemna mai mult decât câteva scatoalce, poate l-a speriat de moarte, l-a făcut să plece din oraș. Sau poate a mers cu el și a găsit o stâncă pustie de munte...

Cal se gândește dacă să scoată toată povestea de la Donie, care își scoate acum scamele din buric. Mai bine nu, pentru că acumnu-i pasă deloc ce a pățit Brendan Reddy. Are nevoie de informații să înțeleagă cine-a făcut-o pe Sheila să o bată pe Trey și, mai ales, de ce. Restul poate să aștepte.

— După ce ai terminat treaba, spune, totul a revenit la normal.

— Mda. Până ce ai apărut tu să-ți bagi nasul. Vreau să fumez, omule.

— Că veni vorba de oameni care-și bagă nasul. Trey Reddy.

— Ce-i cu ea?

— A venit la tine să întrebe de Brendan. Apoi cineva a bătut-o rău.

Asta-l face pe Donie să rânjească.

— Nu i-a stricat. Cățeaua e oricum urâtă.

Cal îl lovește în stomac, atât de repede că Donie nici nu se dezmeticește. Se prăbușește într-o parte, pe pat, șuierând și scuipând.

Cal așteaptă. Nu vrea să fie nevoit să-l lovească iar. De fiecare dată când îl atinge, nu e sigur că se poate opri.

— Ia-o de la capăt, zice el, când Donie se ridică din noi în șezut, ștergându-și dâra de scuipat de pe bărbie. De data asta, corect. Trey Reddy.

— Nu m-am atins de ea.

— Știu, tâmpitule. Ai zis cuiva c-a fost aici. Amicilor din Dublin?

— Nu, bre. N-am zis nimic nimănui.

Cal se pregătește să-l lovească din nou. Donie se târăște pe fund pe pat, icnind când uită și se sprijină în mâna lovită.

— Nu, nu, stai așa. Chiar n-am zis *nimic*. E adevărat, omule. De ce să zic? Mă doare-n cur de ea. I-am zis să se ducă naibii și să uite. Sfârșit. Jur.

Cal recunoaște sentimentele rănite ale mincinosului cronic care, o dată în viață, e acuzat de ceva ce chiar n-a făcut.

— OK. A văzut-o cineva aici?

— Nu știu. Nu m-am uitat.

— Băieții din Dublin mai au pe careva pe statul de plată aici?

— Nu în Ardnakelty. Câțiva în oraș, unul în Lisnacarragh și unul în Knockfarraney.

Doar că Donie s-ar putea să nu știe, mai ales dacă tipii din Dublin îl bănuiesc c-ar fi răscolit rahatul în jurul lui Brendan. Dacă îl urmărește cineva, nici n-ar ști. Cal își dorește să fi așteptat să se lase noaptea și să găsească o cale de a-l prinde afară, dar e prea târziu acum.

Pe noptiera lui Donie sunt două telefoane, printre scrumiere, punguța cu iarbă, cănile mucegăite și ambalajele de gustări: un iPhone mare și strălucitor și un telefon căcăcios, vechi. Cal ia telefonul cu cartelă și intră în agenda cu doar șase nume. Ridică ecranul spre Donie.

— Cine-i șeful?

Donie îl privește.

— Sau pot să-i iau la rând și să le zic de unde am numerele.

— Austin e. Dintre cei care vin încoa', în orice caz.

Cal copiază numărul lui Austin și pe celelalte în propriul telefon, cu un ochi la Donie, să nu-i vină vreo idee.

— Aha! Și Austin vine încoace curând?

— Nu există un program, bre. Mă sună când au nevoie de mine.

— Cum e Austin?

— Nu vrei să te pui cu el. Îți zic io.

— Nu vreau să mă pun cu nimeni, fiule, spune Cal, aruncând telefonul înapoi pe noptieră, unde aterizează într-o scrumieră ridicând un norișor de praf cenușiu. Dar așa e viața uneori.

Se ridică și își scutură pantalonii de resturile de pe scaun. Simte ca și cum ar avea nevoie de o decontaminare.

— Acum te poți culca la loc.

— Te omor, îi strigă Donie.

Asta și transmit ochii lui lipsiți de orice expresie, asta dacă nu o dă în bară.

— Nu, n-o să mă omori, idiotule, spune Cal. Dacă o faci, o să ai o duzină de detectivi mișunând peste tot, interogând pe toată lumea despre orice căcat care se întâmplă pe aici. Ce crezi că-ți vor face amicii din Dublin dacă le aduci asta pe cap?

O fi Donie prost ca noaptea, dar știe foarte bine ce înseamnă un astfel de necaz. Îl privește pe Cal cu o ură care-i ajunge până la os, genul ăla de ură care vine de la cineva care nu reprezintă o amenințare.

— Ne mai vedem, spune Cal.

Se îndreaptă spre ușă, lovind cu piciorul o farfurie cu ketchup uscat pe ea.

— Și curăță naibii locul ăsta. O faci pe maică-ta să trăiască cu căcaturile astea în casă? Schimbă-ți așternuturile.

Pe drum, Cal ocolește drumul din spatele câmpurilor lui Francie Gannon, profund interesat de laturile lor și verificând dacă urmărește cineva casa lui Donie. Are o poveste pregătită despre cum și-a pierdut ochelarii de soare, pentru oricine-ar întreba, dar îl vede numai pe Francie, care-i face din mână voios și strigă ceva neinteligibil. E pe drum și cară o găleată care pare grea. Cal face și el din mână și caută mai departe, dar nu suficient de agitat încât Francie să vină să-l ajute.

Când ajunge la concluzia că nu e niciun pericol, cel puțin acum, se duce acasă într-o stare de iritare crescândă, mai degrabă împotriva sa decât a altora. În fond, și-a dat seama de mult că Mart ascunde ceva sub masca aceea jovială, doar că n-a pus lucrurile cap la cap și pentru cineva cu meseria lui e de neiertat. Cal crede c-ar trebui să fie recunoscător pentru că Mart l-a protejat, chiar dacă motivația principală a fost să-l împiedice să aducă și mai multe necazuri în sat, dar nu-i place c-a fost luat de prost.

Dimineața a devenit superbă. Soarele tomnatic face nuanțele de verde de pe câmp să capete un aer mitic și transformă drumurile lăturalnice în cărări scăldate de lumină, unde un spiriduș cu o ghicitoare pregătită sau o fecioară frumoasă cu un coș ar putea aștepta după fiecare tufă de grozamă și mărăcini. Însă Cal nu are niciun chef să aprecieze. Simte că frumusețea asta anume e un punct central al iluziei care l-a făcut prost, l-a transformat într-un țăran care privește cu gura căscată o mână de monede de aur, până ce se transformă în frunze moarte sub ochii lui. Dacă se întâmpla totul într-o fundătură suburbană deprimantă sau într-o așezare de rulote de pe niște terenuri măsurate cu ruleta, ar fi fost mai lucid.

Trebuie să discute cu Austin. Austin pare un tip distractiv. Dacă e șeful însă, chiar și în regiunea asta, șansele-s mai mari de 50/50 să fie o subspecie de psihopat calculat, mai degrabă decât genul turbat. În situația asta, spre deosebire de mulți alții, Cal crede că-i un avantaj. Dacă-l poate convinge pe Austin că Trey nu este o amenințare, atunci ar putea renunța s-o reducă la tăcere ca pe un risc inutil și nu să-și continue misiunea mai mult pentru distracție. Există chiar și o șansă oricât de mică pentru Cal să-l convingă să-i ofere lui Trey un fel de răspuns la întrebarea ei, la schimb pentru liniște și pace. Cal trebuie să vorbească direct cu el. Va trebui să-l sune pe Austin și să stabilească o întâlnire, să-și aleagă strategia pe drum, în funcție de ce găsește, și să spere că decurge mai bine decât întâlnirea cu Brendan.

Casa și grădina arată la fel ca la plecare, iar ciorile își văd fericite de treabă, conversând și căutând gâze prin iarbă, netulburate. Cal descuie cât poate de încet ușa din față, crezând că poate fata doarme iar, și se uită în dormitor. Patul e gol.

Cal se întoarce. În minte are numai scenarii de răpire. Când vede ușa băii închisă, începe să-și imagineze copila căzută pe jos, din cauza vreunei sângerări interne. Nu poate să creadă că n-a dus-o totuși la spital noaptea trecută.

— Puștoaico, zice, lângă ușa băii, cât de calm poate. Ești bine?

După o secundă, Trey deschide ușa.

— Ai stat un secol.

E plină de nervi. La fel e și Cal.

— Am vorbit cu Donie. Voiai sau nu să o fac?

— Ce a zis?

Teroarea din ochii ei dizolvă orice urmă de iritare a lui Cal.

— Donie spune că frate-tu s-a lipit de băieții cu drogurile din Dublin. N-a vândut, cu asta ai avut dreptate, dar voia să facă metamfetamină pentru ei. Doar c-a dat-o în bară și a pierdut niște lucruri din proviziile lor. Plănuia să se vadă cu ei și să le plătească și atunci a auzit Donie ultima dată de el.

Nu-și dă seama dacă toate acestea sunt prea mult pentru Trey, dar nu mai poate să-i ascundă lucruri, ca s-o protejeze. A decurs prost ultima dată. Copila are dreptul la răspunsuri reale.

Ea absoarbe totul cu o intensitate care îi calmează tremuratul.

— Asta a zis Donie? Nu-mi spui prostii?

— Nu-ți spun. Sunt convins că nu-mi servea rahaturi. Nu sunt sigur că mi-a zis tot, dar cred că mi-a zis adevărul.

— L-ai rănit?

— Da. Nu foarte rău.

— Ar fi trebuit să-l distrugi. Să-l joci în picioare.

— Știu, spune Cal cu blândețe. Aș fi vrut eu. Dar caut răspunsuri, nu necazuri.

— Trebuie să vorbești cu băieții din Dublin. Ai vorbit cu ei?

— Copilă, calmează-te. O să vorbesc. Dar trebuie să-mi dau seama cum, ca niciunul dintre noi să nu sfârșească cu un glonț în cap.

Trey se gândește în timp ce roade o unghie și tresare când se lovește la buză. În cele din urmă spune:

— L-ai văzut pe Mart Lavin?

— Nu. De ce?

— Te-a căutat.

— Ha, pufnește Cal.

Evident că a remarcat mașina Lenei și, cum a avut niște timp, a venit direct încoace, să caute niște bârfă.

— Te-a văzut?

— Nu. L-am ginit și m-am ascuns în budă. A dat un ocol casei când n-ai răspuns la ușă. L-am auzit. A verificat la geamuri. I-am văzut umbra.

Copila începe să tremure din nou de adrenalină, amintindu-și.

— Păi, spune Cal împăciuitor, ce bine că baia are cearșaf la geam.

Își scoate haina și o atârnă în cuierul din spatele ușii, mișcându-se lent.

— Știi de ce l-am atârnat? Din cauza ta. Înainte să ne cunoaștem. Știam că mă urmărește cineva, așa că am prins cearșaful în cuie, ca să-mi ofere nițică intimitate. De data asta ți-a fost de folos ție. Ce ciudat se aranjează lucrurile, nu?

Trey ridică din umeri, dar tremuratul i s-a mai potolit.

— Știu ce voia Mart, spune Cal, și n-are treabă cu tine. A văzut aici mașina domnișoarei Lena și vrea să știe dacă ea și cu mine ne combinăm.

Fața lui Trey îl face să zâmbească.

— Și vă combinați?

— Nu. Am deja suficiente pe cap și fără asta. Vrei ceva? O gustare?

— Vreau să văd asta, arată Trey spre fața ei. Ai oglindă?

— Acum arată mai rău decât e, spune Cal. Se va mai dezumfla într-o zi sau două.

— Da, știu. Vreau să văd.

Cal își găsește într-un dulap oglinda în care-și tunde barba și i-o întinde. Trey se așază la masă și stă câteva minute întorcând capul în toate direcțiile.

— Putem încă merge la un medic, să-ți repare buza, spune Cal. Ca să nu-ți rămână cicatrice. Îi putem spune c-ai căzut de pe bicicletă.

— Nu. Mi se rupe de cicatrici.

— Știu. Dar într-o zi s-ar putea să-ți pese.

Copila îl face pe Cal fericit oferindu-i privirea pentru tâmpiți.

— Aș prefera să arăt a „nu te pune cu mine" decât drăguț.

— Cred că s-a rezolvat asta. Trebuie să te duci în sat înainte să-ți treacă toate rănile alea.

Trey întoarce capul spre el.

— Nu mă duc.

— Ba da. Cine i-a zis mamei tale să facă asta trebuie să știe c-a făcut-o, și încă bine. De aceea te-a lovit la față, ca ei să știe. Trebuie să fii văzută de cineva care va spune mai departe.

— Cum ar fi?

— N-am habar. Du-te la Noreen. Cumpără pâine. Las-o să se uite bine la fața ta și mergi de parcă te dor toate. Se va asigura ea că umblă vestea.

— N-am bani.

— Îți dau eu. Poți aduce pâinea aici.

— Dar mă doare totul. Nu pot merge până acolo.

Fata adoptă o postură rebelă. Totul la ea pare să spună că este împotriva spălării rufelor familiei în fața lui Noreen.

— Vrei ca ei să se întoarcă aici să se asigure că-i treaba bine făcută?

După o clipă, Trey lasă deoparte oglinda.

— OK. Pot să merg mâine?

Oboseala din vocea ei îl face pe Cal să se simtă un monstru. Doar fiindcă puştoaica mai are încă glas, şi-a imaginat că e mai înzdrăvenită decât ar putea fi.

— Da, spune el. Sigur. Mâine e bine. Azi te odihneşti.

— Pot să stau aici?

— Sigur.

S-a gândit cum să sugereze chiar el asta. Donie ar fi un cretin şi jumătate dacă merge să i se plângă lui Austin de discuţia lor, dar Cal a învăţat, acum multă vreme, să nu subestimeze niciodată minunea naturii numită prostie omenească. Dacă Austin a pus pe cineva să-l urmărească pe Donie şi l-a văzut pe Cal, ştiu deja tot ce s-a discutat. Se gândeşte la variantele de Austin pe care le-a cunoscut şi la lucrurile pe care i le-ar face lui Trey dacă simt nevoia să revină. Până are un oarecare control, copila nu pleacă nicăieri.

Trey cască, dintr-odată, cu zgomot, fără să se obosească să-şi acopere gura.

— Sunt terminată, zice uluită.

— Fiindcă ai fost lovită. Corpul tău foloseşte o grămadă de energie pentru vindecare. Dă-mi două minute şi te culci.

Îşi aduce ciocanul şi cuiele. Ia un scaun şi un cearşaf şi se duce în dreptul geamului din dormitor. Trey îl urmează şi se lasă pe pat de parcă i-a tăiat cineva sforile.

— Când eram de vârsta ta, am primit o bătaie.

Cal se urcă pe scaun şi începe să bată în cuie cearşaful.

— De la mama ta?

— Nu. Mama era cea mai blândă. N-ar fi ucis un ţânţar.

— De la tatăl tău?

— Nu. Nici el nu era capabil. Când apărea, tata-mi aducea mașinuțe și dulciuri, aducea flori pentru mama, mă învăța trucuri cu cărți de joc, stătea câteva săptămâni și pleca iar. Nu, au fost niște tipi de la școală și nici nu mai știu din ce motiv m-au bătut. Dar m-au aranjat. Două coaste rupte și o față de dovleac putred.

— Mai rău ca la mine?

— Cam la fel. Mai multe vânătăi și mai puțin sânge. Dar ce-mi amintesc e cât de obosit am fost după aceea. Cele mai multe zile din săptămâna următoare am zăcut pe canapea și m-am uitat la TV, și am mâncat ce-mi aducea bunica. Să fii rănit te obosește rău.

Trey se gândește.

— Te-ai răzbunat pe tipii care te-au bătut?

— Da. După o vreme, fiindcă a trebuit să aștept să cresc cât ei, dar n-a durat mult.

Coboară de pe scaun și trage de cearșaf. E prins bine.

— Așa, spune Cal. Acum nu mai trebuie să te ascunzi în baie dacă vine cineva. Te odihnești cât ai nevoie.

Fata mai cască o dată, frecându-se la ochiul teafăr, și începe să se vâre în așternuturi.

— Somn ușor, îi spune Cal și închide ușa după el.

Trey doarme patru ore. Cal dă jos tapetul din dormitorul pentru oaspeți, într-un ritm lent, dar susținut, ca să nu facă zgomote bruște. Fire de praf se rotesc în lumina soarelui, care pătrunde prin geam. Oile behăie pe câmpuri, iar un cârd de gâște întârziate face tărăboi. Nimeni nu caută pe nimeni.

19

Foamea e cea care o trezește pe Trey, iar Cal pregătește sandviciuri cu unt de arahide pentru amândoi. Când se duce în oraș, o încuie iar în casă. Chiar dacă Donie l-ar fi sunat pe Austin imediat, tot nu s-ar afla pe lista lui de priorități, dar Cal tot dorește să revină acasă înainte să se lase seara. Când iese de pe alee, așa joasă și solidă, casa i se pare foarte departe de orice altceva, în mijlocul terenului plin de buruieni și cu munții cafenii pe fundal.

O sună pe Lena.

— Salut. Ce fac câinii?

— Minunat. Nellie s-a răzbunat pe mine distrugându-mi un pantof, dar oricum era vechi.

În fundal se aud voci bărbătești. E la muncă.

— Trey ce face?

— OK. Tot zguduită, dar mai bine. Dar tu? Ți-au trecut junghiurile?

— Adică am uitat suficient de repede cât să fiu dispusă la o repetiție.

— Da, și asta. Fata vrea să mai stea o noapte la mine. M-ai ajuta, dacă îți cumpăr saltea?

După o clipă, Lena scoate un sunet, hohot sau icnet exasperat, ori toate la un loc.

— Ar fi trebuit să iei cățelul. Ar fi fost mai puțină bătaie de cap.

— E doar o noapte în plus.

Cal e sigur că așa este. Nu poate lungi povestea.

— O poți aduce pe Nellie, dacă vrei. Să-ți salvezi pantofii.

Nu pomenește de partea în care urechile atente ale unui beagle pot fi utile, dar e convins că Lena se prinde.

Vocile bărbaților din fundal se aud mai stinse. Lena se îndepărtează de ei.

— Încă o noapte. Dacă iei salteaua.

— Acolo mă duc. Mersi. Dacă ai nevoie de o favoare, cândva, știi unde sunt.

— Data viitoare când am un cățel care a făcut în casă cu diaree, pe tine te sun.

— Voi fi acolo. Te pot invita să iei cina cu noi?

— Nu. Mă descurc și vin după. În jur de opt. Puteți avea grijă de voi până atunci?

— Ne străduim. Acum știu că mă obrăznicesc, dar poți să mă mai ajuți cu ceva? Poți s-o suni pe Sheila Reddy și să-i spui că Trey e OK?

Tăcere.

— Trebuie să știe, spune Cal.

Nu e foarte încântat de Sheila, dar n-ar fi corect s-o lase să se întrebe dacă Trey e lipsită de ajutor sau moare undeva prin munți.

— Doar să-i spui că e teafără copila.

— Așa, și când întreabă unde e, îi zic că n-am habar, nu? Sau „ha, ha, nu-ți zic“ și închid?

— Spune-i doar că nu vrea să vorbească acum cu ea, dar va veni mâine acasă. Ceva de genul.

După o altă tăcere, care aduce a sprâncene ridicate, spune:

— Aș face-o eu, dar Sheila s-ar putea supăra dacă află că puștoaica stă la mine. Nu vreau să cheme poliția sau să-mi bată la ușă.

— Dar e minunat dacă face asta cu mine, nu?

— N-o să cheme poliția la tine. Dacă vine, îi poți arăta că nu ai fata. Dacă vine după opt, oricum nu vei fi acolo.

După un minut, Lena spune:

— Aș vrea să-mi dau seama cum am ajuns în situația asta.

— Mda, spune Cal. Și eu. Are fata asta un dar.

— Trebuie să închid, spune Lena. Pe mai târziu.

Și închide. Cal se gândește la gama de sunete pe care le-ar fi scos Donna ca să exprime vârful de aisberg al sentimentelor sale față de situația asta. Se gândește s-o sune și să-i spună toată povestea, doar ca să le mai audă o dată, dar ea probabil că va interpreta altfel lucrurile.

Orașul e agitat, ca într-o zi de lucru, cu bătrâne care circulă cu genți de cumpărături pe roți, tinere care jonglează cu cărucioare, cumpărături și telefoane, bătrâni care poartă conversații pe la colțuri, agitând bastoane. Cal are dificultăți în găsirea unei saltele gonflabile, dar în cele din urmă tipul de la magazinul de unelte dispare în camera din spate, multă vreme, și revine cu două, ambele pline de praf și pânze de păianjen lipicioase. Cal le cumpără. Chiar dacă n-ar avea probleme să petreacă o noapte pe fotoliu, ideea unei singure saltele i-ar putea da Lenei impresia că el are așteptări.

Într-un magazin plin de o varietate impresionantă de haine pe bază de poliester la mâna a doua, care explică puloverul Sheilei, găsește un coș de plasă cu lenjerie din același material, o pilotă și câteva perne, dar și pijamale, un hanorac albastru și o pereche de blugi care par potrivite pentru Trey. Își încarcă apoi coșul de la supermarket cu friptură, cartofi, legume, lapte, ouă, cele mai hrănitoare lucruri pe care le găsește. Ia și un pachet de prăjiturele pentru Mart. Are nevoie de o scuză ca să meargă la el și să-l lase să-l înțepe referitor la Lena, înainte să devină nerăbdător și să încerce să vină Mart iar la el.

Seara se lasă mai devreme, în ultimele zile. Când pleacă din oraș, lumina scade, aruncând umbre lungi peste câmpuri. Se îndreaptă spre casă mai repede decât ar trebui pe asemenea drumuri.

Încă se gândește cum să-l abordeze pe Austin. Cât era încă în funcție, s-ar fi dus pregătit cu o serie de recompense și pedepse, de diverse dimensiuni. Privește luna joasă, agățată pe un cer în nuanța lavandei și câmpurile care se adâncesc în amurg, când trece pe lângă ele, și simte imensitatea lipsei lui de resurse.

Austin nu va vorbi cu un fost polițist, nu va îndura prezența unui rival în afaceri și nici nu va acorda timp unui civil oarecare. Cal se gândește că șansa lui e să se prezinte ca un tip care a avut o astfel de viață, s-a retras înainte să-l părăsească norocul și s-a mutat departe de casă, pentru a nu fi atras înapoi sau găsit: suficient de dur să o țină pe Trey în siguranță și să câștige respect, insuficient de activ să fie o amenințare.

Își dă seama că gândește iar ca un detectiv, dar nu precum cel care a fost. Este o gândire sub acoperire. Lui Cal nu i-a plăcut niciodată munca sub acoperire și nici cei care o făceau. Se mișcau într-o atmosferă asemănătoare unei case cu oglinzi, cu o abilitate firească, care-l agita până în măduva oaselor. Începe să simtă că ei s-ar potrivit aici mult mai bine decât el.

Când parchează pe alee, casa lui e luminată cu două lămpi dreptunghiulare, iar acoperișul prinde contur pe cerul indigo, odată cu primele stele. Cal iese din camionetă și se duce în spate să scoată saltelele. Când aude foșnetul de pași din iarba lungă, are timp doar să se întoarcă și să vadă formele întunecate care-l atacă și să atingă locul unde-ar trebui să fie Glockul, înainte să fie lovit în cap cu ceva dur și ruginit și să se prăvălească.

Căderea îi taie respirația. Caută aer ca un pește pe uscat. Ceva tare îi lovește clavicula. Aude zgomotul înfundat al loviturii în os și simte că se frânge. Icnește, iar durerea îi străbate osul claviculei și de data asta reușește să înghită praf și noroi, cu foarte puțin aer.

Se răsucește pe o parte, șuierând, cu gura plină de mizerie, și lovește orbește cu mâinile. Apucă o gleznă și trage cu toată puterea și simte bufnetul când respectivul cade. O lovitură în spate îl face să-l elibereze din strânsoare. Lucrul acela greu îl lovește în rotulă, durerea îl lasă fără respirație și o părticică limpede din mintea lui îl avertizează că nu e doar unul și că s-a zis cu el.

O voce de bărbat îi spune la numai câțiva centimetri de fața lui:

— Să-ți vezi de treabă, ai auzit?

Cal lovește cu pumnul, nimerește și aude bărbatul icnind. Înainte să-și poată redresa genunchii, obiectul tare îl izbește în nas, iar durerea explodează și îi scaldă capul într-o lumină orbitor de confuză. Respiră sânge, se îneacă, îl vomită. Aerul se despică apoi, cu un bufnet, și Cal crede că l-au lovit iar, că atât i-a fost, și totul se oprește.

În mijlocul tăcerii, o voce limpede, aspră, strigă de la distanță:

— Nu mișcați!

Lui Cal îi ia o clipă ca să priceapă ce aude, prin ceața de sânge și stele, și încă una ca să identifice vocea lui Trey. Apoi abia își dă seama că Trey a tras cu carabina Henry.

— Unde e Brendan? strigă Trey.

Nu mișcă nimic. Cal trage de materialul care-i acoperă capul, dar degetele îi tremură, neajutorate. O voce de bărbat strigă, de aproape:

— Lasă aia jos, ticăloaso!

Carabina bufnește iar. Se aude un strigăt de durere reală din spatele lui Cal, apoi un amalgam de voci.

— Ce mama naibii...

— Iisuse...

— V-am zis *să nu mișcați!*

— M-a împușcat, nebuna dracului...

— *Unde e fratele meu* sau vă ucid pe toți!

Cal reușește cumva să apuce sacul și să și-l scoată de pe cap. Lumea se înclină și fierbe și el vede un singur lucru clar: o rază de far aurie, care se întinde pe iarbă și o siluetă aflată în cadrul ușii. Trey, țintind. Trey a ieșit din casă ca o aruncătoare de flăcări, plină până la refuz de furia acumulată până acum, gata să radă totul de pe fața pământului.

— Puștoaico! strigă Cal și aude ecoul peste câmpurile întunecate, în șoc. Termină! Eu sunt!

Se ridică anevoie în picioare, clătinându-se, târând un picior, scuipând sânge.

— Nu mă împușca!

— Dă-te naibii din drum! strigă Trey.

Accentul ei a devenit mai aspru, mai sălbatic, desprins direct din munți, cu dinți de fierăstrău, dar vocea ei e limpede și precisă.

În spatele lui Cal, cineva gâfâie printre dinți:

— Nenorocitul meu de braț!

Iar altcineva se rățoiește, încet:

— Taci!

Apoi se lasă o liniște profundă, din câte-și dă seama prin bubuiala și bolboroseala din capul lui. Bărbații care urmăresc fiecare mișcare a lui Trey știu acum să o ia în serios.

Cal își desface brațele și se aruncă în fața lor.

— Puștoaico, strigă el. Nu face asta.

Știe că există cuvinte pe care le folosea înainte ca să convingă oamenii să lase jos arma, promisiuni, lucruri liniștitoare. S-au dus.

— Dă-te la o parte sau te împușc și pe tine!

În jurul lui Cal, lucrurile se leagănă și fac valuri, dar silueta ei din ușă e fixă, ca o statuie. Pușca grea de pe umărul ei nici măcar nu tremură. Dacă bărbații ăștia o refuză s-o asculte, dacă o mint ori poate chiar dacă-i zic adevărul, le va zbura creierii.

— Puștoaico, strigă el.

Se îneacă cu amestecul de praf și sânge.

— Puștoaico, lasă-i să plece.

— *Unde e Brendan?*

— Puştoaico, te rog! strigă Cal, cu vocea fisurată. Te rog. Lasă-i să plece. Te implor.

Trei bătăi de inimă în tăcerea profundă şi rece a nopţii. Apoi carabina se descarcă iar. Ciorile îşi iau zborul din copac într-un foc de artificii negru, panicate. Cal dă capul pe spate şi răcneşte ca un animal, către cer.

Când icneşte după aer, paralizat între saltul spre carabină şi întoarcerea pe care o face ca să vadă paguba produsă, aude vocea lui Trey:

— Acum dispăreţi!

— Plecăm! strigă cineva din spatele lui.

Lui Cal îi mai ia o secundă să priceapă. Trey a ţintit sus, spre coroanele copacilor.

— Dispăreţi naibii de aici!

— Sângerez, Doamne fereşte, uite...

— Hai, hai, hai...

Gâfâieli, voci amestecate fără sens pentru Cal, picioare care se grăbesc prin iarbă. Când se întoarce cu faţa spre bărbaţi, genunchiul îi cedează şi se prăbuşeşte, încet şi lipsit de graţie, în poziţie şezândă. Bărbaţii dispar deja în beznă, trei siluete rapide, negre, grupate, cu capetele plecate.

Cal se aşază şi îşi şterge cu mâneca sângele de la nas. Trey rămâne în uşă, cu puşca pe umăr. Ciorile se rotesc, ţipând a disperare şi apoi se calmează treptat şi se aşază înapoi în copac.

Când vocile înfundate s-au stins pe drum, Trey coboară puşca şi vine, prin raza de lumină, spre Cal. Îşi ia mâneca de la nas cât să spună:

— Siguranţa. Pune siguranţa.

— Am pus-o.

Se apleacă spre el, să-l privească.

— Cât de rău e?

— N-o să mor, spune Cal.

Își poziționează mâinile și picioarele într-un fel care să-i permită să se ridice.

— Trebuie să intrăm, înainte să se întoarcă.

— Nu se vor întoarce, spune Trey satisfăcută. L-am nimerit bine pe unul dintre ei.

— OK, spune Cal.

Nu-i poate spune că, dacă se întorc, vor veni cu propriile puști. Reușește să se ridice în picioare și să rămână așa, clătinându-se ușor și încercând să-și dea seama dacă-l ține genunchiul.

— Hai, spune Trey, apucându-l cu brațul liber de talie, sprijinindu-i greutatea pe un umăr slăbănog. Hai să mergem.

— Nu.

Se gândește la rănile ei, pe care nu și le poate imagina precis în acest moment, dar își amintește că sunt oribile. Trey îl ignoră și pornește spre casă, iar Cal se trezește mișcându-se odată cu ea. Înaintează prin iarbă, intrând și ieșind din lumină, sprijinindu-se reciproc ca doi bețivi. Amândoi gâfâie. Cal simte fiecare centimetru pătrat de întuneric din jurul lor, iar fiecare centimetru din corpurile lor e ținta perfectă. Încearcă să meargă mai repede, chiar dacă șchiopătând.

Când trântește ușa după ei și o încuie de două ori, îi tremură fiecare mușchi. Lumina bruscă îl lovește drept în ochi.

— Dă-mi un prosop, zice, lăsându-se pe un scaun de la masă. Și oglinda aia.

Trey lasă carabina pe blat și îi aduce ce are nevoie, inclusiv un castron cu apă și trusa de prim ajutor. Stă lângă el cât își apasă prosopul pe nas.

— Cât de rău e? întreabă iar.

Încordarea din vocea ei îi atinge o coardă sensibilă. Respiră lung, încearcă să se echilibreze.

— Cam ca a ta, seara trecută, spune el, prin prosop. Am fost și mai rău.

Copila mai stă lângă el un minut, privindu-l și pipăindu-și buza. Apoi se duce la congelator și începe să scotocească. Cal așteaptă să se oprească sângerarea și își trage cracul de la pantaloni ca să-și verifice genunchiul. E vinețiu și se umflă și de-a curmezișul lui se vede o dungă mov, mai închisă, dar, după ce-l analizează, e sigur că nu e rupt. Clavicula e cel puțin fisurată: simte junghiuri de durere când își mișcă umărul. Când o pipăie atent însă, linia e dreaptă. N-ar trebui pusă la loc, iar asta e bine. Cal ar prefera să nu explice rana vreunui doctor.

Trey pune pe masă, în fața lui, două pungi de plastic pline cu cuburi de gheață.

— Altceva? întreabă ea.

— Am nevoie de o fașă, spune Cal. Cearșaful de la geamul din baie e destul de lung și putem tăia din el o fâșie de jos. Foarfeca e în sertarul de acolo.

Trey se duce în baie și revine cu o bucată din material, pe care o transformă într-o fașă murdară, însă care poate fi folosită. Îl ajută pe Cal să-și scoată haina și îi fixează fașa, apoi se așază pe blat, de unde poate privi geamul din bucătărie.

Nasul lui Cal nu mai sângerează. Îl testează, încercând să nu lase fata să-l vadă tresărind la fiecare atingere. S-a făcut dublu, dar pare să nu fi fost spart. Nu mai tremură atât de tare, așa că-și poate curăța fața, cât de cât, cu un colț de prosop înmuiat în apă. În oglindă, arată cam cum se aștepta: nasul lui are formă de tomată și i se învinețesc ambii ochi, deși nu la fel de impresionant ca al fetei.

— Uită-te la noi, spune Cal, cu o voce înfundată de parcă ar vorbi încă prin prosop. O pereche de corcituri de pripas bătute.

Trey încuviințează. Cal nu-și dă seama cât de tare a zguduit-o întâmplarea. Are încă acea concentrare intensă pe care a intuit-o în vocea ei, în curte. La un copil, pare nefirească. Cal simte c-ar trebui să facă ceva în privința ei, dar nu-și dă seama ce.

Se sprijină pe spătar, își pune un pachet cu gheață pe genunchi și unul la nas și încearcă să-și liniștească trupul și mintea, ca să funcționeze. Trece în revistă bătăile încasate în trecut, ca să obțină o perspectivă corectă. Copii de la școală, de câteva ori. Idiotul care l-a atacat cu o bucată de țeavă, la o petrecere unde fusese împreună cu Donna în perioada lor nebună, fiindcă crezuse că se uitase ciudat la iubita lui – Cal are încă o urmă pe coapsă, unde s-a înfipt țeava aceea. Tipul voia să-l ucidă, la fel și ăla care luase ceva și-l atacase pe o alee lăturalnică, când se afla în patrulare, și care nu renunțase până ce Cal nu-i rupsese mâna. Totuși Cal este aici, în cealaltă parte a lumii, într-un colț de Irlanda, cu nasul însângerat. Iar. I se pare ciudat de liniștitor.

— Am avut cândva o corcitură de pripas bătută, spune Trey. Eu, Brendan și tata mergeam în sat și l-am găsit pe drum. Era plin de zgârieturi și sângera. Avea un picior beteag. Tata a zis că e pe moarte. Voia să-l înece, să nu mai sufere. Dar Brendan voia să-l facă bine și până la urmă tata a zis că poate încerca. Am păstrat câinele șase ani. A șchiopătat, dar s-a simțit foarte bine. Dormea în pat cu Brendan. A murit de bătrânețe.

Lui Cal i se pare că fata n-a vorbit niciodată atât de mult, mai ales fără un scop precis. Crede că e tensiunea, care îl face să bălmăjească, dar apoi o privește pe fată care nu-l slăbește și își dă seama ce face. A învățat de la el: vorbește despre ce-i vine în minte ca să-l calmeze.

— Câți ani aveai?

— Cinci. Brendan a zis că pot pune nume câinelui. I-am zis Patch, fiindcă avea o pată ca un petic negru, la ochi. Acum m-aș gândi la un nume mai bun, dar eram mică.

— Nu ai aflat de unde era?

— Nu. Nu era de-aici. Am fi știut. Probabil că-l lăsase cineva dintr-o mașină, pe drumul principal, și se târâse de acolo. Nu era un câine de fițe. Doar o corcitură bătrână, negru cu alb.

— Cei mai buni, spune Cal. Fratele tău a făcut bine.

Își testează genunchiul, care funcționează, acum că șocul inițial a trecut.

— Să-ți zic ceva. Mă simt mai bine decât credeam c-o să mă simt.

E adevărat. Îi pulsează diverse locuri și se simte o greață ușoară după ce a înghițit sânge, dar, în general, ar fi putut fi mult mai rău. Și ar fi fost așa dacă Trey și carabina nu interveneau.

— Mersi că mi-ai salvat fundul.

Trey dă din cap. Se întinde după pâine și pune niște felii în prăjitor.

— Crezi că te-ar fi ucis?

— Cine știe? Mai bine nu știu.

Nu vrea să știrbească meritele copilei, dar se îndoiește c-ar fi murit, doar dacă n-o dădea cineva în bară. Știe diferența. Bătaia asta n-a fost ca să-l ucidă. Așa cum i-a zis lui Donie, băieții din Dublin nu vor atenția pe care ar atrage-o un yankeu mort. Au vrut doar să transmită un mesaj.

Acum, că Trey l-a împușcat pe unul dintre ei, s-ar putea schimba. Depinde cât de echilibrat e băiatul ăsta, Austin, de cât de persuasiv poate fi Cal, de cât de bine-și ține Austin echipa în frâu. Cal n-are starea de spirit necesară să sune în noaptea asta, dar trebuie s-o facă de dimineață, de îndată ce ar putea fi o oră rezonabilă la care Austin să fie treaz.

Trey se uită când la fereastră, când la pâinea prăjită.

— Ai încărcat repede arma, spune Cal.

— O aveam pregătită de când ai plecat.

— Cum ai scos-o din seif?

— Am văzut combinația când ai deschis prima dată.

Cal simte c-ar trebui să-i țină o predică despre cât de rău este să atingi arme, fără permisiune și fără permis, dar ar părea nerecunoscător, în condițiile date.

— Cum ai știut că nu mă vei nimeri?

Fata arată de parcă întrebarea e atât de idioată, că abia merită răspuns.

— Erai pe jos. Am țintit mai sus.

— Corect.

Gândul c-ar fi putut nimeri un om în cap îi provoacă un nou val de greață.

— Atunci, bine.

Pâinea lui Trey este gata. Se apleacă să ia brânza din frigider și un cuțit din sertar.

— Vrei?

— Acum, nu. Mersi.

Trey pune felii de brânză între cele de pâine, fără să mai caute și farfurie, și rupe o bucată ca să n-o doară buza spartă.

— De ce nu m-ai lăsat să-i fac să vorbească?

Cal își ia gheața de la nas.

— Aveai o *pușcă* îndreptată spre ei. Deja *împușcaseși* unul. Ce credeai că vor spune? „Ah, da, e vina noastră c-a dispărut frate-tu, scuze"? Nu. Ar fi jurat că habar n-au ce i s-a întâmplat, chiar dacă aveau. Apoi ar fi trebuit să alegi între a-i omorî și a-i lăsa să plece. Dar n-ai fi avut un răspuns. M-am gândit că e mai inspirat să-i trimiți direct acasă.

Copila se gândește, mâncând cu grijă bucăți de pâine și bâțâind din picior. Încordarea s-a mai domolit. Ochiul ei capătă nuanțe noi, sinistre, dar pare să-și fi revenit și să aibă energie, să fie prezentă trup și suflet. Seara asta i-a făcut bine.

— Voiam să-i împușc.

— Știu. Dar nu ai făcut-o. E un lucru bun.

Trey pare doar pe jumătate convinsă.

— L-am nimerit pe unul, oricum.

— Da. Cred că în braț. Se mișca OK când au plecat. Va fi bine.

— Nu se duce la poliție.

— Nu, spune Cal. Spitalul s-ar putea să sune la Poliție însă, dacă merge acolo. Dar va spune c-a fost un accident, că-și curăța pușca, ceva de genul. Nu o să-l creadă, dar nici nu au ce să-i facă.

Trey dă din cap.

— Ți s-au părut a fi din Dublin?

— Nu știu. Nu eram atent.

— Mie mi s-au părut localnici.

— Probabil.

Austin n-ar fi avut timp, și probabil nici chef, să trimită băieți din Dublin. Era treabă de trepăduși din zonă.

— Ai recunoscut pe cineva?

Trey clatină din cap.

— Ai văzut cu ce m-au lovit?

— Păreau crose de hurling. Dar n-am văzut prea bine.

Ridică privirea de la sandvici.

— Ne apropiem, nu? Altfel nu s-ar fi obosit să ne atace.

— Poate că da. Poate că nu. Poate doar s-au săturat de bătaia de cap. Sau sunt furioși că l-am bătut pe Donie.

— Dar poate că ne apropiem.

— Da, spune Cal, dar doar cu jumătate de gură, fiindcă asta are ea nevoie să audă, ca totul să fi meritat. Poate ne apropiem.

După o clipă, Trey întreabă:

— Ești furios?

— Nu am timp de asta. Trebuie să clarific lucrurile.

Trey se gândește și mai rupe o bucată din sandvici. Cal simte c-ar vrea să spună ceva, dar nu o poate ajuta. Scotocește în trusa de prim ajutor după ibuprofen și înghite fără apă o doză sănătoasă.

— E vina mea că ți-au făcut asta.

— Copilă, nu te acuz de nimic.

— Da, știu. Dar e vina mea.

— Nu tu m-ai bătut.

— Eu te-am băgat în asta.

Cal o privește și se trezește copleșit de dimensiunea importanței acestei replici și a incapacității de a spune lucrul potrivit, într-un moment în care abia dacă poate duce la capăt un gând. Își dorește să fie Lena aici, până ce-și dă seama că nu i-ar fi de niciun folos. Își dorește să fie Donna aici.

— Nu poți decât să faci cum știi mai bine, spune el. Uneori nu iese așa cum ți-ai dorit. Trebuie să continui, oricum.

Trey vrea să întrebe ceva, dar se întoarce brusc.

— Hei, spune, în clipa în care niște faruri luminează geamul bucătăriei.

Cal se ridică, sprijinindu-se de masă. Încă îl doare genunchiul, dar se ține mai bine pe picioare.

— Du-te în dormitor, zice el. Dacă se întâmplă ceva, sari pe geam și fugi.

— N-o să te...

— Ba da. Du-te.

După o clipă, se duce, călcând apăsat ca să-și comunice limpede părerea. Cal ia carabina și se duce la ușă. Când farurile se sting și aude motorul oprindu-se, deschide larg ușa și stă în prag, în plină lumină. Vrea ca oricine-ar fi să vadă pușca. N-ar putea ținti nici să vrea, dar speră să fie suficient.

E Lena, care se dă jos din mașină cu Nellie țopăind în fața ei. Femeia ridică o mână către Cal, în raza de lumină dinspre ușă. Planurile lor i-au dispărut complet din minte. O recunoaște la țanc să evite să se facă de râs, strigând te miri ce. Își amintește, după o clipă, să ridice și el mâna.

Sprâncenele Lenei se ridică.

— Iisus pe cruce! exclamă femeia în timp ce se apropie.

Cal uitase în ce hal arată.

— Am fost bătut, spune el.

Își dă seama că ține o pușcă în mână. Intră și o lasă pe blat.

— Văd, spune Lena. Ai împușcat pe careva cu aia?

— Nicio victimă, din câte știu.

Lena îi ia bărbia în mână și îi întoarce fața într-o parte și în cealaltă. Are mâna caldă, cu pielea aspră. Parcă ar examina un animal rănit.

— Te duci la doctor?

— Nu. O să-mi treacă.

— Am mai auzit asta, spune Lena, privindu-i încă o dată față și dându-i drumul. Voi doi sunteți făcuți unul pentru altul, știai?

Trey iese din dormitor și se lasă pe vine, să se împrietenească cu Nellie, care se scutură și îi linge mâna cu voioșie.

— Cum sunt rănile de război? întreabă Lena.

— Bine. Cum o cheamă?

— Nellie. Dacă-i dai ceva de mâncare, vei avea o prietenă pe viață.

Trey se duce la frigider și începe să caute ceva de mâncare.

— Ar trebui să te duci acasă, zice Cal. Poate se întorc.

Lena începe să scoată diverse lucruri din buzunarele hainei imense.

— Nu se știe. Dacă vin iar, s-ar putea să mă descurc mai bine cu ei decât voi doi.

În haină erau impresionant de multe lucruri: o cutie mică de lapte, o perie de păr, o carte, două recipiente cu mâncare pentru câini, o lampă de citit cu clips și o periuță de dinți, pe care o flutură spre Cal.

— Acum am venit pregătită.

Cal simte că Lena nu pricepe cât de rău stau lucrurile, dar, dacă fața lui și a lui Trey n-au făcut-o să priceapă, nu știe ce altceva ar putea s-o facă.

— Am cumpărat saltele, spune el. Sunt în mașină. Apreciez dacă stai de veghe cât le aduc.

Lena ridică o sprânceană.

— Vrei să te acopăr? Cu aia? arată spre pușcă.

— Știi s-o folosești?

— Iisuse, omule, spune Lena amuzată, n-o să mă ghemuiesc sub fereastră, să mă joc de-a lunetista, cât te duci tu douăzeci de metri până la mașină. Oricum nu te duci nicăieri, că nu poți duce nimic. Mă duc eu. Unde-s cheile?

Lui Cal nu-i place deloc ideea, dar nu poate să nu fie de acord că are dreptate. Cu brațul bun, își pescuiește cheile din buzunarul pantalonilor.

— Încuie după, zice el, deși nu știe de ce.

— Și nu mă acoperi, spune Lena, că nu poți. Chestia aia are nevoie de două brațe întregi.

— Te acopăr eu, spune Trey, de pe podea, de unde o hrănește pe Nellie cu felii de șuncă.

— Exclus, spune Cal.

Lena începe să-l irite. Abia începuse să se simtă stăpân pe situație, până ce a apărut ea, și acum totul pare să-i fi alunecat printre degete, la limita a ceva periculos și ridicol deopotrivă.

— Nu mai distrage câinele, ca să poată merge cu domnișoara Lena. Ascunde șunca.

— Genial, spune Lena, aprobator. Nimic nu se compară cu un beagle în lupta contra unor ticăloși periculoși. N-a mâncat de seară, deci zic că poate hali cel puțin trei, în funcție de câtă carne au pe oase. Erau mari?

— Dacă vrei să aduci saltelele alea, acum ar fi momentul. Sunt și cumpărături acolo, dacă tot te duci.

— Sigur că oricine ar fi morocănos după așa o zi, îi spune Lena consolator și se îndreaptă spre mașină.

Cal se oprește în ușă, s-o urmărească, indiferent ce crede ea despre asta sau dacă i-ar putea fi de folos, la nevoie. După o pauză scurtă de evaluare, Trey continuă s-o hrănească pe Nellie.

Când au terminat – mai mult Trey și Lena – de descărcat cumpărăturile, de hrănit câinele, de umflat saltelele, de pus câte una de fiecare parte a căminului și de făcut paturile, fata începe să caște, în timp ce Cal se împotrivește să-l ia somnul. Toate intențiile sale bune, cu friptura și fasolea verde, au zburat pe geam. Sandviciul cu brânză va trebui să-i fie suficient lui Trey.

— La somn, îi spune.

Îi aruncă hainele pe care le-a cumpărat din oraș.

— Pijamale și haine pentru mâine.

Trey ia hainele de parcă ar avea păduchi, ridică bărbia și vrea să spună ceva, iar Cal știe că nu-i convine, așa că i-o ia înainte:

— Lasă-mă cu căcaturile tale. Hainele tale duhnesc a sânge. Până mâine o să atragă muște. Aruncă-le aici jos după ce te schimbi – o să le pun la spălat.

Trey își dă ochii peste cap, se duce în dormitor și trântește ușa.

— Te-ai pricopsit cu o adolescentă, spune amuzată Lena.

— A avut câteva zile lungi. Nu e în formă.

— Nici tu. Pari gata de culcare.

— Aș putea. Dacă nu e prea devreme.

— Eu o să citesc.

Lena își ia cartea și lampa dintre lucrurile de pe masă, își azvârle încălțările și se face comodă pe o saltea. Poartă o bluză cenușie, moale, și pantaloni de trening, deci nu trebuie să se schimbe. Nellie amușină spațiul nou, adulmecând colțurile și pe sub canapea. Lena pocnește din degete și Nellie vine alergând să se ghemuiască la picioarele ei. Cal n-are chef de vorbă, dar e iritat că ea și-a impus punctul de vedere înaintea lui.

Trey deschide ușa îmbrăcată în pijamale și-și aruncă bluza și blugii murdari pe podea. Cal își dă seama că pijamalele sunt pentru băieți, pentru că modelul e cu mașini de curse. Încă îi vine greu să se gândească la Trey ca la o fată.

— Vrei să stau cu tine o vreme? o întreabă.

— Nu. Sunt bine, spune ea, deși, pentru o secundă, părea să fi fost de acord.

Se întoarce în dormitor, aruncându-i un rânjet strâmb peste umăr.

— Noapte bună. Strigă-mă dacă vrei să-ți salvez fundul.

— Deșteapto! Dispari! spune Cal în urma ei, mai mult ușii care se închide.

— Se pare că ea ar trebui să-ți citească o poveste în noaptea asta, zice Lena, ridicând ochii din carte.

— Nu e o glumă, spune el.

Hainele confortabile ale Lenei îl enervează teribil. Nu are de gând s-o roage să-l ajute să se schimbe, așa că va trebui să doarmă în hainele pline de sânge.

— Mie mi se pare că tu ești cel care n-a luat lucrurile prea în serios, zice Lena. Ai terminat cu prostiile?

— Aș vrea eu, spune Cal.

Încearcă să-și dea seama care ar fi cel mai puțin dureros mod de a se apleca după hainele lui Trey. Renunță și se îndreaptă spre saltea.

— Doar că nu-mi dau seama cum.

Lena ridică o sprânceană și se întoarce la citit.

Cal e aproape amețit de oboseală. Se întoarce cu spatele la Lena și ține ochii deschiși apăsându-și genunchiul dureros, până ce lumina ei de citit se stinge, casa se afundă în beznă și îi aude respirația lentă. Cal se desprinde dintre cearșafuri cât de încet poate, se ridică și îndreaptă fotoliul spre geam. Nellie deschide un ochi spre el, dar Cal șoptește „Cuminte!“ și ea dă o dată din coadă și adoarme iar. El pune carabina pe pervaz și se așază în fața ei, privind în noapte.

Afară, semiluna s-a ridicat deasupra copacilor. Lumina ei face câmpurile să pară încețoșate și nepământene, ca o negură în care te-ai putea pierde, străbătută de încâlcelile negre și tăioase de ziduri și garduri. Doar lucrurile mici se mișcă, sclipiri prin iarbă și printre stele, văzându-și de treabă.

Cal se gândește la băieții care și-au dat viețile în zonă: cei trei băieți beți a căror mașină a ieșit de pe drum și s-a rotit printre stele, dincolo de Gorteen, băiatul de peste râu, cu lațul în mâini, poate, sau probabil Brendan Reddy. Se întreabă, fără a crede neapărat în stafii, dacă ale lor rătăcesc. Îi vine în minte că, și dacă o fac, și dacă și-ar lua acum haina și s-ar duce să bântuie și el munții și potecile, nu le-ar întâlni. Viețile și morțile lor au crescut dintr-un pământ din care Cal nu e creat, pe care nu l-a semănat și nu l-a recoltat și s-au afundat înapoi în pământul ăsta. Ar putea trece prin stafiile lor și nu le-ar simți usturimea. Se întreabă dacă Trey le întâlnește, în lungile ei plimbări spre casă, sub cerul care se întunecă.

— Dormi, se aude încet vocea Lenei, din colțul ei. Stau eu de veghe.

— Sunt bine aici. Nu pot să mă fac comod pe chestia aia. Dar mersi.

— Ai nevoie de somn, după ziua asta.

Aude un foșnet și pe Nellie mârâind, iar Lena se ridică de pe saltea și se apropie de el.

— Hai, spune ea, cu o mână pe umărul lui teafăr. Du-te.

Cal nu se mișcă. Privesc unul lângă altul pe geam.

— E frumos, spune el.

— E mărunt, răspunde ea. Teribil de mărunt.

Cal se întreabă dacă lucrurile ar fi stat diferit pentru toți băieții aceia care au murit dacă ar fi avut, întinzându-se din fața pragului ușii lor, una dintre șoselele acelea pustii la care visa el acum câteva zile: ceva diferit care să le cânte noaptea la ureche, în loc de băutură și de laț. Probabil că nu, pentru majoritatea. Știe suficienți băieți care au avut șoseaua aproape și tot au ales acul sau glonțul. Dar se întreabă despre Brendan Reddy.

— Asta am căutat, spune el. Un loc mărunt. Un orășel dintr-o țară mică. Mi se părea c-ar fi mai ușor să capete sens. Cred că m-am înșelat.

Lena scoate un pufnet abia auzit. Încă își ține mâna pe umărul lui. Cal se întreabă ce s-ar întâmpla dacă i-ar acoperi-o cu a lui, dacă s-ar ridica și ar lua-o în brațe. N-ar putea s-o facă nici dacă ar fi sigur că asta își dorește, ținând cont de rănile sale, dar se întreabă dacă Lena s-ar întinde alături de el. Și dacă ar fi așa, oare el s-ar trezi dimineață știind că e aici ca să rămână?

— Culcă-te, îi spune Lena, și îl împinge ușor de pe scaun.

De data asta, Cal se mișcă.

— Mă trezești dacă se întâmplă ceva. Chiar dacă nu pare nimic important.

— Da. Și, bineînțeles că știu să folosesc pușca. Ești pe mâini bune.

— E bine, spune Cal.

Se târăște până la saltea și adoarme înainte să-și tragă plapuma.

În timpul nopții, se trezește pe jumătate de câteva ori din cauza unui junghi, când se întoarce sau a unei pulsații de adrenalină venite de nicăieri. O vede pe Lena în fotoliu de fiecare dată. E cu mâinile pe carabina Henry din poală, cu fața întoarsă spre cer.

20

Cal doarme până târziu, și ar dormi și mai târziu, doar că Lena îl trezește. Primele mișcări îi smulg un icnet de durere, dar, treptat, mușchii i se relaxează cât să se ridice în șezut, tresărind de câteva ori.

— Iisuse, zice Cal, amintindu-și încet în ce situație se află.

— Micul-dejun, spune Lena. M-am gândit că nu-i vei simți mirosul, din cauza nasului.

— Ai sforăit, îl informează Trey, de la masă.

— S-a întâmplat ceva? întreabă Cal.

Îl doare în toate locurile în care se aștepta să-l doară și în alte câteva, dar măcar vocea îi sună ceva mai limpede.

— A venit cineva?

— Nici vorbă. N-am văzut și n-am auzit nimic. Nellie nici n-a tresărit, n-a trebuit să împușc niciun bandit. Hai să mănânci. Și tu sforăi, adaugă Lena către Trey, care-i aruncă o privire sceptică.

Masa e încărcată cu ceea ce pare a fi toată vesela lui Cal, mâncare și băutură: bacon, ouă, un munte de pâine prăjită. Trey deja se îndoapă. A trecut atât timp de când i-a pregătit cineva micul-dejun, că lui Cal i se pare mai înduioșător decât a fost, probabil, intenția Lenei.

— Am făcut-o doar fiindcă nu știam dacă te descurci, râde ea de expresia lui. Din câte știu, nu gătești.

— Ba gătește iepure, îi spune Trey, cu gura plină. Și pește. E delicios.

— Nu mănânc iepure la micul-dejun, o informează Lena.

Cele două par să-și fi creat un soi de conexiune, cât a dormit Cal.

— Nici pește. Și nu știu ce standarde ai tu, așa că am încredere în ale mele.

— Îți dovedesc, cândva, dacă vrei. Drept mulțumire. Când se potolesc lucrurile.

— Așa să faci, spune Lena, și e clar că nu crede că sunt șanse ca lucrurile să se potolească. Dar mănâncă, înainte să se răcească.

Micul-dejun e bun. Cal se trezește că-i e poftă de lucruri sărate și hrănitoare, iar Lena se pricepe. A prăjit tot baconul, iar feliile de pâine prăjită sunt unse cu unt din belșug. Plouă, nu tare, ci domol, în reprize lungi, rătăcitoare. Pe câmpuri, vacile s-au adunat sub cerul plat și cenușiu, cu capetele în iarbă. Ziua are un calm de neclintit, ca pe timp de război, de parcă ar fi casa sub asediu și n-ar avea sens să se gândească până ce nu văd ce va urma.

— Ai vorbit cu mama ei? întreabă Cal, când Trey se duce la baie.

— Da, spune Lena, cu o privire goală. A răsuflat ușurată, așa că n-a pus întrebări. Dar Trey trebuie să plece acasă curând. Sheila are deja suficiente pe cap și fără să-și facă griji pentru ea.

— Nu poate pleca până ce lucrurile revin sub control, spune Cal. A supărat niște oameni răi.

— Și când vrei să le aduci sub control? întreabă politicos Lena. De curiozitate întreb.

— Lucrez la asta. Azi, cândva.

O conversație solidă la telefon ar trebui să-l facă pe Austin să-și strunească băieții până ce se întâlnesc și aranjează lucrurile pentru toți. Cal se gândește câți bani are la bancă, pentru orice eventualitate.

— Ar fi minunat, comentează Lena. Să-mi spui dacă vrei să te duc la spital.

— Pot să te rog să mai rămâi puțin? spune Cal, ignorând propunerea. Trebuie să ies puțin și nu vreau s-o las singură.

Lena îi aruncă o privire lungă, deloc impresionată.

— Trebuie să merg să văd de ceilalți câini. Apoi mă pot întoarce puțin. Trebuie să fiu la muncă la ora treisprezece.

— Asta-mi lasă suficient timp, spune Cal. Mersi. Apreciez.

Simte că asta i-a tot zis mereu de când se cunosc.

Lena o lasă pe Nellie să stea cu Trey, care e fascinată de cățelușă și se întinde pe podea lângă ea, ignorând orice altceva. Pare complet refăcută, mintal, dacă nu fizic, deși Cal nu are încredere că e, iar lui Trey nu i se pare nimic ieșit din comun la situația actuală. Din punctul ei de vedere, toți trei pot locui mai departe așa tot restul vieții.

Cu multă atenție, încet și cu numeroase înjurături, Cal reușește să se schimbe în haine curate. Când iese din dormitor, Trey folosește baconul rămas încercând s-o învețe pe Nellie să se rostogolească. Cal nu și-ar paria banii: Nellie nu e tocmai cel mai deștept câine, dar Trey insistă, iar câinele se bucură să-i facă pe plac câtă vreme atenția și baconul nu dispar.

— Nasul tău arată mai bine, spune Trey.

— Se și simte mai bine. Cumva.

Trey mișcă baconul în cerc, iar asta o face pe Nellie să sară și să muște din el.

— Ai de gând să renunți să-l mai cauți pe Bren?

Cal nu vrea să-i spună că, după noaptea trecută, renunțarea nu mai e în cărți. Austin și băieții lui n-o să uite că i-a împușcat pe unul dintre ei.

— Nu, zice el. Nu-mi place să-mi spună alții ce să fac.

Se așteaptă să fie asaltat de o serie de întrebări despre cum o să facă cercetări, dar pare să se mulțumească cu atât. Încuviințează și începe să fluture din nou baconul pe la nasul lui Nellie.

— Cred c-ai avea mai mult succes să dresezi un iepure din congelator, îi spune Cal.

Încrederea ei îl lasă fără cuvinte și înghite în sec. În dimineața asta parc-ar fi făcut din jeleu.

— Lasă în pace prostul de câine și hai să speli vasele. Nu mă descurc deloc cu brațul.

Când se întoarce Lena, e aproape unsprezece. Mart ia o pauză în jurul orei ăsteia ca să bea un ceai. Cal găsește prăjiturelele cumpărate ieri și iese pe ușă, înainte să-i dea vecinului prin minte să apară. Mart a auzit cu siguranță împușcăturile, dar, cu puțin noroc, poate nu și-a dat seama de unde veneau. Cal vrea să se asigure că Mart știe că nu au avut nicio treabă cu el.

— Fă o baie, îi zice lui Trey, în timp ce iese. Ți-am lăsat un prosop. Cel roșu.

Trey ridică privirea de la Nellie.

— Tu unde te duci?

— Am niște treabă.

Lena, așezată lângă Trey pe podea, ca să urmărească evoluția vindecării rănilor, nu reacționează.

— Vin în juma' de oră sau cam așa. Să te speli până atunci.

— Sau? întreabă Trey, interesată.

— Mai vedem, răspunde Cal.

Trey, deloc impresionată, își dă ochii peste cap și se întoarce la câine.

Genunchiul lui Cal e destul de stabil cât să poată merge până la Mart, deși șchiopătează și i se pare că așa se va deplasa o vreme. De îndată ce înaintează suficient ca să nu mai fie văzut de la geam, se adăpostește de ploaie, își schimbă setările telefonului ca să-și ascundă numărul și îl sună pe Austin bănuind c-ar fi treaz la ora asta. Telefonul sună și intră căsuța vocală cu o voce fonfăită de femeie, una dezamăgită de oricine ar suna. Închide fără să lase un mesaj.

Casa lui Mart, culcușită oploșită, pare cenușie și pustie, prin perdeaua de ploaie, dar Mart și Kojak răspund la ușă.

— Bună, spune Cal, arătând prăjiturelele. Am fost ieri în oraș.

— Doamne ferește! reacționează Mart, privindu-l din cap până-n picioare. Ca să vezi ce-a adus vântul! Ce-ai făcut, măi băiete, te-ai luptat cu bandiții?

— Am căzut de pe acoperiș, spune Cal.

Kojak îl adulmecă precaut, cu coada lăsată. Hainele curate nu pot ascunde mirosul de sânge și adrenalină.

— M-am urcat să văd ce-i cu țiglele, după vântul ăla teribil, dar nu mai sunt atât de agil. Am alunecat și am căzut în nas.

— Las-o moartă. Ai căzut de pe Lena Dunne, îi zice Mart, chicotind. A meritat?

— Mai lasă-mă, spune Cal, frecându-și ceafa și rânjind bleg. Eu și cu Lena suntem amici. Nimic altceva.

— Ei bine, nuș' ce-o fi și nimicul ăsta, dar durează deja de două nopți. Crezi că mi-am pierdut un ochi, tinere? Sau rațiunea?

— Am vorbit. Atât. S-a făcut târziu. Am o din aia, cum îi zice, pentru oaspeți... Saltea gonflabilă...

Mart chicotește atât de tare, că trebuie să se prindă de ușă.

— Ați vorbit? Am vorbit și eu cu ceva femei, când eram tânăr. Nu le-am făcut niciodată să doarmă pe o saltea, singurele.

Se duce în bucătărie, făcându-i semn lui Cal să intre, cu pachetul de prăjiturele.

— Hai să bei o cană de ceai și să-mi spui toate detaliile.

— Face un mic-dejun cu ouă și bacon excelent. Cam atât.

— Nu pare să fie doar vorbă, spune Mart, pornind fierbătorul și căutând cănile și ceainicul în formă de Dalek.

Kojak se trântește pe rogojina din fața căminului, atent la Cal.

— Frații ei ți-au făcut asta?

— Are frați?

— Și încă cum. Trei maimuțoi care ți-ar smulge capul.

— Rahat, spune Cal. Poate că trebuie să plec, până la urmă. Scuze pentru cei douăzeci de dolari.

Mart chicotește și cedează.

— Nu-ți bate capul cu ei. Știu să nu se amestece între Lena și ceva ce ea își dorește.

Lasă câteva pliculețe de ceai în Dalek.

— Zi-mi măcar atât, e sălbatică?

— Întreab-o.

— Hai, măi, spune Mart, și sprâncenele stufoase i se ridică, odată cu noua idee care-i vine, asta ai pățit? Ți-a dat Lena câteva? Aș spune că lovește binișor. Are vreun fetiș?

— Doamne, Mart, nu. Am căzut de pe acoperiș.

— Ia să vedem, zice Mart.

Se apleacă și privește nasul lui Cal din diverse unghiuri.

— Zic că-i rupt.

— Și eu. Dar e drept, pe cât era de drept și înainte. Se va vindeca.

— Ar face bine. Nu vrei să-ți pierzi înfățișarea chipeșă, mai ales acum. Și cu brațul care-i treaba, e rupt și el?

— Nu. Cred că mi-am fisurat clavicula. La genunchi m-am lovit serios.

— Ar fi putut să fie mai rău, spune Mart, cu aerul unui filozof. Știu un tip de lângă Ballymote care-a căzut de pe acoperiș, exact ca tine, și și-a rupt gâtul. E în scaun rulant și azi. Nevastă-sa trebe să-l șteargă la cur. Ai avut noroc. La doctor te-ai dus?

— Nu. N-au ce să-mi facă, decât să-mi spună s-o las mai moale, o vreme, și asta pot să-mi zic și eu, pe gratis.

— Sau te poate ajuta Lena, spune Mart și rânjește iar. N-o să se bucure dacă ești scos din uz. Mai bine te-ai odihni și ai avea grijă de tine, ca să poți fi apt din nou.

— Iisuse, Mart, spune Cal, înghițindu-și un rânjet și devenind foarte interesat de vârful piciorului său, care lovește scaunul. Termină!

Sub scaun e un prosop țeapăn plin de sânge uscat.

Când ridică privirea, se uită în ochii lui Mart. Îl vede pe Mart trecându-i prin minte tot felul de explicații: să-i spună că i-a curs sânge din nas sau c-a intrat în casa lui un străin misterios, cu o rană adâncă. Dar nu zice nimic.

— Na, face Cal, după o vreme. Sunt un idiot.

— Ah, nu, îl liniștește Mart, mărinimos.

Se apleacă să ridice prosopul și icnește prinzându-se de spătarul scaunului, apoi traversează bucătăria ca să-l pună în mașina de spălat.

— Nu trebuie să spui asta. De unde să știi tu mersul lucrurilor, străin cum ești?

Închide ușa mașinii de spălat și ridică privirea spre Cal.

— Dar acum știi.

— O să-mi explici ce s-a întâmplat?

— Las-o moartă, spune Mart, blând și ferm, cu o voce pe care Cal a folosit-o de sute de ori, să le spună suspecților că gata cu joaca, nu mai au de ales. Du-te acasă, la copilă, și zi-i s-o lase și ea moartă. Atâta trebuie să faci.

— Vrea să știe unde e frate-său.

— Zi-i că e mort și îngropat. Sau c-a fugit, dacă preferi. Orice o face s-o lase baltă.

— Am încercat. Vrea să știe sigur. Asta zice. E căpoasă.

Mart oftează. Toarnă detergent în mașina de spălat și o pornește.

— Dacă nu-i oferi informația asta, o să continue până ce va trebui s-o ucizi. Are treișpe ani.

— Doamne sfinte, spune Mart, dezaprobator, privind peste umăr, dar ce minte scabroasă ai. Nimeni nu vrea să ucidă pe nimeni.

— Și Brendan?

— Nici pe el n-a vrut să-l ucidă nimeni. Vrei să stai jos, te rog? Mă agiți.

Cal se așază la masă. În casă e răcoare și umezeală. Mașina de spălat se zgâlțâie, într-un ritm chinuit. Ploaia curge fără încetare pe geam.

Fierbătorul se oprește. Mart amestecă pliculețele de ceai cu apa folosind o lingură. Aduce căni și ceainicul, lapte și zahăr, apoi se lasă pe scaun cu greutate și toarnă.

— Brendan Reddy se îndrepta oricum în direcția aia, cu viteză chiar. Dacă n-am fi făcut-o noi, ar fi fost alții.

— P. J. a observat că-i lipsește anhidru, așa-i?

Plimbarea până la Mart i-a făcut genunchiul să pulseze urât. Furia surdă îl apasă pentru că tocmai azi află, când nu e capabil să gestioneze informații așa cum se cuvine.

Mart clatină din cap. Își mișcă șoldul cu greutate și scoate punga de tutun din buzunar.

— Doamne, nu. P. J. n-are treabă. Habar n-are de nimic, ca de obicei. Nici măcar nu i-ar da prin minte așa ceva. De aceea a ales Brendan ferma lui, sunt sigur.

Întinde o foiță pe masă și începe să presare atent tutun.

— Nu, lui P. J. i s-a zis.

— Donie, spune Cal.

Se pare c-a fost luat de prost de toată lumea, inclusiv de Donie. Ar fi trebuit să vadă asta imediat, printre mirosurile corporale și fum din camera lui Donie. Știe cum au aflat băieții din Dublin că Brendan a fost păcălit. Donie înțelege suficient necazurile ca să le stârnească, dacă vrea.

— Da, da. Donie și Brendan nu s-au înțeles niciodată, nici când erau mititei. Aș spune c-a profitat de ocazie să-i coacă una. Doar că tâmpitul s-a dus și i-a zis lui P. J., în loc să vină la mine, așa cum ar fi trebuit dacă avea măcar creier de șoarece. P. J. a chemat Gardaí.

— Ce-i rău în asta? întreabă Cal, ca să-i dea pricină. Așa aș fi făcut și eu.

— N-am nimic cu ei, spune Mart, când își văd de treabă, dar în situația asta n-aveau cu ce să ajute. Aveam deja suficiente probleme și fără ca ei să răscolească totul, să pună întrebări și să facă arestări aiurea.

Își rulează țigara cu migală, analizând dacă e egală.

— Din fericire, a durat până să vină. Suficient cât să-mi dea vestea P. J. și eu să pot să-i vâr mințile-n cap. Eu și P. J. am trimi Gardaí în altă direcție și am mai sunat câțiva băieți, care trăiesc singuri și nu trebuie să dea explicații, să recuperăm anhidrul.

Ridică o privire spre Cal, peste țigară și apoi o linge ca să se lipească foița.

— Sigur știi locul.

— Da, spune Cal.

Se întreabă cine i-a urmărit pe el și pe Trey pe cărarea de munte.

— Au găsit o grămadă de pseudoefedrină și de baterii. Nicio surpriză. Au luat totul cu ei, să fie. Dacă răcești la iarnă, băiete, sau dacă te lasă ceasul deșteptător, să-mi spui și te rezolv.

Cal a învățat acum ceva vreme să știe când nu mai e nimic de zis. Își încălzește palmele în jurul cănii, își bea ceaiul și ascultă.

— Eu nu-l credeam pe Donie, să știi, spune Mart, agitând țigara. Ne gândeam că a furat el anhidrul, apoi înțelegerea a picat și a profitat ca să-l bage pe Brendan în căcat. Dar știu un băiat a cărui casă dă spre coliba aia veche. A stat de șase. Nu mult după ce a venit Gardaí, a apărut Brendan Reddy, în graba mare. Așa c-am știut.

Aprinde țigara și trage lent, cu poftă, întorcând capul să sufle fumul în altă parte.

— Brendan a stat ascuns câteva zile, după aia. Cred că-și cântărea opțiunile. Dar noi îl supravegheam. Sigur că nu putea sta ascuns la nesfârșit. Amicii lui din Dublin aveau să-l întrebe de sănătate. Eu și băieții n-aveam o problemă cu asta, dar voiam să vorbim mai întâi noi cu el, ca tânărul Brendan să știe cum stăm. Încercam să-i facem o favoare. Nu voiam să le facă promisiuni nesăbuite celor din Dublin. Când s-a dus următoarea dată la colibă, l-am așteptat.

Cal se gândește că Trey a povestit cum Brendan ieșise pe ușă, bucuros nevoie mare, să-i dea lui Austin banii pentru a înlocui ce luaseră băieții lui Martin, ca să-și readucă planurile pe linia de plutire.

— Nu se aștepta, zice Cal.

— Deloc, comentează Martin, distras de la poveste. Ce față a făcut! De parcă intrase într-o cameră plină de hipopotami. Un băiat așa deștept, ai crede că bănuia, nu? Dar ai crede și că-i mai isteț decât unul ca Donie. Dac-ar fi fost mai puțin deștept la chimie și mai priceput la oameni, ar trăi și azi.

Cal nu simte și nu crede nimic. Se află într-un punct pe care-l știe bine, de când era încă activ: un cerc în care aerul nu circulă și nu există nimic decât povestea pe care o ascultă și persoana care o spune, și nu e decât un ascultător și un privitor. Chiar și durerile îi par străine.

— Voiam doar să-i explicăm situația, atât, spune Mart și arată spre Cal. Știi și tu mersul. Doar să clarificăm treaba. Doar că el nu voia nicio clarificare. Nu-mi place să vorbesc morții de rău, dar era un ticălos obraznic, știi? Ne-a zis că nu știm cu ce avem de-a face, că dacă am avea minte ne-am duce dracu' înapoi la femeile noastre și nu ne-am vârî nasul în lucruri pe care nu le pricepem. Știu că n-a avut de unde să învețe maniere, dar maică-mea și-ar fi rupt lingura de lemn pe spinarea mea dacă vorbeam așa cu oameni care-mi puteau fi bunici.

Se întinde după un borcan de gem transformat în scrumieră și desface capacul, apoi scutură scrumul.

— Am vrut să-l învățăm manierele, dar a devenit arțăgos și a ripostat, iar lucrurile au scăpat de sub control. Sânge peste tot, cum ar fi. Băiatul a dat câțiva pumni, cineva și-a pierdut cumpătul și i-a tras una în falcă, iar Bren s-a dus pe spate și s-a lovit cu capul de marginea unei butelii cu propan.

Mart trage lung din țigară și-și dă capul pe spate, suflând fumul spre tavan.

— Când m-am uitat mai bine, am știut că-i de rău. Nu știu ce l-a terminat, pumnul sau căderea, dar capul îi era sucit și ochii i se învârteau. A scos un zgomot și a dat din picioare, apoi s-a dus. Gata cu el.

Pe geamul din spatele lui, câmpurile sunt de un verde atât de blând și profund, că ai putea să te afunzi în ele. Vântul suflă o șoaptă de ploaie pe sticlă. Mașina de spălat continuă să huruie ritmic.

— Am mai văzut un om murind rapid, spune Mart, când aveam cinșpe ani. Presa pentru baloți nu mergea cum trebuie și el s-a dus să verifice, doar c-a lăsat-o pornită. I-a prins mâna și l-a tras presa. Când a închis-o cineva, i se duseseră și brațul, și capul. L-a făcut terci, de parcă ar fi fost un șervețel ud.

Își privește fumul urcând în fuioare subțiri spre tavan.

— Bunicul meu murise cu o lună înainte. Atac cerebral. I-a luat patru zile. Viața pare un lucru mare când durează patru zile să părăsească un om. Când piere în câteva secunde, pare brusc teribil de mică. Nu ne place să acceptăm asta, dar animalele o știu. Nu au idei despre propria moarte. E doar ceva nesemnificativ, care se întâmplă imediat. O mușcătură de vulpe. O presă de baloți ori o canistră de propan.

— Ce ați făcut cu trupul?

— N-am avut șansa să facem mare lucru atunci. A fost o zi în care trebuia să facem mai multe. Înainte să ne dumirim ce se întâmplase, am primit telefon de la băiatul care supraveghea locul, care ne-a zis că-s pe drum ciracii din Dublin. Am pus cadavrul într-un cearşaf din camera din spate şi l-am dus în spatele colibei, cât mai în spatele copacilor. Când am auzit maşina, un taur de Hummer negru aveau, nici nu ştiu cum de-au luat curbele, l-am lăsat în tufe şi ne-am ghemuit lângă el.

Mart se uită la Cal printre vălătucii de fum.

— M-am gândit să-l las în casă, să-l găsească ei. Ca un mesaj. Dar mai bine nu. N-avea sens să le zicem mai mult decât era cazul. Aveau să prindă ideea după ce dispărea.

— Ce au făcut? întreabă Cal.

Mart rânjeşte.

— N-au fost deloc bucuroşi. S-au dus să se uite în colibă, apoi s-au uitat în jur şi au tot dat târcoale. Erau patru şi niciunul nu putea să stea locului o secundă. Ţopăiau ca puricii. Doamne, şi ce limbaj aveau! I-am putut auzi de unde eram. Era o zi frumoasă, de primăvară, fără nicio adiere. Nu sunt eu uşă de biserică, dar aproape mi-au topit urechile.

Rânjetul i se lăţeşte.

— Ştii ce au mai făcut? L-au sunat pe Brendan. De şase ori. Ştiam c-o să facă asta, aşa că-i scosesem telefonul din buzunar, însă nu l-am putut debloca sau da volumul mai încet. Am încercat să-i folosim amprenta, dar avea parolă. Aşa că ştii ce-am făcut? L-am pus pe Bobby să şadă pe el, cu curul lui mare. Opreşte orice zgomot. Doamne, ce faţă avea cât a vibrat telefonul încercând să nu sară-n sus! Roşie ca o sfeclă. Restul aproape c-am plesnit, încercând să nu râdem.

Mart îşi stinge ţigara în capacul borcanului.

— Într-un târziu, au renunţat la el, spune, şi au coborât de pe munte. Ştii ce a făcut unul pe drum spre Hummerul lor frumos şi lucios? S-a plâns şi a miorlăit că i se murdăreau pantofii cei buni, ca o muiere în drum spre un bal pretenţios.

Cal știe că fiecare cuvânt e adevărat. N-are de ce să nu fie. Nu poate face nimic, oricum, cu excepția obiceiului lui Mart de a ține oamenii în beznă, din principiu. Se pare că s-au mutat la cealaltă extremă.

— Unde e Brendan acum?

— Tot sus, în munți. Îngropat, nu abandonat acolo. Copila să nu-și facă griji de ciori și șobolani. Nu e cazul. Am zis câteva rugăciuni și gata.

Mart se întinde după pachetul de prăjiturele și-l deschide cu grijă, ca să nu rupă vreun colț.

— Sfârșitul poveștii, spune el.

— Doar că Donie și-a făcut de lucru cu oile.

Mart pufnește disprețuitor.

— Nu mai punem și asta la socoteală. Nu zic nimic de idiotul ăla, din principiu.

Îi întinde pachetul lui Cal.

— Hai, bagă una-n tine. Meriți. Ești viclean, așa-i? Te simțeai ca un idiot, dar cu siguranță te prinseseși. Doar că n-ai nimerit ceva. Nu-i nicio rușine.

— Donie și-a dat seama că P. J. era implicat, fiind vorba de anhidrul lui. De unde a aflat că tu, Bobby și Francie erați în cârdășie?

Mart alege o prăjiturică, fără grabă.

— Aș spune că Donie urmărea și el desfășurarea lucrurilor. Cred că ne-a văzut pe noi patru pe drum și a alergat la băieții din Dublin. Băiatul ar fi un agent dublu de excepție, dac-ar avea creier. Și băieții i-au zis să ne trimită un mesaj să stăm departe de afacerea lor, spune Mart zâmbind către Cal. Am primit mesajul. Chiar dacă nu așa cum se așteptau.

— Bobby tot mai crede că au fost extratereștrii?

— Doamne, Bobby, spune cu indulgență Mart, înmuind prăjiturica în ceai. E încântat că are extratereștri care-i nenorocesc oile. N-aș vrea să-i stric bucuria. N-aș putea, oricum. Și să am o filmare cu

Donie atacând oile și tot nu l-aș putea convinge. Sigur că nu contează ce crede Bobby. Donie știa c-o să pricep, după două, trei oi. Dar nu s-a gândit c-o să mă prind cine o face. Credea c-o să zic că-s băieții cei mari și tari din capitală sau poate cineva trimis de la oraș și că n-o să îndrăznesc nici să ridic un deget, atât de îngrozit oi fi. Acum știe.

— Mie mi se pare, zice Cal, că, dacă vreți să mai ridicați nivelul locului, de Donie ar fi trebuit să scăpați.

— E plin de unii ca el peste tot. Pe termen lung, nu e nicio diferență. Oameni de doi lei, sărmanii. Scapi de unul, apare altul, ca ciupercile după ploaie. Dar Brendan Reddy era altă mâncare de pește. Nu prea sunt ca el. Și ce făcea el ar fi schimbat satul, e drept.

— Aveți deja droguri, spune Cal. Destule. Nu e ca și cum Brendan le-ar fi adus în Grădina Raiului.

— Pierdem destui tineri, spune Mart.

Lui Cal i se pare c-ar trebui să sune ca și cum s-ar apăra, dar nu e așa. Ochii îi sunt fermi, iar vocea, calmă și hotărâtă, pe fundalul ritmic al ploii.

— Lumea asta, așa cum e după schimbare, nu mai e făcută pentru ei. Când eram eu tânăr, știam ce vrem și cum să obținem și știam că avem ce arăta la final. Un ogor, o turmă, o casă sau o familie îți dau putere. Acum sunt prea multe lucruri pe care ți se spune să le vrei și nu ai cum să le dobândești pe toate și, după ce nu mai încerci, ce ai de arătat la final? Ai dat o gră-madă de telefoane ca să vinzi planuri pentru electricitate sau poate c-ai mers la multe ședințe despre nimic. Te-ai uitat la niște rahaturi pe internet sau ai primit niște like-uri pe YouTube. Nimic palpabil. Femeile se descurcă mai bine, căci se adaptează. Dar tinerii nu știu ce să facă cu ei înșiși. Câțiva, precum Fergal O'Connor, pe care l-ai cunoscut, stau cu picioarele adânc înfipte în pământ. Ceilalți se spânzură sau se îmbată și intră în șanț cu mașina ori mor de supradoză de heroină. Sau își fac bagajele și pleacă. Nu vreau să văd locul ăsta transformat în pustiu, ca fiecare fermă să arate ca a ta, înainte să vii: ruinată, așteptând un yankeu căruia să-i placă și s-o transforme în hobby.

Kojak simte miros de prăjiturele și se apropie de scaunul lui Mart, așteptând. Mart îi întinde ce a rămas din prăjiturică.

— N-aveam de gând să stau să mă uit cum mai pierdem alți tineri din cauza ideilor lui Brendan Reddy.

— L-ai pierdut pe Brendan.

— Tocmai ți-am zis că n-a fost cu intenție. În plus, dacă-l lăsam în pace, am fi pierdut mai mulți, într-un fel sau altul. Nu poți face omletă fără să spargi ouă, nu așa se spune?

— La asta te gândeai când te-ai dus să vorbești cu Sheila Reddy?

Cal încearcă să-și păstreze vocea calmă, dar percepe cum furia se strecoară la suprafață. Mart o ignoră.

— Trebuia s-o fac. Atât m-am gândit. Atât era de gândit.

Îl împinge pe Kojak, ca să-l trimită la locul lui.

— Asta credeai și tu când l-ai aranjat pe Donie, cu siguranță. Nu te gândeai „Ah, sigur, de ce nu?". Te gândeai că din când în când e necesar să faci un lucru și că nu poți face mare lucru ca să schimbi asta, așa că n-are sens să te agiți, pentru că la fel de bine poți merge mai departe și să duci la capăt ce ai început.

— Nu sunt sigur că m-aș exprima așa.

Mart râde.

— Asta s-a gândit Theresa Reddy azi-noapte, când a tras. Nu ai obiectat atunci.

— Cum se simte cel care a fost rănit?

— Va fi bine. A sângerat ca un porc înjunghiat, dar nu-i nicio pagubă.

Mart mai ia o prăjitură și rânjește.

— Îți dai seama de câtă acțiune am avut parte pe-aici în ultima vreme? Nu vreau să crezi că e mereu atât de interesant. Vei fi foarte dezamăgit când cea mai mare veste de anul viitor o să fie că oaia cuiva a fătat cvadrupleți.

— Ai fost azi-noapte la mine?

Mart râde.

— Doamne, nu! Eu? Cu încheieturile astea? Nu mai sunt capabil.

Sau nu voia să riște să fie recunoscut de Cal.

— Ești mai degrabă omul cu ideile.

— Îți doresc binele, băiete. Așa a fost mereu. Acum, bea-ți ceaiul, du-te acasă și zi-i copilei cât vrei din povestea asta și că s-a terminat.

— Nu e vorba de poveste. Ea trebuie să știe doar că e mort și că a fost o bătaie care s-a sfârșit prost. Nu trebuie să știe cine a făcut-o. Dar va dori dovezi.

— Nu poate avea tot ce-și dorește. Trebuie să știe asta deja.

— Nu vorbesc despre genul de dovezi care să bage pe cineva în bucluc. Dar prea mulți oameni i-au zis căcaturi. Nu se poate opri fără ceva solid.

— Ce fel de „ceva“ ai în minte?

— Brendan avea un ceas la mână. A fost al bunicului.

Mart înmoaie prăjiturica și îl privește.

— E mort de șase luni.

— Nu-ți cer să mi-l aduci. Zi-mi unde să mă uit și îl iau eu.

— Ai văzut mai rău de atât când erai activ, așa-i?

— N-are legătură cu asta.

— Poate că nu acum. Dar vechile obiceiuri se sting greu.

— Niciun „poate“. Am venit aici să scap de vechile obiceiuri.

— Nu prea-ți iese, spune Mart. Fără supărare.

— Brendan Reddy nu e problema mea.

Deși pricepe că, în multe feluri, e adevărat ce spune, cuvintele nu-i vin ușor. Îl sperie că nu-și dă seama dacă face sau nu ce trebuie.

— N-o să fac nimic legat de el. Aş vrea să nu fi auzit de el. Încerc doar să-i ofer copilei niţică linişte, ca să meargă mai departe.

Mart se gândeşte în timp ce savurează prăjiturica.

— Crezi c-o s-o facă?

— Da. Nu vrea răzbunare sau dreptate. Tot ce vrea e să scape de grija asta.

— Poate acum. Dar în câţiva ani?

— Copila are un cod de principii, spune Cal. Dacă-şi dă cuvântul c-o lasă baltă, cred că şi-l va ţine.

Mart linge ultima firimitură de pe deget şi îl priveşte pe Cal. Poate c-a avut ochii albaştri cândva, dar s-a mai pierdut din culoarea lor şi acum sunt deschişi la culoare. Pare visător, nostalgic.

— Ştii ce se va întâmpla dacă se află ceva.

— Da, ştiu, spune Cal.

— Eşti dispus să rişti.

— Da.

— Doamne sfinte, trebuie să te băgăm la cărţi, că eşti mare jucător. Ai mai mare încredere în copilă decât ar avea oricine de pe-aici. Dar poate că o cunoşti mai bine.

Îşi împinge scaunul în spate şi se întinde după căni.

— Îţi zic eu ce facem. Nu eşti în stare să urci pe munte. Ai cădea în braţele mele pe la jumătatea drumului şi eu nu te duc înapoi. M-ai strivi. Te duci acasă şi vorbeşti cu fata. Testezi terenul. Gândeşte-te. După, dacă tot vrei să rişti, te odihneşti câteva zile, reintri în formă şi te întorci. Apoi mergem la săpat.

Îi zâmbeşte lui Cal peste umăr, punând cănile în chiuvetă.

— Hai, du-te, spune, de parcă i s-ar adresa lui Kojak. Odihneşte-te. Dacă nu-ţi revii curând, Lena s-ar putea să-şi găsească pe altul.

În timp ce era plecat, şi simte c-a fost plecat multă vreme, Trey a renunţat s-o dreseze pe Nellie.

A desfăcut împreună cu Lena echipamentul pentru vopsit și lucrează la camera din față. Din iPod se aud Dixie Chicks, iar Lena fredonează, în timp ce Trey e întinsă pe burtă ca să vopsească perfect un colț. Nellie a pus stăpânire pe fotoliu. Cal vrea să se întoarcă și să plece iar, cu tot ce știe acum.

Trey privește peste umăr.

— Uite, zice ea.

Se așază în capul oaselor și întinde brațele. Lena a convins-o, cumva, să facă baie. E mult mai curată decât era când a plecat Cal și poartă hainele pe care i le-a cumpărat.

— Arăți șmecher, spune Cal.

Hainele sunt cu o mărime mai mari. O fac să pară dureros de mică.

— Asta până nu te stropești cu vopsea.

— Nu avea stare, spune Lena. A vrut să facă ceva. M-am gândit că nu te superi.

— O să mă împac cu ideea. Motivul pentru care nu am terminat pereții era tocmai că n-aveam chef să mă trântesc așa pe jos.

— Știi ce trebuie să facem, spune Trey.

— Ce?

— Peretele ăla.

Arată spre peretele cu șemineu.

— Seara, se face auriu, de la soarele care intră pe geam. Arată bine. Așa ar trebui să-l vopsim.

Cal simte că i se ridică în piept un suspin sau un hohot de râs. Din nou, Mart a avut dreptate: iată-l cu o femeie aducându-i idei în casă.

— Mi se pare în regulă. O să iau câteva mostre și putem alege una potrivită.

Trey încuviințează. Ceva din vocea lui Cal îi atrage atenția. Îl privește lung. Apoi își ia pensula și își reia treaba.

Lena se uită la ei.

— Așa. Eu plec.

— Ai putea să mai stai? întreabă Cal.

Ea clatină din cap.

— Am treabă.

Cal așteaptă până ce-și pune haina și își împachetează lucrurile în buzunare, pocnind din degete după Nellie. Le conduce.

— Mulțumesc, spune el, din prag. Ai putea să duci puștoaica acasă, mai târziu?

Lena încuviințează.

— Ai lucrurile sub control, spune ea.

Nu e o întrebare.

— Așa cred. Sau aproape.

— Succes.

Atinge brațul lui Cal o secundă. Apoi pornește spre mașină, prin ploaie, cu Nellie țopăind la picioarele ei. Cal își dă seama că Lena nu știe nimic și nici nu vrea să știe, dar cu siguranță bănuiește ceva de multă vreme.

Închide ușa în urma lor, oprește Dixie Chicks și se apropie de Trey. Genunchiul îl doare suficient cât să nu-și găsească ușor o poziție pe podea. Până la urmă își întinde piciorul într-un unghi ciudat. Trey continuă să vopsească, dar îi simte încordarea.

— Am vorbit cu niște oameni cât am fost plecat.

— Da, spune Trey fără să ridice privirea.

— Îmi pare rău că am vești proaste pentru tine.

După o clipă, fata reușește doar să spună:

— Aha!

— Fratele tău a murit, copilă. În ziua când l-ai văzut ultima dată. S-a întâlnit cu niște oameni, s-au bătut. Fratele tău a încasat o lovitură, a căzut și s-a lovit la cap. N-a vrut nimeni să moară. Așa a fost.

Trey continuă să vopsească. Are capul plecat și Cal nu îi vede fața, dar o aude cum respiră greu.

— Cine a fost?

— Nu știu cine a dat pumnul ăla, spune Cal. Ai zis că vrei să știi ce s-a întâmplat, ca să renunți să-l mai cauți. S-a schimbat ceva?

— A murit repede?

— Da. Pumnul l-a lăsat fără cunoștință și a murit într-un minut. N-a suferit. Nici n-a știut ce se întâmplă.

— Juri?

— Jur.

Trey mișcă pensula cu frenezie, pe aceeași porțiune. După o vreme, spune:

— S-ar putea să nu fie adevărat.

— O să-ți aduc dovada în câteva zile, spune Cal. Știu că ai nevoie de ea. Dar e adevărat, copilă. Îmi pare rău.

Trey continuă să vopsească pentru o clipă. Apoi o lasă jos, se sprijină de perete și începe să plângă.

La început, plânge ca un adult, șezând acolo cu capul pe spate, cu maxilarul încleștat și cu lacrimile curgându-i pe obraji în tăcere. Apoi ceva se rupe în ea și suspină ca un copil, cuprinzându-și genunchii cu brațele și cu fața îngropată unde se îndoaie cotul. Plânge cât o țin rărunchii.

Fiecare fibră din corpul lui Cal vrea să-și ia pușca, să se întoarcă la Mart și să-l ducă pe ticălos în oraș, la secție.

Știe că nu ar ajuta la nimic, dar tot vrea s-o facă, cu o nevoie atât de sălbatică, încât trebuie să-și domolească instinctul de a sări în picioare și a ieși pe ușă.

Dar se ridică și aduce o rolă de prosoape de hârtie. O lasă jos, lângă Trey, și se așază lângă perete, în timp ce ea plânge. Brațul ei, îndoit peste față, îl face să se gândească la o aripă ruptă. După o vreme, îi pune mâna pe ceafă.

Într-un final, Trey încetează să mai plângă.

— Scuze, spune ea, ștergându-și fața cu mâneca.

E roșie și are fața umflată, cu ochiul teafăr aproape cât cel vânăt și nasul cât al lui Cal.

— N-ai de ce.

Îi întinde rola de hârtie, iar Trey își suflă nasul.

— Doar că ar trebui să pot repara lucrurile.

Vocea i se frânge, iar Cal se gândește că va ceda iar.

— Da, știu. Nu m-am împăcat nici eu cu gândul.

Amândoi ascultă ploaia, iar Trey oftează adânc, din când în când.

— Trebuie să mai merg azi la Noreen? întreabă fata după o vreme. Nu am de gând să las niciun nenorocit să mă vadă așa.

— Nu, spune Cal. M-am ocupat de asta. N-o să ne mai supere.

— I-ai bătut?

— Par eu în stare să bat pe cineva?

Fata reușește să zâmbească printre lacrimi.

— Nu, spune Cal. Dar am vorbit cu ei. E OK.

Trey își reîmpăturește șervețelul, ca să găsească o bucată curată, și își suflă din nou nasul. Cal o analizează cum reușește, una câte una, să asimileze informațiile pe care le primește.

— Asta înseamnă că te poți duce acasă. Îmi place să fii aici, dar cred că e timpul să pleci.

— O să plec. Dar mai târziu.

— Corect. Nu te pot duce eu, dar domnișoara Lena te va lua cu mașina, după muncă. Vrei să venim cu tine, unul dintre noi? Să te ajutăm să-i explici mamei tale?

Trey clatină din cap.

— Nu-i zic încă. Nu până ai dovezi.

Ridică privirea din hârtie.

— Ai zis câteva zile.

— Cam așa. Dar cu o condiție. Trebuie să-mi dai cuvântul de onoare că nu încerci să mai faci ceva. Niciodată. Că lași lucrurile așa cum sunt și îți reiei viața, cum ai promis. Că te duci la școală, că îți cauți prietenii. Poate că reușești să nu-ți superi profesorii câteva zile. Poți?

Trey inspiră adânc.

— Pot.

Stă tot aproape de perete. Ține prosoapele de hârtie în poală, de parcă n-ar avea energie să le dea la o parte. Pare că o încordare lungă și crudă se scurge din ea, încet-încet, lăsându-i tot corpul moale, aproape neajutorat.

— Nu doar acum. Mereu de-acum încolo.

— Da, știu.

— Jură. Pe cuvântul tău de onoare.

Trey îl privește.

— Jur.

— Fiindcă îmi asum un risc.

— Și eu mi-am asumat un risc, ieri, când am lăsat oamenii ăia să plece.

— Da, cred și eu.

Are din nou senzația aceea incertă sub stern. Abia așteaptă să fie mâine sau săptămâna viitoare sau când își va recăpăta forțele cât să poată reacționa așa cum ar face-o de obicei.

— Bine. O săptămână. Sau două, să fim siguri. Apoi te întorci.

Trey mai inspiră o dată adânc.

— Acum ce facem?

Ideea unei lumi fără o misiune o face să se simtă pierdută.

— Azi vreau să merg la pescuit, zice Cal. Atâta pot. Crezi că niște amărâți ca noi pot ajunge până acolo?

Trey face niște sandviciuri. Cal îi împrumută un pulover și haina lui de iarnă căptușită, în care arată ridicol, iar ea îl ajută să se îmbrace în geacă. Apoi pornesc încetișor spre malul râului. Își petrec acolo după-amiaza și vorbesc doar despre pești. Când au prins suficient biban cât se hrănească familia lui Trey, Cal și Lena, strâng și se întorc acasă.

Împart peștele și Cal găsește o pungă de plastic pentru hainele vechi ale lui Trey și pijama.

În drum spre casă, Lena se oprește să o ia pe Trey, dar când iese Cal, coboară geamul și îl privește lung.

— Când ai terminat cu prostiile, sună-mă, spune ea.

Cal încuviințează. Trey urcă în mașină și Lena ridică geamul, iar Cal privește mașina cum se îndepărtează, în întunericul care se adună deasupra gardurilor și în scânteierile farurilor sub ploaia care nu se mai sfârșește.

21

Ploaia nu se oprește o săptămână întreagă. Cal stă în casă și îi permite corpului să se vindece. Clavicula pare doar învinețită sau fisurată, sau ceva pe-acolo, dar nu ruptă. La finalul săptămânii își poate folosi brațul pentru lucruri mărunte, aproape fără să-l mai doară, dacă nu încearcă să-l ridice mai sus de umăr. Genunchiul, pe de altă parte, e mai rău decât credea. Umflătura se retrage lent. Cal o prinde cu bandaje și pune mereu gheață, iar asta mai ajută puțin.

Inactivitatea forțată și burnița par să dea zilelor un aer de visare, suspendat undeva în aer. Lui Cal i se pare liniștitor. Pentru prima dată, nu trebuie să facă nimic, fie că vrea sau nu. Tot ce poate face e să stea la geam și să privească afară. Se obișnuiește să vadă munții neclar, din cauza ploii, de parcă ar putea să meargă la infinit în direcția lor, în timp ce ei se îndepărtează.

Tractoarele străbat câmpurile, iar vacile și oile pasc mai tot timpul. Nu știe dacă ploaia le deranjează sau dacă pur și simplu rabdă. Vântul a purtat departe și ultimele frunze. Stejarul ciorilor e golaș, expunându-le cuiburile, pe fiecare creangă. În copacul alăturat există un cuib singuratic, căci, la un moment dat, o pasăre le-a încălcat legile misterioase și a primit o lecție.

Senzația de nesiguranță mai ține câteva zile, străpungându-l pe Cal când vine vorba despre lucruri întâmplătoare, precum o pitulice moartă în curtea din spate sau un țipăt nocturn dinspre gard. După câteva nopți de odihnă, scapă de ea. Venea din trupul lui, nu din minte. Bătaia nu i-a scuturat mintea. Uneori, oamenii se bat. Așa merg lucrurile. Ce a pățit Trey însă e altceva și e mai greu de lăsat în urmă.

Știe c-ar trebui să se ducă la polițistul Dennis. Există atâtea motive pentru care nu o va face, atât de bine întrețesute, că n-are idee care este cel esențial și care-s doar de umplutură. Cu cât stă mai mult în casă, fără nicio ocupație, cu atât mai rău îl roade întrebarea. Își dorește să se plimbe, dar trebuie să-și odihnească genunchiul, ca să se vindece pentru a urca în munți. Ar vrea ca Lena sau Trey să vină în vizită. Dar știe că ar fi o idee proastă, căci acum trebuie să se liniștească. Aproape că-și dorește să fi cumpărat un televizor.

După ce genunchiul își mai revine, se duce șchiopătând prin ploaie la Noreen și îi explică, acoperind răpăiala, cum a căzut de pe acoperiș. Câtă vreme ea enumeră remedii de casă și oameni care au murit căzând din diverse locuri, intră Fergal O'Connor să ia un sac imens de cartofi și o sticlă mare de lichior de fructe. Când Cal îl salută din cap, își pleacă privirea stânjenit și zâmbește cu jumătate de gură, apoi plătește și pleacă repede, să nu-i mai pună Cal și alte întrebări.

Cal s-a tot gândit la Fergal, în ultimele zile. Dintre toți oamenii cu care a vorbit, sărmanul prostănac e singurul care l-ar fi putut îndruma pe pista corectă. Brendan n-o fi avut deloc simțul măsurii, în multe feluri, dar vorbise cu Fergal, și nu cu Eugene, când simțise nevoia să-și destăinuie planurile. Fergal știa ce pune la cale Brendan – poate nu în amănunt, dar știa ce era mai important. Știa că Brendan fusese prins și că era speriat și că, dacă băiatul nu se temea de localnici la fel de mult ca de băieții din Dublin, ar fi trebuit totuși s-o facă. Ce nu-i trecuse lui Fergal prin minte era că lucrurile ar fi putut merge prost. În capul lui, natura este cea care se revoltă. Oamenii sunt de încredere sau cel puțin au încredere în ei înșiși. Brendan, care a fost mereu agitat, s-a speriat de bătaie și a șters-o și se va întoarce când se calmează lucrurile.

Cal nu vrea să-i spună altceva. Își va da seama singur sau nu. Ori poate nici nu vrea. Fergal trebuie să se împace cu locul natal.

Nici lui Caroline nu-i va spune. Ea nu vrea să știe, dar chiar și s-o poată face fără niciun risc, Caroline nu poate fi responsabilitatea lui. Va trebui să se împace și ea cu situația. Cal ar dori să-i spună, măcar că a fost un accident, ca împăcarea să nu fie în condiții mai aspre decât e cazul. Dacă îl întreabă, cândva, poate găsește o cale.

Asta dacă mai e în zonă. Celălalt lucru la care s-a gândit, blocat în casă, privind siluetele munților care ascund un băiat mort, undeva, între culmile lor visătoare, este să scoată locul la mezat și să urce într-un avion spre Chicago sau poate spre Seattle. În câteva zile, termină ce are nevoie Trey de la el și nu îi vor mai rămâne responsabilități aici care să îl rețină. Ar putea împacheta și pleca în mai puțin de o oră.

Plătește cumpărăturile și Noreen îl conduce până la ușă, continuând să vorbească și promițând s-o trimită pe Lena la el cu prișnițe cu varză și cu numărul unuia priceput care să-i repare acoperișul. Cal n-are cum să știe dacă ea a crezut vreun cuvânt din tot ce i-a spus, dar înțelege că n-are niciun rost, în ceea ce o privește.

În cele din urmă, ploaia se oprește. Cal, care, cu o zi înainte, putea jura că va începe să mestece mobila dacă nu putea ieși odată din casă pentru a-și termina treaba, decide că ar fi mai inspirat să lase să se mai ducă apa de pe munte, înainte să se apuce de săpat. Stă acasă în ziua aceea și în următoarea, ca să fie sigur.

Nu are legătură cu Brendan. Nu e chiar ce și-ar dori, dar indiferent în ce stare e leșul, a văzut mai rău. Știe ce trebuie să facă acolo și e pregătit. Partea care nu-i e limpede e cea care urmează.

Trey poate apărea oricând după dovezi. Cal nu a văzut-o deloc de când a dus-o Lena acasă. Nu-i place ideea că e sus, în munți, doar cu

Sheila supraveghind-o, dar i-a zis să-l lase două săptămâni și crede că probabil e un lucru bun că i le oferă: are nevoie de timpul ăsta pentru a înțelege tot ce s-a întâmplat și a se pregăti de ce urmează. Dar se gândește și că, aproape de sfârșitul celor două săptămâni și cu fața suficient de vindecată cât să nu-i fie greu să se arate în lume, va deveni agitată.

E joi, dar seara târziu Cal se așază pe treaptă și o sună pe Alyssa. Se simte ca un prost, dar vrea să-și petreacă a doua zi urcând câțiva kilometri pe un munte pustiu, cu un om care a ajutat deja la uciderea unei persoane și a scăpat și care îl poate considera, pe bună dreptate, un risc inacceptabil. Ar fi naiv să ignore potențialul situației, iar Cal simte c-a fost suficient de naiv până acum.

Alyssa răspunde repede.

— Hei! E totul OK?

— Da. Voiam doar să văd ce faci.

— Bine. Ben a avut al doilea interviu pentru un job minunat, așa că ține-i pumnii.

Vocea ei se îndepărtează, iar Cal aude apa curgând și zgomote metalice. L-a pus pe speaker, cât încarcă mașina de spălat vase.

— Tu ce mai faci?

— Nu mare lucru. A plouat toată săptămâna, dar s-a potolit, așa că mâine vreau să ies la o plimbare în munți. Cu vecinul meu, Mart.

Alyssa spune ceva, probabil lui Ben, pentru că se aude înfundat.

— Uau! i se adresează din nou lui Cal. Sună grozav.

— Da. Îți trimit poze.

— Te rog. Și aici a plouat. Cineva de la muncă a zis că s-ar putea să ningă, dar cred că nu știe ce zice.

Cal își trece mâna peste față suficient de puternic cât să-l supere vânătăile. Își amintește cum își vâra în gură piciorușul de bebeluș al Alyssei și ea râdea până începea să sughițe. Deasupra grădinii lui, cerul e un amalgam de stele.

— Știi ce, spune brusc, am ceva cu care cred că mă poți ajuta. Ai o clipă?

Zgomotele se opresc.

— Sigur. Ce e?

— O copilă din vecini vine pe la mine, să învețe tâmplărie. A aflat recent că fratele ei mai mare a murit și nu are ceea ce ai numi un sistem de susținere bun: tatăl ei a plecat și mama ei n-are multe de oferit. Vreau s-o ajut să treacă prin asta fără să deraieze, dar nu știu cum. Mă gândeam că ai tu niște idei.

— OK.

O și vede pe Alyssa cum începe să-și pornească rotițele din minte.

— Câți ani are?

— Treișpe.

— Cum a murit fratele ei?

— S-a bătut și s-a lovit la cap. Avea nouășpe ani. Erau apropiați.

— Important este să-i spui că orice simte este un sentiment normal, dar s-o îndepărtezi de orice acțiune distructivă sau autodistructivă. De exemplu, e firesc să fie furioasă pe ea, pe fratele ei, pe persoana cu care s-a bătut, pe părinții ei, fiindcă nu l-au protejat, în fine – asigură-te că știe că sunt sentimente normale și nu se simte vinovată. Dar, dacă începe să-și bată joc de alți copii, de exemplu, trebuie să știe că nu e bine. Ajut-o să găsească alt mod de a scăpa de furie. Arte marțiale, teatru. Alergat. Hei, poți să mergi la jogging cu ea.

Rânjetul din glasul Alyssei îl face pe Cal să rânjească și el, de cealaltă parte a lumii.

— Hei, spune el, prefăcându-se ofensat, aș putea alerga. Dacă vreau.

— Atunci, fă-o. În cel mai rău caz, o să râdă de tine și probabil i-ar prinde bine. Va căuta moduri să simtă că lumea poate fi încă normală. Râsul îi va face bine.

Cal e uimit de cât de încrezătoare și competentă e. Cumva, fetița lui a ajuns un adult și știe cum să rezolve lucrurile. Știe tot felul de lucruri, are abilități pe care el nu le are. Cal se preocupa pentru ea, ca o cloșcă, și o asculta atent urmărind dacă nu cumva cedează, dar ea era doar obosită de munca grea care a fost necesară să ajungă aici. O ascultă vorbind despre comportamente regresive și despre modelarea unei exprimări emoționale sănătoase și și-o imaginează șezând lângă varianta americană a lui Trey, în timp ce transformă cu calm și pricepere toate cuvintele astea în acțiuni solide. I se pare că n-a dat-o chiar atât de rău în bară, dacă Alyssa a ajuns în această etapă.

— Sună minunat, spune el, după ce Alyssa termină.

— Am avut cum să exersez. Mulți copii de la muncă au pierdut pe cineva.

— Sunt norocoși că te au.

Alyssa râde.

— Da, așa cred și ei, în general. Nu mereu. Ți-am fost folos?

— Da. Bag totul la cap. Mai puțin faza cu alergatul.

— Dacă vrei, pot să-ți scriu un e-mail cu toate astea. Și, dacă apare ceva anume, cum ar fi să înceapă să adopte comportamente riscante, spune-mi, și-ți spun toate strategiile pe care le cunosc.

— Ar fi grozav. Mersi, puștoaico. Serios.

— Oricând. O să te descurci. Ba mai mult de-atât. Îți amintești când a lovit-o o mașină pe Puffle? Ai condus până în pădurea aia, fiindcă acolo voiam să o îngrop. Și i-ai făcut piatră de mormânt.

— Îmi amintesc.

Își dorește s-o poată suna pe Donna, să-i spună că crede că înțelege despre ce vorbea, cel puțin uneori.

— Exact de asta aveam nevoie. Vei fi bine. Doar că, tată...

— Da?

— Fata din vecini are nevoie de constanță în viața ei. Ultimul lucru care-i trebuie e să mai dispară cineva. Așa că, dacă plănuiai să vii acasă curând, probabil ar trebui s-o încredințezi altcuiva. Alt vecin în care ai încredere sau...

— Da, spune Cal, știu.

Aproape c-o întreabă dacă ea ar vrea ca el să se întoarcă, dar se oprește. N-ar fi corect.

— Mi-am dat seama că știi. Doar verificam.

În fundal se aude Ben.

— Tată, trebuie să închid. Ne vedem cu niște oameni la cină.

— Sigur, spune Cal. Zi-i lui Ben că-l salut. Și mamei tale că-i transmit toate cele bune. Nu vreau s-o sâcâi, dar aș vrea să știe că-i doresc numai bine.

— Da, o să-i transmit. Pe curând.

— Hei, spune Cal, înainte să închidă. Am cumpărat o oaie de jucărie din oraș. Mi-a amintit de jucăriile tale de pluș, de când erai mică, ratonul și celelalte. Pot să ți-o trimit? Sau nu mai vrei așa ceva, acum că ai crescut?

— Mi-ar plăcea la nebunie o oaie de jucărie.

Parcă o și vede cum zâmbește.

— Se va înțelege minunat cu ratonul. Noapte bună.

— Noapte bună, draga mea. Să aveți o cină plăcută. Nu te culca târziu.

— *Tată*, spune Alyssa râzând și închide.

Cal șade pe treaptă o vreme, își bea berea și privește stelele. Așteaptă dimineața.

Vremea se menține la fel. Dimineața vine cu un soare aspru, de iarnă, care alunecă jos peste câmpuri și pe geamul lui Cal. Aerul din casă e rece, iar radiatoarele îl pot face să dispară doar în parte. Cal mănâncă, își bandajează iar genunchiul și se îmbracă în mai toate hainele pe care le are. Când vine pauza de ceai a lui Mart, se îndreaptă spre el.

Ținutul și-a lăsat în urmă sinele autumnal și s-a îmbrăcat într-o frumusețe nouă, arogantă. Nuanțele de verde și de auriu au mai pălit, devenind niște acuarele, cerul e o tușă de albastru palid, iar munții se văd atât de clar, că lui Cal i se pare că distinge fiecare pâlc de iarbă neagră ofilită. Pe marginea drumurilor e noroi, după ploaie, cu bălți în șanțuri. Respirația lui Cal e abur și fum. Pornește agale, cruțându-și genunchiul. Știe că va fi o zi grea.

Kojak sapă după ceva într-un colț de grădină. E prea interesant să abandoneze ceea ce face. Mart se apropie de ușă.

— Nu ne-am mai văzut de mult, băiete, spune el, zâmbindu-i lui Cal. Începeam să mă întreb dacă să trimit o patrulă în căutarea ta. Dar arăți bine.

— Sunt bine. Suficient să merg la săpat, dacă tot s-a oprit ploaia.

Mart îl analizează pe Cal din unghiuri diferite, dar ignoră remarca.

— Aș spune că nasul e pe cale să-și recapete măreția, spune el. Lena e încântată, ha? Sau te-a părăsit? N-am mai văzut mașina ei în zonă.

— Cred c-a fost ocupată. Ai vrea să mă duci azi în plimbarea aceea?

Mart își pierde expresia glumeață.

— Ai vorbit cu copila?

— Da. Nu va face nimic.

— Ești sigur?

— Da, sunt sigur.

— E alegerea ta, băiete. Sper să ai dreptate.

Fluieră după Kojak. Câinele vine, bucuros să-l salute pe Cal, dar Mart îi face semn să intre în casă.

— Nu vrem să vină cu noi pentru asta. Așteaptă o clipă. Mă întorc.

Închide ușa în urma lui. Cal privește un stol de grauri plutind pe cer, ca un djinn, până ce se întoarce Mart. Poartă haina impermeabilă și o căciulă tricotată, într-o nuanță orbitoare de galben-neon. Pentru o clipă, Cal simte că vrea să facă o glumă pe seama ei, să-i spună

DJ Prăjiturică, sau așa ceva, înainte să-și amintească de faptul că nu mai sunt în termeni amiabili. Se simte singur. Îi plăcea Mart.

Mart cară bastonul și o lopată dreaptă.

— Pentru tine, îi spune lui Cal când i-o înmânează. O s-o poți folosi, cu clavicula aia a ta?

— Mă gândesc eu cum.

Își pune lopata pe umărul teafăr.

— Și genunchiul? E drum lung și jumătate e urcuș. Dacă genunchiul te lasă baltă pe munte, n-am ce să-ți fac.

— Îi chemi pe P. J. și pe Francie. Mă pot duce ei.

— Nu i-am pus la curent cu expediția noastră. N-ar fi de acord. Nu te cunosc la fel de bine ca mine. Nu poți să-i acuzi.

— Genunchiul meu e OK. Să mergem.

Drumul e lung. Pornesc pe aceeași cărare pe care s-a dus Cal spre casa familiei Reddy, dar după un kilometru Mart indică o potecă lăturalnică, folosind bastonul. E prea îngustă să o parcurgă pieptiș, aproape ascunsă de copăcei și iarbă înaltă.

— N-ai fi văzut-o, spune el, zâmbind. Muntele e plin de șmecherii.

— Tu știi, tu mergi înainte.

Nu-l vrea pe Mart în spatele lui.

Poteca trece peste movile și printre bolovani, printre fâșii de grozamă galbenă și pâlcuri lungi de iarbă neagră, ai cărei clopoței mov se transformă într-unii maro.

— Asta, spune Mart, lovind un pâlc de iarbă neagră cu bastonul, este mărtăloagă. Din ea se face cea mai bună miere din lume. Pe când eram copil, un tip care locuia aici, Peadar Ruadh, ținea albine. Bunica ne trimitea să aducem borcane cu miere de la el. Jura că-i cea mai bună pentru baiuri la rinichi. O lingură dimineața și una seara și te puneau pe picioare imediat.

Cal nu răspunde. Veghează să nu-i urmărească nimeni – ar fi în stare Trey –, dar nu se mişcă nimic în jur. Pământul ud al potecii le cedează sub tălpi. Mart fluieră o melodie joasă, melancolică, ciudat ritmată. Uneori, cântă un vers, două, în irlandeză. Vocea lui capătă un ton diferit, un fel de gângurit răguşit şi absent.

— Cântecul e despre un om care se duce la târg şi-şi vinde vaca, pentru cinci lire sterline şi o guinee de aur, îi spune lui Cal, peste umăr. Zice: „Dacă beau toţi arginţii şi risipesc aurul, ce-i pasă cuiva, când n-are motiv?"

Cântă iar. Poteca devine abruptă. Jos, câmpurile se întind mai departe, palide în lumina aspră a soarelui, separate de ziduri ridicate din motive uitate cu secole în urmă.

— Zice: „Dacă mă duc în pădure, să culeg fructe sau nuci, să iau mere de pe crengi sau să-mi mân vitele şi mă întind sub un copac, să mă odihnesc, ce-i pasă cuiva, când n-are motiv?"

Cal îşi scoate telefonul, porneşte camera şi o ridică în dreptul peisajului.

— Închide-l, spune Mart, întrerupând melodia în mijlocul versului.

— I-am zis fiicei mele că mă duc pe munte. A cerut poze. Îi place peisajul.

— Îi spui c-ai uitat să-ţi iei telefonul.

Stă pe potecă, sprijinit în baston, şi-l priveşte pe Cal, aşteptând să facă ce i-a spus. După un minut, Cal închide telefonul şi îl pune înapoi în buzunar. Mart dă din cap şi porneşte iar. La scurtă vreme, cântă din nou.

Plante cum n-a mai văzut Cal în zonele ierboase, similare cu feriga, se întind de pe margini să-i atingă cizmele. Bastonul lui Mart scoate un zgomot ritmic pe potecă, ţinând măsura melodiei.

— Omul spune, îi zice el lui Cal, „Oamenii zic că-s sărăntoc, că n-am nici lucruri, nici haine bune, nici vite, nici avere. Dacă io-s mulţumit să trăiesc în colibă, ce-i pasă cuiva, când n-are motiv?".

Iese de pe potecă și se strecoară printr-un spațiu într-un zid de piatră fărâmițat, acoperit de licheni. Traversează o porțiune care pare să fi fost defrișată cu multă vreme în urmă, înainte să fie abandonată ierbii înalte și turbei. Într-un colț se văd rămășițele unei colibe de piatră, mult mai veche decât a lui Brendan. Mart nu se întoarce spre ea. O pală de vânt răscolește iarba.

Urcă și tot urcă, iar frigul devine tăios, trecând prin straturile de haine ale lui Cal și apăsându-și muchia ascuțită pe pielea lui. Cal crede că ruta lor ocolește și e întortocheată, revenind de unde plecase, dar un tufiș de grozamă sau un petic de mlaștină arată la fel cu altul, așa că nu știe precis. Privește spre soare și peisaj, încercând să-și dea seama, dar știe c-ar putea petrece un an căutând și tot n-ar mai găsi locul. Îi surprinde privirea lui Mart.

Fără telefon, Cal nu poate fi sigur cât au mers deja. Poate o oră, poate mai mult. Soarele e sus. Se gândește la cei patru bărbați care au urcat încet pe potecile astea, cărând cu ei un cadavru într-un cearșaf.

Mart continuă drumul printr-un pâlc des de molid, într-o depresiune, apoi pe altă potecă, unde coama se răsfrânge într-un platou, de ambele părți. Sclipirile apei se disting printre porțiuni de noroi și iarbă neagră.

— Stai pe cărare, îl sfătuiește Mart pe Cal. În fiecare an, una, două oi pășesc în noroi și nu mai pot ieși. Acum douăjcinci sau treij de ani, venea aici un tip din Galway – nebun de legat, zău, urca și cobora muntele desculț, în Vinerea Mare, rostind rugăciuni tot drumul. Susținea că Sfânta Fecioară i-a spus că, într-un an, dacă va continua, îi va apărea în cale. Poate c-a fost așa și Ea a ales un loc prost, nu știu să-ți zic, dar într-un an n-a mai coborât. L-au căutat și l-au găsit mort în noroi, la nici trei metri de potecă. Avea un braț încă întins spre uscat.

Lopata mușcă din umărul lui Cal, iar genunchiul îi pulsează la fiecare pas. Se întreabă dacă Mart are de gând să-l poarte pe aceleași cărări în cerc până renunță și apoi să-l lase să-și găsească singur drumul înapoi. Soarele a început să alunece în jos, pe cer.

— Acolo, spune Mart și se oprește să arate cu bastonul un loc din noroi, cam la șase metri depărtare.

— Sigur?

— Da. Te-aș aduce până aici dacă n-aș fi sigur?

În jurul lor se întinde platoul. Iarba înaltă și iarba neagră se îndoaie, albite de toamnă. Umbre mici plutesc peste ele, de la fuioare de nor.

— Arată cam ca alte zece locuri pe lângă care am trecut.

— Poate pentru tine. Dacă-l vrei pe Brendan Reddy, acolo e.

— Are ceasul la mână?

— N-am luat nimic. Dacă purta ceasul în ziua aia, la el este.

Stau unul lângă altul și privesc spre noroi. Petice de apă sclipesc ici-colo, albastrul cerului reflectându-se în ele.

— Mi-ai zis să nu mă abat de la potecă. Dacă mă duc, ce mă împiedică să nu ajung ca tipul cu Fecioara?

— Ăla era băiat de la oraș, spune Mart. Ori nu deosebea noroiul uscat de cel ud, ori credea că Fecioara o să-i scape curul. Eu tăiam turbă din muntele ăsta dinainte să te naști tu sau să fii măcar proiect, și-ți zic că de aici până acolo e noroi uscat. Cum crezi c-am dus băiatul fără să ne afundăm?

Cal își dă seama perfect cum ar arăta, dacă l-a judecat greșit pe Mart. Un yankeu prost, care ieșise să se joace de-a comuniunea cu natura într-o țară de neînțeles, a călcat greșit. Poate că Alyssa își va aminti că mergea la plimbare cu vecinul. Dar zece oameni vor susține că-și petrecuseră toată ziua cu Mart.

— Dacă vrei să te întorci acasă, putem spune că am făcut puțină mișcare.

— Nu am crezut niciodată în mișcare doar de dragul ei, spune Cal. Sunt prea leneș. Dacă am venit până aici, să fie cu rost.

Schimbă poziția lopeții pe umăr, ca să nu-l mai doară așa rău, și pășește pe lângă cărare. Îl aude pe Mart urmându-l, dar nu se întoarce.

Noroiul cedează și revine sub picioarele lui, când pare să cedeze sub greutatea sa, dar rezistă.

— În stânga, spune Mart. Acum drept înainte.

Departe, în fața lor, o pasăre mică se ridică alarmată și dispare pe cer, iar strigătul ei ascuțit ajunge la ei slab, prin tot aerul acela rece.

— Aici, spune Mart.

În fața lui, un dreptunghi de mărirea unui om are marginile neregulate, contrastând cu iarba netedă din jur.

— Nu e pe cât de adânc ar trebui să fie, spune Mart. Dar guvernul a interzis tăierea turbei din partea asta de munte. O să aibă pace după ce termini cu el.

Cal înfige muchia lopeții în noroi, acolo unde este deranjat, și o apasă cu piciorul întreg. Lama intră ușor. Noroiul are o consistență groasă și cleioasă.

— Taie întâi marginile, spune Mart. Apoi poți ridica pământul.

Cal vâră lopata iar și iar, până ce conturează un dreptunghi, apoi ridică bucata de pământ și o dă la o parte. Iese ușor, cu muchii clare. În groapă, noroiul este neted. Un miros bogat, profund, îi gâdilă nările, amintindu-i de fumul de pe horn când se apropie de cârciumă, în serile reci.

— Parc-ai fost născut să faci asta, spune Mart.

Își scoate pachetul de tutun și începe să-și ruleze o țigară.

Durează. Cal nu-și poate folosi brațul rănit cu prea multă forță. Tot ce poate e să țină bine lopata și s-o înfigă. După câteva minute îl doare chiar și brațul teafăr. Mart își vâră baza bastonului în noroi și se sprijină cu antebrațul liber de el, fumând.

Mormanul de turbă tăiată crește, iar gaura se lărgește și se adâncește. Sudoarea se răcește pe fața și gâtul lui Cal. Se sprijină în lopată ca să-și tragă sufletul și pentru o secundă amețitoare simte forța de tornadă a momentului ciudat, a faptului să se află pe un vârf de munte, la jumătate de lume distanță de casă, săpând după un băiat mort.

La început, crede că ciuful roșcat care iese de unde-a fost lopata este mușchi. Îi ia o secundă să-și dea seama că noroiul și-a schimbat culoarea, că mirosul care vine din groapă a devenit mai greu, rânced, și înțelege că vede păr.

Pune jos lopata. Are în buzunarul hainei o pereche de mănuși de latex, cumpărate pentru lucrări în gospodărie. Și le pune, îngenunchează la marginea gropii și se apleacă, scurmând cu mâinile.

Descoperă treptat fața lui Brendan. Nu știe ce alchimie ciudată a aplicat noroiul, dar nu arată ca un cadavru pe care Cal să-l fi văzut până acum. E întreg, cu pielea și carnea intacte, cu genele coborâte, de parcă ar dormi. După aproape șapte luni, încă a mai rămas suficient din el să recunoască băiatul zâmbitor din fotografia de pe Facebook. Dar pielea lui are o nuanță ciudată, de piele tăbăcită, iar greutatea noroiului a început să-l modeleze ca pe ceară, făcându-i fața să alunece într-o parte și strivindu-i trăsăturile. Are o încruntare intensă, misterioasă, de parcă s-ar concentra la ceva ce poate vedea doar el. Lui Cal îi vine în minte chipul lui Trey, când dădea cu șmirghel.

Linia maxilarului e inegală, iar Cal o atinge. Carnea pare mai groasă, iar osul, parca din cauciuc, cedează, dar Cal găsește fisura unde a nimerit pumnul. Cu grijă, trage buza de jos a lui Brendan. Are doi dinți rupți.

Cal face un spațiu în jurul capului lui Brendan, ca să-i vadă ceafa. Lucrează încet, cu grijă. Nu știe cât de bine se ține carnea, ce părți din el ar putea ceda sub mâinile lui, dacă apasă mai tare. Chiar și prin mănuși, simte textura părului între degete, o încâlceală aspră, ca o rețea de rădăcini fine, care se răspândesc. La baza craniului e o indentație serioasă. Când Cal dă părul la o parte, vede încă tăietura zimțată, adâncă.

— Vezi dar că e cum ți-am zis, spune Mart.

Cal nu răspunde. Începe să dea la o parte noroiul care acoperă trunchiul lui Brendan.

— Ce-ai fi făcut dacă nu era?

Treptat, apare geaca neagră a lui Brendan, cu un petic portocaliu pe mânecă, descheiată peste un hanorac care a fost probabil gri, înainte ca noroiul să-l vopsească ruginiu. Brendan e înclinat, pe jumătate pe spate, pe jumătate într-o parte, cu capul răsucit într-un unghi nefiresc. Soarele se înalță deasupra lui fără milă.

Brațul i-a căzut peste piept. Cal caută mai adânc în pământ. Lângă corp, are altă consistență, mai umedă. Mirosul greu îi umple nările.

— Nu e singur, zice Mart. Bunicul meu a găsit un om în noroiul ăsta, când era fecior, acum vreo sută de ani. A zis că omul trebuie să fi fost aici de dinainte să alunge Sfântul Patrick șerpii. Plat ca o clătită era, cu bețe răsucite în jurul gâtului. Bunicul l-a acoperit la loc și n-a zis o vorbă poliției. A lăsat omul să se odihnească în pace.

Cal ridică mâna lui Brendan. Se teme că se va desprinde de corp când o ridică, dar rezistă. Are aceeași patină maroniu-roșcată ca fața și se mișcă de parcă n-ar avea oase. Noroiul îl schimbă pe Brendan în altceva.

Încheietura se îndoaie ca o rămurea, sub propria greutate. De asta are nevoie Cal: când dă la o parte straturile grele de apă ale mânecilor, vede ceasul. Brățara s-a lipit de pielea lui Brendan. Cal o desface și începe s-o cojească delicat, dar carnea alunecă și se rupe în fâșii albicioase.

Mintea lui Cal pare să-l părăsească. Mâinile înmănușate par să aparțină altcuiva care încearcă să desprindă ceasul, să-l detașeze cu grijă și să șteargă noroiul și ce-o mai fi cât de bine pot. Remarcă faptul că iarba de aici are o textură mai dură decât cea de pe câmpurile joase și că are cracii pantalonilor uzi de la stat în genunchi.

Ceasul e vechi, cu demnitate și greutate: cadran crem, cu margine aurie, cu niște linii subțiri, aurii, pentru numere, și limbi așijderea. Noroiul a întărit pielea, dar n-a schimbat aurul, care poartă încă un lustru palid și împăcat. Sunt litere inscripționate pe spate: *BPB*, ondulate, cu patină veche. Sub ele, mai noi, literele drepte BJR.

Cal își șterge mănușile în iarbă și scoate din buzunar o pungă cu închidere. N-ar vrea să ia nicio fărâmă de noroi cu el, dar, oricât s-ar strădui, firimituri mici pătează interiorul pungii. O pune în buzunar.

Îl privește pe Brendan și nu-și dă seama cum să așeze gazonul înapoi peste el. E împotriva oricărui instinct, până în mușchi și în oase. Mâinile lui vor să lucreze mai departe, să curețe noroiul și să întindă băiatul sub soarele rece. Pe limbă îi stau cuvintele pe care le-ar spune la telefon, ca să pună în mișcare mașinăria care-i e familiară, aparate foto în acțiune, pungi pentru dovezi care se deschid și întrebări puse repede, până ce s-a rostit tot adevărul și toată lumea e la locul meritat.

E sigur c-ar putea să scape telefonul fără să-l observe Mart. Urmărirea prin GPS i-ar aduce suficient de aproape.

Cal simte din nou acea ușurătate, noroiul care-și pierde soliditatea sub genunchii lui, când gravitația îi dă drumul. Când ridică privirea, Mart se uită la el cu ochi limpezi, cu capul lăsat într-o parte, așteptând.

Cal îl privește și își dă seama că îl doare în cot de Mart. Îl poate obliga să-l ducă înapoi, dacă trebuie. Se poate apăra și o poate proteja pe Trey, până când ajunge la o familie adoptivă. S-ar lupta ca un linx și l-ar urî pe vecie, dar ar fi în siguranță. Ar fi oricum departe de ea și de toată lumea care ar mai vrea să-i arunce o cărămidă prin geam.

Dar se gândește la Alyssa, la vocea ei sinceră în urechea lui, ca atunci când era mică și-i explica problemele unui animal de pluș. *Fata din vecini are nevoie de constanță acum în viața ei. Ultimul lucru care-i trebuie e să mai dispară cineva.*

Cal nu-și dă seama ce să facă sau dacă există un lucru corect, dar știe ce ar fi cel mai aproape. Se apleacă și-l îngroapă pe Brendan înapoi. Ar dori să-l așeze cum se cuvine, dar chiar și să fie sigur că ar reuși fără să provoace daune, știe de ce Mart și ceilalți nu au făcut-o de la început. Dacă apare un tăietor de turbă și dă peste el, trebuie să arate ca și cum ar fi ajuns acolo din întâmplare. Curând, noroiul îi va topi oasele cât să nu-și dea seama nimeni ce fel de răni a avut.

Așază brațul lui Brendan înapoi peste piept, cu grijă, și îi ridică gulerul gecii. Umple cu pământ în jurul corpului și capului, acoperindu-i fața cât de blând poate, până ce se face nevăzută, treptat. Apoi ia din nou lopata și așază bucățile de turbă peste băiat. Durează, iar brațul teafăr a început să-i tremure, din cauza efortului. A lăsat bucățile de pământ la final. Le așază la loc și le apasă, ca marginile să se potrivească bine și iarba să crească și să acopere semnele.

— Zi o rugăciune pentru el, dacă tot l-ai tulburat, spune Mart.

Cal se ridică. Îi ia câteva secunde să-și îndrepte spatele. Nu-și amintește rugăciuni. Încearcă să se gândească la ce și-ar dori Trey să facă pentru fratele ei, dar n-are idee. Cu forțele rămase, singurul lucru la care se poate gândi e să cânte ce a cântat la înmormântarea bunicului său.

Sunt un sărman străin rătăcitor,
Care străbate lumea de unul singur,
Dar în cea luminoasă, unde merg,
Nu e nici boală, nici primejdie, nici pericol.
Mă duc acolo să-mi văd dragii,
Mă duc să nu mai rătăcesc,
Mă duc doar peste Iordan,
Mă duc acasă.

Vocea lui se evaporă iute în aerul rece.

— Merge, spune Mart.

Își trage căciula pe urechi și-și scoate bastonul din noroi.

— Haide! Nu vreau să fiu aici când se întunecă.

Coboară muntele pe altă rută, care-i poartă din plantație în plantație de molizi înalți și pe pante suficient de abrupte încât să se trezească pornind la trap, care-i provoacă dureri la genunchi.

Trec de fragmente de zid vechi, de piatră, granițe de ogor și de urme de copite de oaie în petice noroioase, dar nici urmă de vreo ființă vie. Ziua l-a dezorientat destul pe Cal, ca să se mai gândească acum că poate Mart a avertizat azi pe toată lumea să stea la cutie. Ori poate au intrat într-o zonă atemporală și vor ieși din ea într-o lume care a avansat o sută de ani, în lipsa lor. Își dă seama cum a ajuns Bobby să creadă în extratereștri, după ce a petrecut atâta vreme pe munte.

— Așadar, băiete, începe Mart, după o tăcere lungă.

Nu a mai cântat.

— Ai primit ce ai dorit.

— Da.

Se întreabă dacă Mart se așteaptă la mulțumiri.

— Copila poate să-i arate ceasul maică-sii, dacă vrea, și să-i spună de unde e. Doar ei.

— Fiindcă Sheila se va asigura că puștoaica își ține gura.

— Sheila e o femeie deșteaptă.

Soarele care pătrunde printre crengile de molid îi scaldă fața în lumină și umbre. Îi șterge ridurile și-l face să pară mai tânăr și mai puternic.

— E păcat că s-a luat cu idiotul ăla de Johnny Reddy. Erau zece băieți care s-ar fi bucurat să fie-n locul lui, dar nici nu s-a uitat la ei. La dracu'! Sheila ar fi putut avea o casă bună și o fermă și copii la universitate. Dar uite ce face acum.

— I-ai zis ce s-a întâmplat?

— Știa deja că nu se mai întoarce. Nu trebuia să știe mai mult. După ce ai văzut ce-i acolo, crezi că i-ar face bine să aibă imaginea asta în cap?

— O să mă duc la Sheila Reddy, spune Cal, după ce îmi pot folosi iar brațul. Să o ajut să repare acoperișul.

— Ah, face Mart, tresărind. Nu-i tocmai recomandat, băiete. Dacă nu te superi.

— Crezi?

— Nu vrei să faci geloasă o femeie ca Lena. Nici nu știi când pornește o ceartă pentru tine și zic c-ai pricinuit deja suficiente necazuri, pentru o vreme. Nu? În plus, cine spune că Sheila te vrea? Reputația ta cu acoperișurile nu-i tocmai strălucită.

Cal nu zice nimic. Îl doare brațul în care duce lopata.

— Știi, tocmai mi-a venit o idee, spune Mart, lovit de inspirație. Sheila Reddy chiar s-ar descurca dacă ar avea cineva grijă de ea. Niște bani din când în când, câteva bucăți de turbă ori cineva care să-i repare acoperișul. Voi discuta cu băieții, să vedem ce ne iese.

Îi zâmbește lui Cal.

— Ca să vezi. Ai făcut și tu ceva bun, în fond. Nu știu de ce nu m-am gândit înainte.

— Fiindcă și-ar fi putut să-și dea seama de ce o făceai. Acum, că știe că ești amestecat, nu strică și își va ține gura, într-un fel sau altul.

— Să-ți zic ceva, băiete, spune Mart, nemulțumit. Ai obiceiul foarte prost de a crede ce-i mai rău despre oameni. Știi de ce? Din cauza serviciului tău. Ți-a schimbat mintea. Atitudinea aia nu-ți e de folos. Dacă te-ai relaxa puțin, dacă ai privi partea bună a lucrurilor, ai profita cu adevărat de pensioară. Ia-ți o aplicație din alea care te ajută să gândești pozitiv.

— Că veni vorba despre păreri proaste, copila va veni mai departe la mine. Sper ca satul să nu ne trateze cu curul, din cauza asta.

— O să transmit, spune Mart, cu un aer important, ținând crengile pentru Cal să treacă printre molizi, spre o potecă. O să-i faci bine puștoaicei. Femeile care n-au văzut în copilărie bărbați cumsecade în jur se căsătoresc cu ratați. Și ultimul lucru de care are nevoie satul e rezultatul combinației dintre o Reddy și un McGrath.

— Mai întâi ar ajunge în noroiul ăla, spune Cal, înainte să se poată abține.

Mart începe să râdă. Râsul lui e puternic, ca o eliberare sau o fericire care se împrăștie, aproape șocant, peste dealuri.

— Te cred, zice. Ai fi imediat acolo, cu lopata. Iisuse, omule, în ce lume trăim? Nu știi niciodată încotro te poartă viața.

— Nu mai spune. Dar ai zis că puștoaica e gay.

— Na, ca să vezi, spune Mart, rânjind. Ne-am întors la sporovăială. Mă bucur. Copila se poate căsători cu un ratat, că e sau nu gay, așa-i? Pentru asta am votat, să se poată face și ăștia de râs, ca noi toți, fără să-i oprească nimeni.

— Copila nu e proastă.

— Când suntem tineri, toți suntem proști. Indienii au dreptate: părinții ar trebui să aranjeze căsătoriile. S-ar descurca mai bine decât o gașcă de tineri care gândesc cu părțile înfierbântate.

— Ai fi fost însurat cu o fătucă slabă, care și-ar fi dorit pudeli și candelabre.

— Ba nu, spune Mart, victorios. Tata și mama n-au fost niciodată de acord în vreo privință toată viața și n-aveau cum să cadă de acord în privința însurătorii mele. Aș fi unde sunt acum, liber și holtei, și fără consecințele prostiei Sheilei Reddy pe cap.

— Ai fi găsit tu în ce să te amesteci, spune Cal. Te-ai plictisi altfel.

— Așa e, da, recunoaște Mart. Dar tu?

Îl privește pe Cal cu ochii mijiți.

— Aș spune că maică-ta ți-ar fi găsit una tânără și veselă, cu un job bun. O asistentă, poate, sau o profesoară, nu o idioată. Nu vreo Elle Macpherson – nu ar vrea să ai asta pe cap –, dar frumușică. O fată gata să se distreze, dar cu capul pe umeri. Nu vreo isterică. Iar pe taică-tu l-ar fi durut în cur. Așa-i?

Cal zâmbește, împotriva voinței sale.

— În mare parte.

— Ar fi fost mai bine. N-ai fi pe-un munte, cu un genunchi făcut praf.

— Cine știe? Cum ai zis, trăim într-o lume nebună.

Își dă seama că Mart se sprijină apăsat pe baston. Calcă mai inegal și mai strâmb decât la urcare sau chiar de când au început să coboare, iar ridurile de pe față i s-au înăsprit de durere. Încheieturile lui plătesc prețul drumului.

Calea se nivelează treptat. Iarba neagră și mlaștina se transformă în buruieni care cresc pe margini. Păsările încep să ciripească.

— Asta a fost, spune Mart, oprindu-se unde poteca duce, printre gardurile vii, spre un drum pavat. Știi unde ești?

— N-am idee.

Mart râde.

— Te duci încolo cam un kilometru, spune, arătând cu bastonul, și vei ajunge la drumul îngust care înconjoară partea din spate a pământului lui Francie Gannon. Dacă-l vezi pe Francie, nu-ți face griji. Nu-ți va spune povești. Trimite-i o bezea și va fi bucuros.

— Nu te duci acasă?

— Nu, nu. Mă duc la Seán Óg să beau o bere. Sau trei. Merit.

Și lui Cal i-ar prinde bine o bere, dar niciunul nu-și dorește acum compania celuilalt.

— Ai făcut ce trebuie că m-ai dus acolo, spune el.

— Vom afla, spune Mart. S-o strângi în brațe pe Lena, din partea mea.

Ridică bastonul în chip de salut și șchiopătează mai departe, cu soarele de iarnă jos, aruncându-și umbra departe, pe drum, în urma lui.

Casa e rece. În ciuda hainelor groase și a mișcării, Cal a înghețat până-n măduva oaselor. Munții și-au pus amprenta adânc în el. Face duș până nu mai are apă fierbinte, dar încă simte frigul care-i pornește din oase și i se pare că e încă pătruns de mirosul profund de noroi și de moarte.

În seara aceea rămâne în casă și lasă luminile stinse. Nu vrea să vină Trey. Mintea lui nu s-a întors complet în corpul lui. Nu vrea ca ea să-l vadă până ce ziua de azi nu are timp să se mai spele nițel. Pune tot ce a purtat în mașina de spălat și se așază în fotoliu, privind pe geam cum câmpurile se transformă într-un albastru înghețat, în amurg, iar munții își pierd detaliile și devin o pată mare și întunecată. Se gândește la Brendan și la Trey, undeva, în acele contururi, Brendan cu noroiul care-și impune lent voința asupra lui, și Trey, cu aerul dulce, care-i vindecă rănile. Se gândește cum vor crește plante unde a curs sângele lui pe pământ și la mâinile lui îngropate azi, la ce a semănat și ce a cules.

Trey vine a doua zi. Cal calcă haine, pe masă, când ea bate la ușă. Din felul în care bate, simte ce a însemnat pentru ea să stea departe atât. Practic, lovește ușa de parcă ar vrea să se bucure de zgomot.

— Intră, strigă el și scoate fierul din priză.

Trey închide încet ușa în urma ei și-i întinde o bucată de chec cu fructe. Fata arată mult mai bine. Are încă o coajă lungă pe buză, dar ochiul vânăt are nuanțe gălbui. Fata se mișcă bine, fără să pară că o supără coasta. Pare să fie crescut un centimetru.

— Mersi. Ce faci?

— Sunt bine. Nasul tău arată mai OK.

— Se vindecă.

Cal pune checul pe blat și scoate ceasul din sertar.

— Am luat ce voiai.

Îi întinde ceasul lui Brendan. E curat. L-a pus în apă clocotită o vreme, apoi l-a lăsat la uscat pe radiator, peste noapte. Știe că, probabil, l-a nenorocit, dacă noroiul n-o făcuse deja. Dar trebuia să facă asta.

Trey întoarce ceasul și se uită la inscripția de pe spate. Pe mâini are urme mici, rozalii, lucioase, unde i-au căzut cojile.

— E ceasul fratelui tău, nu?

Trey încuviințează. Respiră greu. Pieptul i se ridică și coboară.

Cal așteaptă, în caz că ea mai vrea să spună sau să întrebe ceva, dar ea stă acolo și privește ceasul.

— L-am curățat, spune el. Nu funcționează, dar voi găsi un ceasornicar bun undeva și voi vedea dacă-l pot face să funcționeze. Dacă vrei să-l porți însă, trebuie să te asiguri că zici oamenilor că Brendan nu-l avea la el.

Trey dă din cap. Cal nu e sigur cât a înțeles.

— Poți să-i spui mamei tale povestea adevărată, spune el.

Indiferent ce a făcut Sheila, atâta lucru merită.

— Doar ei.

Ea încuviințează iar. Freacă spatele ceasului cu degetul mare, de parcă, dacă ar freca suficient de tare, inscripția ar avea milă și ar dispărea.

— Cine ți-a dat asta te poate păcăli în legătură cu ceea ce s-a întâmplat, spune ea.

— I-am văzut cadavrul, copilă, spune Trey blând. Traumele corespundeau cu ceea ce am aflat.

Aude respirația lui Trey, ca un sâsâit.

— Parc-ai fi Gardaí, spune ea.

— Știu.

— De acolo l-ai luat? De la el?

— Da.

N-are idee ce să facă dacă întreabă despre cadavru. Dar fata nu întreabă, ci spune:

— Unde e?

— Îngropat sus, în munți. N-aș putea găsi iar locul, chiar dacă aș încerca tot anul. Dar e un loc frumos. Liniștit. N-am văzut cimitir care să fie mai liniștit.

Trey se uită la ceasul din mâna ei. Apoi se răsucește pe călcâie și pleacă.

Cal o privește pe geam, înconjurând casa și traversând grădina. Se cațără peste poartă și continuă să meargă pe terenul din spate. O urmărește până ce o vede așezându-se la liziera pădurii, cu spatele lipit de un copac. Geaca ei se confundă cu tufișurile. O vede doar fiindcă poartă hanoracul roșu.

Își ia telefonul și-i scrie Lenei un mesaj. „Vreo șansă la un cățeluș care-și caută casă? Copilei i-ar prinde bine un câine. Ar avea grijă de el."

Lena răspunde după câteva minute. „Doi au fost luați. Trey poate alege dintre ceilalți."

Cal îi scrie: „Putem veni să-i vedem? Dacă-i încă disponibil pipernicitul, ar trebui să-l cunoască, înainte să-l iau acasă."

De data asta, telefonul vibrează imediat. „Halal pipernicit. M-ar mânca și pe mine. Sper că ai bani. Veniți mâine după-amiază. Ajung la 15:00."

Cal o lasă pe Trey o oră în pădure. Apoi începe să scoată uneltele pentru a lucra la birou în grădina din spate: cearșaful, biroul, trusa de scule, pluta, lemnul și pensulele și trei recipiente cu lac pentru lemn cumpărate din oraș. Scoate și checul. Când era copil, i se făcea mereu foame când trebuia să îndure emoții complexe. E o zi frumoasă de iarnă, cu așchii moi de nor pe cerul albastru. Soarele după-amiezii a coborât peste câmpuri.

Întoarce biroul și se uită lung la partea stricată. Nu arată pe cât de rău credea. S-a gândit că va trebui să dezasambleze toată tărășenia și să înlocuiască panoul lateral, dar, dacă sunt câteva bucăți ireparabile, multe pot fi vârâte iar la loc și lipite apoi. Spațiile ar trebui să fie suficient de mici pentru plută. Cu grijă, îngenunchind pe cearșaf, începe să desfacă bucățile care nu mai pot fi reparate. Curăță praful de pe celelalte, folosind o pensulă, și aplică lipici pe ele, una câte una, așezându-le la loc cu mare atenție. Rămâne cu spatele la pădure.

Tocmai pune o așchie mare la loc, când aude foșnet de picioare în iarbă.

— Ia uite, zice Cal, fără să ridice privirea. Pare să funcționeze.

— Credeam că-l desfacem și-i punem o latură nouă, zice Trey cu voce aspră.

— Nu pare să fie necesar. Putem găsi altceva de reconstruit, dacă vrei. Cred că am nevoie de încă un scaun.

Trey se lasă pe vine și se uită la birou. A pus ceasul într-un buzunar. Sau poate că l-a aruncat în pădure sau poate l-a îngropat. Dar Cal nu e convins.

— Arată bine, zice ea.

— Uite, spune Cal și arată spre recipiente. Încearcă pe niște bucăți de lemn să vezi care se potrivește. S-ar putea să trebuiască să amesteci nuanțe, să-ți iasă cum trebuie.

— Am nevoie de o farfurie sau ceva, să amestec.

— Ia-o pe aia veche, de tablă.

Trey se duce în casă și revine cu farfuria și cu o cană cu apă. Se așază turcește pe cearșaf, pune lucrurile lângă ea și se apucă de treabă.

În copac, ciorile sunt liniștite, aruncându-și frânturi de conversație între ele și zburând ocazional până la un cuib vecin, în vizită. Una slăbănoagă, tânără, atârnă cu capul în jos de-o creangă, să vadă cum arată lumea așa. Trey amestecă nuanțe de lac pe farfurie, pictează câte un pătrat corect din fiecare pe o bucată de lemn și notează cu creionul un cod propriu. Cal vâră bucăți de lemn la locul lor și le prinde bine.

După o vreme, desface checul și își rup fiecare câte o bucată. Se așază pe iarbă să mănânce, în timp ce ascultă ciorile care schimbă păreri și privesc norii care plutesc peste munte.